Anat Avitzur   Elsa Michaël

Université York
Collège universitaire Glendon

pause-café

méthode de français

MODULO

Catalogage avant publication de Bibliothèque et Archives Canada

Avitzur, Anat, 1959-

    Pause-café

    ISBN 2-89593-694-3

    1. Français (Langue) - Manuels pour allophones. 2. Français (Langue) - Français parlé. 3. Français (Langue) - Français écrit. I. Michaël, Elsa, 1966- II. Titre

PC2128.A94 2006   448.2'4   C2006-941279-0

Équipe de production

Éditeur : Sylvain Garneau
Chargée de projet : Renée Théorêt
Révision linguistique : Monique Tanguay
Correction d'épreuves : Isabelle Canarelli, Monelle Gélinas, Alexandra Soyeux, Monique Tanguay
Typographie : Carole Deslandes
Montage, maquette et couverture : Marguerite Gouin
Recherche (textes et photos) : Claire Demers, Marguerite Gouin, Bianca Lam, Eva Ringuette
Illustrations : Claude Bordeleau, p. XI, 4-5, 7-8, 10, 12-13, 17, 22-24, 28, 32, 42-43, 45-46, 51-52, 57, 66-67, 70, 72-74, 81, 86-87, 95, 97, 99, 104-105, 107, 109, 112, 114, 126-127, 129, 132-134, 144-145, 150, 152, 154, 162-163, 169-171, 173-174, 186-187, 189-190, 192-193, 197, 206-207, 210, 212-213, 215, 217, 226-228, 231, 233-237 ; Julie Bruneau, p. 33, 114, 115, 153, 157

MODULO

*Groupe Modulo est membre de
l'Association nationale des éditeurs de livres.*

Pause-café. Méthode de français

Groupe Modulo
5800, rue Saint-Denis, bureau 900
Montréal (Québec) H2S 3L5 Canada
Téléphone: 514 273-1066
Télécopieur: 514 276-0324 ou 1 800 814-0324
info.modulo@tc.tc   www.groupemodulo.com

Dépôt légal - Bibliothèque et Archives nationales du Québec, 2006
Bibliothèque nationale du Canada, 2006
ISBN-13: 978-2-89593-694-7

Imprimé au Canada
10 11 12 13 14 M 23 22 21 20 19

Ce projet est financé en partie par le gouvernement du Canada | Canadä

AVANT-PROPOS

Pause-café est une méthode destinée à un public d'adultes et de jeunes adultes d'un niveau débutant ou faux débutant en français langue seconde ou langue étrangère.

- En milieu universitaire, la méthode couvre deux années d'enseignement.

- En formation continue ou en cours intensif, le parcours correspond à un an d'apprentissage.

■ OBJECTIFS

Pause-café vise à amener les apprenants à un niveau intermédiaire de compétence communicative orale et écrite. La méthode propose des textes à thèmes qui décrivent des situations dans lesquelles l'apprenant est susceptible de se trouver : il s'agit de lui donner envie de s'exprimer. Le fil conducteur de cette méthode est, bien sûr, la découverte de la langue française. Cette méthode a aussi été conçue pour faire découvrir à l'apprenant les pays francophones ; il nous a en effet paru crucial d'éveiller sa curiosité et de susciter son intérêt pour la culture de ces pays. Le registre de langue est le français standard employé par les francophones. Cependant, on trouvera sous la rubrique « Découvrez… » des expressions propres à chaque pays francophone.

■ STRUCTURE DE *PAUSE-CAFÉ*

Quatre modules de trois unités chacun

- **Les modules 1 et 2** (six unités) correspondent à un niveau élémentaire. Les points de grammaire sont ceux couverts dans les cours de débutant qu'offrent les universités nord-américaines : notamment le présent, le passé composé et le futur proche. Les objectifs communicatifs visent les compétences langagières de la vie courante.

- **Les modules 3 et 4** (six unités) amènent les apprenants à un niveau intermédiaire. Les points de grammaire couvrent entre autres les temps du passé, le futur simple, le conditionnel et les pronoms relatifs. Les objectifs communicatifs sont centrés sur des activités langagières relatives à la vie courante et professionnelle ainsi qu'à l'économie, l'environnement, etc.

- À la fin de chaque module, un bilan permet de faire le point sur les acquis.

- En fin d'ouvrage, on trouvera un lexique français-anglais et des tableaux de conjugaison.

Aperçu d'une unité

La première page présente les objectifs à atteindre et le contenu des différentes rubriques de l'unité : « Observez et employez les structures », « Apprenez de nouveaux mots », « Prononcez », « Écoutez et échangez », « Découvrez… » et « Rédigez… ».

Les deux pages suivantes comportent deux dialogues (documents enregistrés sur deux CD audio) visant à mettre les apprenants en contact avec la langue, tout en les sensibilisant à des contenus et à des thèmes qui présentent une grande diversité sociolinguistique. Les thèmes de l'ouvrage ont été sélectionnés en fonction des centres d'intérêt de la vie des adultes et des jeunes adultes : la vie scolaire ou universitaire, les nouvelles technologies, les amis, la famille, le sport, la santé, le travail, l'avenir, etc.

« Observez et employez les structures »

Pour aider les vrais débutants, la grammaire est présentée de manière structurée et selon une démarche très progressive. Chaque point est expliqué dans un français simple, avec une métalangue réduite au strict minimum. Les explications, toujours concises, sont renforcées par de nombreux tableaux récapitulatifs qui permettent de mieux visualiser et de mieux mémoriser. De nombreux exercices d'application, de difficulté croissante, permettent l'acquisition des règles de grammaire.

Pour mieux percevoir la différence entre l'oral et l'écrit et pour que la grammaire soit une matière vivante et vécue, des activités qui ciblent la grammaire orale sont proposées à l'intérieur de cette rubrique. Dans la mesure du possible, ces exercices sont humoristiques et ont pour but de faire réagir l'apprenant.

« Apprenez de nouveaux mots » et « Prononcez »

Afin de faciliter l'apprentissage autonome de la langue, le vocabulaire et la prononciation font l'objet d'une présentation séparée.

La rubrique « Apprenez de nouveaux mots » reprend les mots des dialogues, afin que soit facilitée la mémorisation du vocabulaire de base. On trouvera ici une pluralité d'exercices « classiques » : faites des associations, donnez le genre, trouvez le verbe, donnez le contraire, etc. Cette rubrique prépare l'apprenant à la production orale.

Dans la rubrique « Prononcez » sont abordés les sons, le rythme et la prosodie de la phrase. La plupart de ces éléments sont enregistrés sur les CD audio qui accompagnent le manuel. On y trouve également des exercices de discrimination et des exercices structuraux.

«Écoutez et échangez»

Cette rubrique vise la compétence communicative à l'oral. L'apprenant est invité et encouragé à utiliser la langue de façon spontanée, par le biais d'exercices, simulés et authentiques, centrés sur la compréhension et la production orale : «Entraînez-vous à l'écoute», «Rendez-vous au Coin café» , «Jeux de rôles».

«Découvrez…»

Il s'agit, par la lecture de textes construits ou authentiques et par l'observation de photographies, de susciter l'intérêt pour les pays où l'on parle français. L'apprenant découvrira des personnalités marquantes de la francophonie, telles que Roberta Bondar, Albert Jacquard, Amin Maalouf, des faits culturels comme la Semaine du goût ou le Festival de la bande dessinée, des événements historiques, des pays, des régions.

«Rédigez…»

L'expression écrite permet de réutiliser les points de vocabulaire et de grammaire présentés dans les unités. Elle vise également à développer chez l'apprenant une expérience plus intime de la langue, en relation avec son vécu. Ainsi, il lui est demandé de rédiger des lettres d'invitation, un courriel, de décrire un personnage et d'exprimer son opinion en réutilisant les ressources langagières qui figurent dans l'unité, etc.

Bilan

À la fin de chaque module, on fait le point sur les compétences spécifiques qui viennent d'être acquises. Les textes contiennent les points de grammaire étudiés, afin que les apprenants puissent mesurer leur progression et renforcer les compétences qui ont besoin de l'être.

■ LE CAHIER D'EXERCICES

Le cahier d'exercices reprend systématiquement les points de vocabulaire et de grammaire proposés dans chaque unité du manuel. Les travaux et exercices peuvent être faits en classe ou à l'extérieur des cours. Les consignes sont simples et facilitent l'apprentissage. Le corrigé se trouve à la fin du cahier et les exercices d'écoute sont regroupés sur un CD audio d'accompagnement. On trouvera également des fiches interactives pour chacune des unités.

Les fiches d'auto-évaluation

À la fin de chaque module, les apprenants sont invités à remplir une fiche d'auto-évaluation. Ce travail :

• conduit les apprenants à faire un suivi de leur apprentissage ;

• leur apprend à apprendre et à s'interroger sur leur façon d'apprendre ;

• valide les compétences qu'ils ont acquises afin de les motiver à poursuivre leur apprentissage de la langue.

Les fiches interactives

Les fiches interactives sont des activités d'expression orale qui sont proposées à la fin du cahier d'exercices et qui permettent à l'apprenant de s'approprier pleinement les points de grammaire abordés dans chaque unité. Ces activités stimulent l'intérêt de l'apprenant et lui donnent la possibilité de s'exprimer librement.

■ INTERNET

Grâce aux exercices de renforcement proposés sur Internet, l'apprenant peut poursuivre, moduler et parfaire son apprentissage. Une place toute particulière est faite aux aspects culturels pour lui permettre d'enrichir sa connaissance de la francophonie.

■ LES ÉLÉMENTS DE *PAUSE-CAFÉ*

Le manuel accompagné de deux CD audio
• quatre modules de trois unités
• quatre bilans
• des tableaux de conjugaison
• un lexique

Le cahier d'exercices accompagné d'un CD audio
• quatre fiches d'auto-évaluation
• des fiches interactives pour chaque unité
• le corrigé de chaque exercice

Le guide du professeur sur Internet incluant les corrigés du manuel

Des exercices supplémentaires sur Internet

TABLE DES MATIÈRES

Module
1 Aujourd'hui, les grands esprits se rencontrent

Module
2 Nourriture, force, nature

Module 3 — Hier, c'est du passé

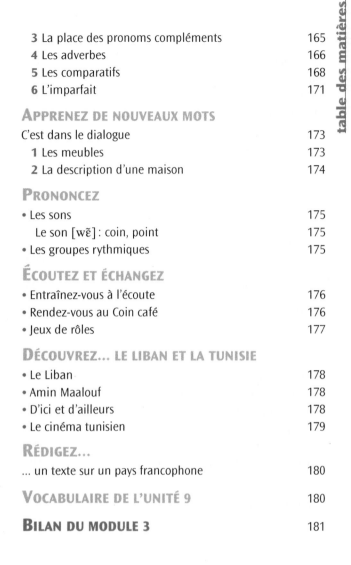

Module

4 Qui vivra verra

table des matières

VOCABULAIRE UTILE DE LA CLASSE

Les professeurs

Écoutez.

Répétez.

Regardez.

Répondez.

Lisez.

Écrivez.

Vous avez compris?

Travaillez par deux/en groupes.

Faites l'exercice.

Faites attention!

Ouvrez vos livres.

Fermez vos livres.

Prenez vos cahiers.

Entrez.

Sortez.

Les étudiants

Oui, je comprends.

Non, je n'ai pas compris.

Vous pouvez répéter, s'il vous plaît?

Qu'est-ce que ça veut dire « de rien » ?

Vous pouvez épeler?

Je ne vois pas.

Comment ça se prononce?

Comment on dit en français « You're welcome » ?

Comment ça s'écrit?

piste 1 **L'ALPHABET**

A	[a]	N	[ɛn]
B	[be]	O	[ɔ]
C	[se]	P	[pe]
D	[de]	Q	[ky]
E	[ɛ]	R	[ɛR]
F	[ɛf]	S	[ɛs]
G	[ʒe]	T	[te]
H	[aʃ]	U	[y]
I	[i]	V	[ve]
J	[ʒi]	W	[dublave]
K	[ka]	X	[iks]
L	[ɛl]	Y	[igRɛk]
M	[ɛm]	Z	[zɛd]

Les lettres françaises

A	[a]	F	[ɛf]	Q	[ky]
K	[ka]	L	[ɛl]	U	[y]
H	[aʃ]	M	[ɛm]	E	[ə]
		N	[ɛn]	O	[ɔ]
B	[be]	R	[ɛR]		
C	[se]	S	[ɛs]		
D	[de]				
G	[ʒe]	I	[i]	Z	[zɛd]
P	[pe]	J	[ʒi]		
T	[te]	Y	[igRɛk]		
V	[ve]	X	[iks]		
W	[dublave]				

Les accents

É = e accent aigu	un étudiant
È = e accent grave	une bibliothèque
Ê = e accent circonflexe	une fête
À = a accent grave	à Paris

Les autres signes

Ç = c cédille	une leçon
' = apostrophe	j'habite
¨ = tréma	Noël
- = trait d'union	excusez-moi

piste 2 **L'ALPHABET FRANÇAIS : SONS ET GRAPHIES**

Sons	Graphies		Mots
Les voyelles orales			
[i]	i, y		midi, lys
[e]	é, er, ez, es, et		dé, thé
[ɛ]	è, ê, ai, ei, et, e (devant deux consonnes)		fête, poulet
[a]	a		papa, chat
[ø]	eu, eu		feu, deux
[œ]	eu, œu		heure, œuf
[ɑ]	â, as		pâte, bas
[ə]	e		le, vedette
[y]	u, û		dû, mur
[o]	o, au, eau, ô		auto, beau
[ɔ]	o		encore, la mode
[u]	ou, où, oû		cou, goûter

Les voyelles nasales

[ɛ̃]	in, ain, ein		chagrin, frein
[œ̃]	un, um		brun, parfum
[ɑ̃]	en, em, an, am		parent, lampe
[õ]	on, om		blond, nombre

Les semi-voyelles

[j]	i		piano, pied
[ɥ]	u (devant une voyelle)		huit, lui
[w]	ou + voyelle oi		jouet, oui

Les consonnes

[p]	p		pain, Paris
[b]	b		bleu, bravo
[m]	m		matin, mer
[t]	t, th		tomate, théâtre
[d]	d		dimanche, danse
[n]	n		noix, natation
[k]	k, qu, c, ca, co, cu		café, cube
[g]	ga, go, gu,		gare, guitare
[ɲ]	gn		montagne, signature
[f]	f		fille, sportif
[v]	v		végétal, voir
[s]	s, ç, ss, ce, ci, ti + voyelle		leçon, sac
[z]	z, s entre deux voyelles		zéro, musée
[ʃ]	ch		chat, chien
[ʒ]	j, ge, gi		jour, girafe
[l]	l		livre, librairie
[ʀ]	r		rouge, restaurant
[gz]	x		exister, examen
[ks]	x		saxophone, taxi

piste 3 ÉCOUTEZ ET RÉPÉTEZ

restaurant	enveloppe	classe	sérieux	pollution
pardon	relation	adjectif	parfum	tradition
téléphone	article	adresse	optimiste	
appartement	table	adverbe	taxi	
visite	verbe	pratique	ticket	

Aujourd'hui,
les grands esprits
se rencontrent

1 module

unité 1

Je me présente

Objectifs communicatifs

Saluer

Se présenter

Présenter quelqu'un

Dire sa nationalité

Remercier

Sommaire

Rencontres

piste 4 C'est la rentrée universitaire. Les étudiants sont sur le campus. Mélanie et Vincent entrent dans la classe. Le professeur et les étudiants se présentent.

Daniel: Bonjour, je m'appelle Daniel Blais. Je suis votre professeur d'histoire. Comment vous vous appelez?

Mélanie: Moi, c'est Mélanie Hervé, je suis belge. Je suis étudiante en psychologie. J'habite dans un quartier **sympa** de Montréal. C'est une belle ville: le mont Royal, les églises, le Musée des beaux-arts, le Stade olympique.

Vincent: Ah! tu es du pays de Tintin. La Belgique, c'est un beau pays!

Mélanie: Oui, la Belgique, c'est super! (*Mélanie présente Vincent Duclos au professeur.*) Monsieur Blais, je vous présente Vincent Duclos. Il est français. Il est étudiant en aéronautique.

Vincent: Bonjour monsieur.

Daniel: Ça va?

Vincent: Ça va bien, merci.

Daniel: Bon. Ouvrez votre livre à la page 2.

Sympa: Abréviation familière de sympathique.

piste 5 **Pendant ce temps...**

Caroline rencontre Sabine par hasard au centre-ville, devant une banque. Elles se saluent.

Caroline : Ah! salut Sabine, comment ça va?

Sabine : Ça va bien, merci. Et toi?

Caroline : Très bien, merci. Tu travailles ici, au centre-ville?

Sabine : Non, je suis avec des amis. Et toi?

Caroline : Je suis fonctionnaire au ministère de la Culture. Je te présente un collègue.

Patrick : Bonjour, je m'appelle Patrick Chevalier.

Sabine : Enchantée.

Patrick : Au revoir.

Caroline : À bientôt.

Sabine : Au revoir et bonne journée.

OBSERVEZ ET EMPLOYEZ LES STRUCTURES

》1 LE VERBE ÊTRE AU PRÉSENT ET LE PRONOM SUJET

■ **En général, en français, le sujet (un pronom ou un nom) précède le verbe.**

Je suis canadien.
pronom — verbe
sujet — **être**

Mélanie est belge.
nom — verbe
sujet — **être**

Dans le tableau suivant, le verbe **être** est accompagné de tous les pronoms personnels sujets possibles.

Pronoms personnels sujets	Verbe être	À l'oral
Je	suis	[ʒəsyi]
Tu	es	[tyɛ]
Il	est	[ilɛ]
Elle	est	[ɛlɛ]
Nous	sommes	[nusɔm]
Vous	êtes	[vuzɛt]
Ils	sont	[ilsɔ̃]
Elles	sont	[ɛlsɔ̃]

exercice écrit

1.1 Complétez les phrases avec le verbe être.

1. Je ✳ à l'université.
2. Vous ✳ professeur?
3. Nous ✳ en classe.
4. Élisabeth et Anne ✳ en France.
5. L'université ✳ grande.
6. Tu ✳ américain.

》2 LES VERBES EN ER AU PRÉSENT

Les verbes en **er** ont tous les mêmes terminaisons au présent : **e, es, e, ons, ez, ent**.

S'appeler	À l'oral
Je m'appelle	[ʒəmapɛl]
Tu t'appelles	[tytapɛl]
Il s'appelle	[ilsapɛl]
Elle s'appelle	[ɛlsapɛl]
Nous nous appelons	[nunuzaplɔ̃]
Vous vous appelez	[vuvuzaple]
Ils s'appellent	[ilsapɛl]
Elles s'appellent	[ɛlsapɛl]

Habiter	À l'oral
J'habite	[ʒabit]
Tu habites	[tyabit]
Il habite	[ilabit]
Elle habite	[ɛlabit]
Nous habitons	[nuzabitɔ̃]
Vous habitez	[vuzabite]
Ils habitent	[ilzabit]
Elles habitent	[ɛlzabit]

Attention : **Je**, et seulement **je**, devient **j'** devant une voyelle (**a, e, i, o, u, y**) ou un **h** muet.
J'écoute   *J'habite*

exercice écrit

2.1 Trouvez le pronom sujet.

1. ✳ habite à Washington.
2. ✳ es étudiant.
3. ✳ aimes le Musée des beaux-arts?
4. ✳ sont étudiants.
5. ✳ travaillons à la banque.
6. ✳ présentez Vincent.
7. ✳ m'appelle Patrick.

LA POLITESSE À LA FRANÇAISE : TU OU VOUS ?

Observez les phrases suivantes.

Le professeur dit à une étudiante : «*Comment **vous** vous appelez ?*»

Vincent dit à Mélanie : «*Ah ! **tu** es du pays de Tintin.*»

■ **Les gens qui ne se connaissent pas utilisent le vous de politesse.**

*Bonjour monsieur Ducasse. Comment allez-**vous** ?*

■ **Les gens qui se connaissent ou qui sont amis emploient le tu.**

*Salut Vincent ! Comment vas-**tu** ?*

 exercice écrit

2.2 Conjuguez les verbes entre parenthèses au présent.

1. Nous (travailler) ✳ dans une banque.
2. Je (admirer) ✳ le courage de Vincent.
3. Le directeur (proposer) ✳ un projet intéressant.
4. Tu (habiter) ✳ au centre-ville.
5. Pierre (écouter) ✳ la radio.
6. Vous (aimer) ✳ le café au lait ?

2 *exercices oraux*

2.3 Saluez votre voisin et présentez-vous.

Bonjour, je m'appelle ✳.   *Je suis ✳.*   *J'habite à ✳.*

2.4 Par groupes de deux, posez la question et répondez par oui, puis par non selon le modèle.

Vous êtes professeur ? (étudiant)   *Oui, je suis professeur.*
                                             Non, je suis étudiant.

1. Tu es artiste ? (comédien)
2. Tu es comptable ? (économiste)
3. Ils sont chercheurs ? (journalistes)
4. Les Duclos sont commerçants ? (agriculteurs)
5. Vous êtes médecin ? (architecte)

⟩ 3 LA NÉGATION : NE… PAS

En français, pour la négation, on utilise deux mots : ne… pas.

*Je **ne** parle **pas** italien.*

À l'oral : [ʒənpaʀlpɑ]

> **Attention :** **Ne** devient **n'** devant une voyelle (**a, e, i, o, u, y**) ou un **h** muet.
> *Tu **n'es pas** français ?*
> *Je **n'habite pas** à Genève.*

 exercice écrit

3.1 Répondez avec une phrase à la forme négative, puis avec une phrase à la forme affirmative en suivant le modèle.

Vous êtes belge ? (canadien)   *Non, je ne suis pas belge. Je suis canadienne.*

1. Tu aimes les westerns ? (les films romantiques)
2. Paul et Sabine écoutent la radio ? (un concert de jazz)
3. Le ministre invite les ambassadeurs ? (les députés)
4. Christine parle anglais ? (portugais)
5. Vous regardez le film ? (les nouvelles)

2 exercices oraux

3.2 Jouez à deux. Utilisez la négation.

Parler russe.   *Non, je **ne** parle **pas** russe.*

1. Aimer la bière.
2. Regarder la télévision.
3. Habiter à Vancouver.

4. Écouter la radio.
5. Être journaliste.
6. S'appeler Claude.

3.3 Complétez les phrases et jouez à deux.

Complétez le dialogue avec les verbes s'appeler ou être au présent.

– Salut, tu ✻ comment?
– Isabelle.
– Moi, c'est Juan.
– Tu ✻ étudiant?
– Non, je ne ✻ pas étudiant. Je travaille à la télé.
– Tu ✻ journaliste?
– Non, je ✻ humoriste.
– Humoriste à la télé? Tu ✻ sérieux?
– Non, je ✻ humoriste.

3.4 Répondez aux questions par une phrase à la forme négative.

Interview d'un journaliste

1. Vous êtes le président de la compagnie?
2. Vous travaillez beaucoup?
3. Les clients sont contents?
4. Les employés sont sympathiques?
5. Vous fermez la compagnie?

4 LES PRONOMS TONIQUES

On utilise le pronom tonique pour renforcer le pronom sujet.

***Moi**, j'aime le café. Et **toi**?*

pronom   pronom
tonique   sujet

Pronoms sujets	je	tu	il	elle	nous	vous	ils	elles
Pronoms toniques	moi	toi	lui	elle	nous	vous	eux	elles

exercice écrit

4.1 Mettez le pronom tonique qui convient.

1. Moi, je suis étudiant. Et ✻, il est étudiant?
2. ✻, elle est américaine. Et ✻, tu es aussi américain?
3. ✻, vous habitez à Montréal. ✻, ils habitent à Toronto.
4. ✻, je danse très bien.
5. ✻, nous parlons italien et ✻, elles parlent français.
6. ✻, je suis belge. Et ✻, vous êtes belge?

4.2 Complétez les phrases et jouez à deux.

Complétez le dialogue avec des pronoms toniques.

– Bonjour monsieur. Vincent Duclos, c'est ✻?

– Non monsieur, c'est ✻.

– Et ✻ ?

– ✻, je m'appelle Jamal Debbouze.

– Enchanté.

4.3 Complétez les phrases et jouez à deux.

Complétez le dialogue avec des pronoms toniques et mettez les verbes entre parenthèses au présent.

– Je (s'appeler) Monique. Et ✻?

– Jean-Luc. Tu (être) française?

– Non. Je (être) canadienne. Et ✻ ?

– ✻, je (être) français.

5 LES ARTICLES INDÉFINIS ET DÉFINIS

■ Au singulier, l'article indique le genre du nom : masculin (un, le) ou féminin (une, la).

- Pour les êtres animés, le genre est naturel.

   un homme   *une* femme   *un* chat   *une* chatte

- Pour les objets inanimés, le genre est arbitraire.

   la ville   *le* musée   *une* église   *un* quartier

■ L'article indique aussi le nombre : singulier (un, une, le, la) ou pluriel (des, les).

En général, le pluriel des noms se forme en ajoutant la lettre s. Le s du pluriel ne se prononce pas.

   un livre   *des* livres

À l'oral : [œ̃livr]   [dɛlivr]

■ Les articles indéfinis : un, une, des

On utilise l'article indéfini devant le nom d'une personne ou d'une chose indéterminée. Ce nom peut être masculin ou féminin, singulier ou pluriel.

	Masculin singulier	Féminin singulier	Pluriel (masculin / féminin)
Articles indéfinis	un* étudiant	une* étudiante	des étudiants
	un ordinateur		des ordinateurs
		une table	des tables
	un théâtre		des théâtres
		une résidence	des résidences

*Attention à la prononciation : un = [œ̃], une = [yn], des = [dɛ].

MASCULIN OU FÉMININ ?

■ **Certains noms peuvent être masculins ou féminins.**

un artiste / une artiste
le journaliste / la journaliste
un enfant / une enfant

■ **Certains noms ont un e au féminin et pas de e au masculin.**

un étudiant / une étudiante
un avocat / une avocate

LE PLURIEL DES NOMS

■ **Si le nom singulier se termine par s, x ou z, on n'ajoute pas de s au pluriel.**

un Français / des Français   *un prix / des prix*   *un nez / des nez*

■ **Si le nom singulier se termine par eau, au ou eu, on ajoute un x au pluriel. Le x final du nom ne se prononce pas.**

un bureau / des bureaux   *un tuyau / des tuyaux*   *un jeu / des jeux*

Exception : *un pneu / des pneus*

■ **Si le nom singulier se termine par ail ou al, il forme son pluriel en aux.**

un travail / des travaux   *un journal / des journaux*   *un cheval / des chevaux*

Exception : *un festival / des festivals*

■ **Certains noms sont toujours au pluriel.**

des gens   *des vacances*   *des frais*

 exercice écrit   <u>**5.1 Mettez un, une ou des selon le genre ou le nombre des noms.**</u>

f. = féminin, m. = masculin, p. = pluriel

1. ✳ profession (f.)
2. ✳ quartier (m.)
3. ✳ ville (f.)
4. ✳ arbre (m.)

5. ✳ gens (p.)
6. ✳ campus (m.)
7. ✳ fenêtre (f.)
8. ✳ vacances (p.)

■ Les articles définis : le, la, les

On utilise l'article défini devant le nom d'une personne ou d'une chose connue. Ce nom peut être masculin ou féminin, singulier ou pluriel.

le soleil	*la* terre	*les* étudiants	*les* villes du Québec
masculin singulier	*féminin singulier*	*masculin pluriel*	*féminin pluriel*

> **Attention :** On utilise **l'** devant un mot commençant par une voyelle (**a, e, i, o, u, y**) ou un **h** muet.
>
> *l'appartement*   *l'hôpital*

	Masculin singulier	Féminin singulier	Singulier (masculin/féminin)	Pluriel (masculin/féminin)
Articles définis	le professeur	la classe	l'ordinateur	les professeurs
	le tableau	la bibliothèque	l'étudiante	les étudiantes

exercices écrits

5.2 Complétez les phrases avec le, la, l' ou les.

1. Julie aime ✳ chocolat.
2. Patrick et Anne écoutent ✳ radio.
3. ✳ enfants sont en classe.
4. ✳ étudiants adorent ✳ cours de français.
5. ✳ ville de Montréal est jolie.
6. Vous étudiez ✳ français.
7. Elle aime beaucoup ✳ livres.
8. ✳ tour Eiffel est à Paris.
9. Voici ✳ salle AZ 09.
10. J'habite près de ✳ église.

5.3 Trouvez l'article défini ou indéfini qui convient.

1. Le professeur habite ✳ petit appartement.
2. ✳ librairie est fermée.
3. ✳ ordinateur de Vincent est très rapide.
4. ✳ hôpital Marie-Curie est moderne.
5. Mélanie ? C'est ✳ sœur de Marc.
6. Le français est ✳ langue facile.

5.4 Ajoutez les articles et mettez les noms au pluriel.

1. tableau
2. journal
3. fille
4. magasin
5. histoire
6. université

〉 **6 L'INTERROGATION**

■ Quand on pose une question de type oui ou non, l'intonation monte à la fin de la phrase.

Tu es étudiant ?   *Tu habites à Montréal ?*

exercice oral

6.1 Lisez les phrases à voix haute. Attention à l'intonation montante !

1. Vous êtes belge ?
2. Vous aimez le café ?
3. Tu t'appelles Samuel ?
4. Vous habitez à Dakar ?
5. Vous êtes marié ?
6. Il est étudiant ?

■ **Quand on pose une question à l'aide des mots comment ou quel, l'intonation descend à la fin de la phrase.**

Comment tu t'appelles?   Tu t'appelles comment?   Quel est ton nom?

L'ACCORD DE QUEL

■ **Le mot quel s'accorde avec le nom qui le suit. Quel, quelle, quels ou quelles est mis au début de la phrase.**

Quel (masculin + singulier)   →   ***Quel* est votre *nom*?**

Quelle (féminin + singulier)   →   ***Quelle* est votre *adresse*?**

Quels (masculin + pluriel)   →   ***Quels* sont vos *sports* préférés?**

Quelles (féminin + pluriel)   →   ***Quelles* sont vos *activités* de loisirs?**

---

exercice écrit

6.2 Complétez les questions suivantes avec quel, quelle, quels ou quelles.

1. ✳ est votre prénom?
2. ✳ est votre nationalité?
3. ✳ sont vos cours préférés?
4. ✳ est votre numéro de téléphone?
5. ✳ est votre adresse?

---

2 exercice oral

6.3 Complétez les phrases et jouez à deux.

Complétez le dialogue avec les mots manquants.

– Bonjour madame. Vous travaillez ici?

– Oui, c'est ça.

– ✳ est votre profession?

– Je ✳ avocate.

– Vous ✳ très occupée, alors?

– Oui, je ✳ beaucoup.

– ✳ est votre nationalité?

– Je ✳ un peu française, un peu anglaise et aussi un peu italienne.

– C'est tout?

APPRENEZ DE NOUVEAUX MOTS

> ## C'EST DANS LE DIALOGUE

exercices écrits

1. Masculin ou féminin ?

Relisez les dialogues des pages 4 et 5 et indiquez le genre des mots suivants.

1. ville	3. psychologie	5. stade	7. musée
2. quartier	4. étudiante	6. professeur	8. église

2. Choisissez cinq mots de l'exercice 1 et faites une phrase avec chacun d'eux.

*Il s'appelle Bernard. Il est **professeur**.*

3. Relisez le dialogue de la page 4 et complétez les phrases suivantes.

1. Monsieur Daniel Blais est ✳.
2. Mélanie Hervé est ✳.
3. Vincent Duclos est ✳.

4. Associez une expression à son contraire.

1. Je comprends.	a) Sortez.
2. Ouvrez votre livre.	b) Je ne comprends pas.
3. Entrez.	c) Fermez votre livre !
4. Il n'est pas belge.	d) Elle n'est pas fonctionnaire.
5. Elle est fonctionnaire.	e) Il est belge.

> ## 1 LES PROFESSIONS

Observez les mots suivants. Qu'est-ce que vous remarquez ?

Masculin	Féminin
acteur	actrice
avocat	avocate
caissier	caissière
chanteur	chanteuse
comptable	comptable
consultant	consultante
directeur	directrice
économiste	économiste
écrivain	écrivain*
infirmier	infirmière
informaticien	informaticienne
ingénieur	ingénieure
journaliste	journaliste
musicien	musicienne
professeur	professeur*
psychologue	psychologue
réalisateur	réalisatrice
serveur	serveuse

* Au Canada, ces mots se mettent au féminin : professeure, écrivaine.

Remarque : On dit *Je suis serveur* et non *Je suis un serveur*.

module 1) unité 1

exercices écrits

1.1 Associez un verbe à chaque profession.

un étudiant / étudier

1. un étudiant	a) chanter
2. un mécanicien	b) compter
3. un comptable	c) étudier
4. une chanteuse	d) programmer
5. une informaticienne	e) jouer
6. une actrice	f) réparer

1.2 Mettez les noms entre parenthèses à la forme qui convient.

1. Mariette travaille dans un restaurant. Elle est (serveur) *.
2. Isabelle joue dans un film. Elle est (acteur) *.
3. Antonine Maillet est (écrivain) *.
4. Karine adore les maths, elle est (comptable) *.
5. Patricia Kass est (chanteur) *.

⧉ LES NATIONALITÉS

Observez les mots du tableau suivant.

Le féminin de tous les mots indiquant la nationalité se termine par un **e**.

Les mots en **–ien** et **–éen** doublent le **n**.

Pays	Masculin	Féminin	Pays	Masculin	Féminin
Allemagne	allemand	allemande	France	français	française
Angleterre	anglais	anglaise	Grèce	grec	grecque
Canada	canadien	canadienne	Inde	indien	indienne
Chine	chinois	chinoise	Italie	italien	italienne
Corée	coréen	coréenne	Japon	japonais	japonaise
Égypte	égyptien	égyptienne	Mexique	mexicain	mexicaine
Espagne	espagnol	espagnole	Portugal	portugais	portugaise
États-Unis	américain	américaine	Russie	russe	russe

> **Attention :** Quand le mot indiquant la nationalité est un adjectif, il s'écrit avec une minuscule.
> *Marc est **canadien**.*
>
> Quand c'est un nom, il s'écrit avec une majuscule.
> *Voici un **Canadien**.*

exercice écrit

2.1 Complétez les phrases suivantes en formant des adjectifs avec les noms de pays.

1. Mélanie est (Belgique) *.
2. Marc et Marion sont (Canada) *.
3. La BBC est une chaîne de radio (Angleterre) *.
4. L'écrivain Marcel Proust est (France) *.
5. La Honda est une voiture (Japon) *.
6. Penélope Cruz est une actrice (Espagne) *.

exercice oral

2.2 Par groupes de deux ou trois, posez les questions suivantes.

Bonjour, comment tu t'appelles?

Tu es canadien?

Tu habites à la résidence?

Tu es étudiant?

Tu aimes la ville ou la campagne?

Tu aimes les maisons ou les appartements?

Tu aimes le métro ou le bus?

Tu aimes le hockey ou le football?

PRONONCEZ

piste 6 〉 **LES SONS**

Le e non prononcé	[e]	[ɛ]
Elle parle.	étudiant	Il s'appelle.
Un livre.	marié	C'est pour elle.
Il regarde.	les	Il est.
J'habite.	écouter	espagnol
Elle travaille dans une banque.	américain	français
	café	S'il vous plaît.
	thé	
	Vous parlez.	

piste 7 〉 **LES ENCHAÎNEMENTS**

Il est. / Elle est. / Quel est votre nom ? / Elle habite à Paris. / Quelle est votre nationalité ? / Elle aime. / J'aime. / J'invite.

〉 **L'ACCENT**

En français, l'accent est sur la dernière syllabe du mot.

édu**ca**tion   S'il vous **plaît**.   com**ment**   pré**sent**   jour**née**

piste 8 〉 **Écoutez et répétez.**

Ça va.	merci	gouvernement	Je suis canadien.
bonjour	Écoutez.	la France	J'habite à Montréal.
bonsoir	de rien	la présentation	S'il vous plaît.
monsieur	appartement	S'il vous plaît.	

piste 9 〉 **LES SCHÉMAS INTONATIFS**

– Ça va ? ↗   – Ça va. ↘

– Comment ça va ? ↘   – Ça va bien, merci. ↘

– Et vous ? ↗   – Ça va bien, merci. ↘

– Vous parlez français ? ↗   – Je parle français. ↘

– Il est espagnol ? ↗   – Oui, il est espagnol. ↘

piste 10   **Attention :** On ne prononce pas le **s** final.

Écoutez et répétez.

1. Tu es.	3. Nous aimons.	5. Vous êtes contents.
2. Nous sommes.	4. Il est français.	6. Ils sont à Paris.

piste 11 〉 **LA LIAISON**

Écoutez et répétez.

Ils aiment.   Elles arrivent.   Elles habitent.   les étudiants   des ordinateurs   Vous êtes.

ÉCOUTEZ ET ÉCHANGEZ

❯ ENTRAÎNEZ-VOUS À L'ÉCOUTE

piste 12

1. Écoutez et répondez aux questions.

1. Quel est le prénom de la personne?
2. Quel est le nom de la personne?
3. L'homme parle de trois objets. Quels sont ces objets?

2. Sur le modèle du dialogue de l'exercice précédent, trouvez un autre prénom ou un autre nom et jouez à deux.

❯ RENDEZ-VOUS AU COIN CAFÉ

Saluer

– Ça va?   – Oui, ça va bien, et toi?
– Salut Mélanie.   – Bonjour monsieur.
– Au revoir / À bientôt.

Se présenter

– Comment tu t'appelles?   – Je m'appelle…
– Comment vous appelez-vous?
– Salut, tu t'appelles comment?   – Moi, c'est Vincent, et toi?
– Vous êtes monsieur Blais?   – Oui, c'est moi.
– Vous êtes étudiante?   – Oui, je suis étudiante.
     – Non, je suis professeur.
– Vincent, comment ça s'écrit?   – V, i, n, c, e, n, t.

Présenter quelqu'un

– Je te présente / Je vous présente.
– Et lui, il s'appelle comment?   – C'est Bruno, un ami de Paris.
– Enchanté(e) / Très heureux (heureuse).   – Enchanté, monsieur Blais.

Dire sa nationalité

– Quelle est votre nationalité?   – Je suis français.
– Vous êtes français?   – Non, je suis canadien.

Remercier

– Merci monsieur.   – De rien.
– Merci madame / mademoiselle.   – Je vous en prie.

1. Épelez votre prénom et votre nom.

Pierre   P, i, e, r, r, e
Hélène   H, e *accent aigu*, l, e *accent grave*, n, e

2. Jouez à deux.

Un étudiant joue le rôle du professeur et donne des instructions, l'autre mime la réaction appropriée.
L'élève A dit: Écrivez.
L'élève B mime l'action d'écrire.

3. Présentez-vous.

Vous êtes à la librairie. Vous rencontrez le professeur de français. Il oublie votre prénom. Le professeur vous pose des questions.

4. Présentez les trois conférenciers.

Vous êtes le président de la conférence sur la mondialisation.

Je vous présente M. Lucien Boisvert. Il est économiste. Il habite à Ottawa.

  1. M. Amadou Bâ, philosophe, Genève.
  2. Mme Marlène Dulac, sociologue, Paris.
  3. Mlle Sylvia Miguel Jacob, écologiste, Bruxelles.

5. Par groupes de deux, jouez à «Quelle est la nationalité de…?»

Quelle est la nationalité de Shakespeare?
Il est anglais. Il est écrivain. Il habite à Londres.

Continuez avec des personnalités de votre choix.

〉 JEUX DE RÔLES

Imaginez les situations suivantes et jouez à deux.

  1. Un étudiant de l'université vous rencontre.
  2. L'assistant du département vous salue.
  3. Vous rencontrez le maire de la ville de Montréal.

DÉCOUVREZ…
LE CANADA

La maison
Gabrielle-Roy à
Saint-Boniface,
au Manitoba

SAINT-BONIFACE

Devant le Parlement, le canal Rideau
à Ottawa, en Ontario

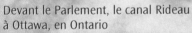

Maisons
aux escaliers
extérieurs en fer
forgé à Montréal,
au Québec

MONTRÉAL

OTTAWA

module 1 > unité 1

ROBERTA BONDAR, astronaute canadienne

ROBERTA BONDAR

Bonjour, je m'appelle Roberta Bondar. Je suis née à Sault-Sainte-Marie, en Ontario, au Canada. Je suis médecin, chercheuse scientifique en neurologie et la première astronaute canadienne. Sault-Sainte-Marie est une ville du sud de l'Ontario. Il existe une communauté francophone à Sault-Sainte-Marie.

J'étudie d'abord la médecine. En 1983, je suis aussi professeure adjointe en neurologie à l'Université McMaster de Hamilton et j'occupe le poste de directrice de l'unité de la sclérose en plaques. En 1984, je suis professeure à la faculté de médecine de l'Université d'Ottawa.

D'ICI ET D'AILLEURS

Français au Canada	Français standard
une fin de semaine	un week-end
une auto	une voiture
un déjeuner	un petit-déjeuner
un dîner	un déjeuner
un souper	un dîner
ma blonde	ma petite amie

JULIE PAYETTE

Julie Payette, première Canadienne à visiter la station spatiale internationale et à travailler à son bord. Elle est désignée capcom pour la mission STS-114.

RÉDIGEZ...

... UN COURRIEL POUR PRÉSENTER QUELQU'UN

Vous envoyez un courriel à un ami pour lui présenter :

a) Roberta Bondar,

b) un chanteur célèbre,

c) un homme célèbre de votre pays,

d) un ami, etc.

... UN COURRIEL POUR VOUS PRÉSENTER

Vous écrivez un courriel à votre professeur de français. Vous vous présentez : indiquez votre nom, votre prénom, votre nationalité.

VOCABULAIRE DE L'UNITÉ 1

Noms

acteur, m./actrice, f.	dialogue, m.	jeu, m.	pays, m.
ami, m./amie, f.	écrivain, m.	journée, f.	phrase, f.
appartement, m.	église, f.	librairie, f.	prénom, m.
arbre, m.	festival, m.	livre, m.	quartier, m.
artiste, m./f.	fille, f.	magasin, m.	résidence, f.
bureau, m.	film, m.	mariage, m.	salle, f.
café, m.	fonctionnaire, m./f.	mot, m.	table, f.
centre-ville, m.	histoire, f.	musée, m.	vacances, f. p.
comptable, m./f.	homme, m.	nom, m.	ville, f.
courriel, m.	informaticien, m./informaticienne, f.	ordinateur, m.	voisin, m./voisine, f.

Verbes

admirer	écrire	inviter	remarquer
adorer	entrer	jouer	rencontrer
appeler, s'	épeler	oublier	saluer
chanter	être	parler	travailler
compter	étudier	poser	trouver
danser	fermer	rédiger	utiliser
écouter	habiter	regarder	

Adjectifs

enchanté/enchantée	suivant/suivante
facile	sympa

Autres mots

à	avec	ensuite	mais
aussi	dans	et	

unité 2

Visite du campus

Objectifs communicatifs

Demander et donner une adresse

Demander un numéro de téléphone

Parler de soi

Parler de sa ville, de son quartier

Exprimer ses goûts

Donner des informations sur une personne ou une chose

Sommaire

Suivez le
guide

piste 13   C'est le 12 septembre. Les étudiants visitent le campus. Les guides sont des étudiants francophones. Les étudiants visitent la bibliothèque, le laboratoire de langues, la librairie…

Marion : Bonjour, je m'appelle Marion et je suis votre guide pour la visite du campus. Nous commençons notre visite de l'Université internationale. Ici, c'est la bibliothèque. Et voici les salles de classe…

Tia : Et ça ? Qu'est-ce que c'est ?

Marion : C'est un laboratoire. C'est le laboratoire de langues. À côté, c'est la librairie. Ici, c'est le restaurant universitaire.

Tia : Et elle, qui est-ce ?

Marion : C'est la belle Athéna, la déesse de la sagesse, de l'intelligence et de la guerre dans la mythologie grecque. J'aime la forme de cette statue. Et toi ?

Tia : Je préfère les statues contemporaines.

Marion : Ah, bon ! Écoute, je suis en retard. Le cours de statistique commence bientôt. À la prochaine !

Tia : Merci Marion. À bientôt !

piste 14 **Pendant ce temps...**

Christophe Lévesque est au centre-ville. Il rencontre Bruno Lacroix, un ami d'enfance.

Christophe : Bruno ! Salut ! Comment ça va ?

Bruno : Ah, mais c'est Christophe ! Quelle surprise ! Ça va ?

Christophe : Ça va très bien. Et toi ?

Bruno : Ça va bien.

Christophe : Tu travailles ici ?

Bruno : Je suis commerçant à présent. J'ai un magasin au centre-ville. Je suis marié, j'ai deux garçons et une fille.

Christophe : Moi, j'ai une fille, Marion. Elle entre en première année d'université pour étudier les sciences de l'environnement. Tu sais, étudier l'environnement, les relations internationales, c'est très à la mode aujourd'hui.

Bruno : Et toi, qu'est-ce que tu fais ?

Christophe : Je suis architecte. Voici un café. On entre ?

Bruno : Désolé, je n'ai pas le temps. Quel est ton numéro de téléphone ?

Christophe : C'est le 515 342-2835. J'ai aussi un numéro de portable : le 515 345-1634.

Bruno : Alors, à bientôt.

Christophe : Oui, c'est ça, à bientôt.

OBSERVEZ ET EMPLOYEZ LES STRUCTURES

〉 1 LE VERBE AVOIR AU PRÉSENT

Avoir	À l'oral
J'ai	[ʒe]
Tu as	[tya]
Il a	[ila]
Elle a	[ɛla]
On a	[ɔ̃na]
Nous avons	[nuzavɔ̃]
Vous avez	[vuzave]
Ils ont	[ilzɔ̃]
Elles ont	[ɛlzɔ̃]

■ **On utilise le verbe** avoir :

- pour exprimer une possession :
  J'ai une sœur et un frère. J'ai une voiture.

- pour dire l'âge :
  Elle a 27 ans. Il a 4 ans.

- dans certaines locutions :

GRRR

Il a faim.   *Elle a soif.*   *Il a peur.*

Il a froid.

Elle a chaud.

exercices écrits

1.1 Complétez les phrases avec **avoir**.

1. J'✳ un dictionnaire anglais-français.
2. Nous ✳ beaucoup de travail.
3. Tu ✳ un sac?
4. Elles ✳ un frère.
5. J'✳ rendez-vous avec le professeur.

6. Il ✳ 18 ans. Il est jeune.
7. Tu ✳ des billets pour le concert?
8. Carlos ✳ une grande famille.
9. Nous ✳ soif.
10. Vous ✳ raison.

1.2 Choisissez **avoir** ou **être**.

1. Céline n'✳ pas avocate.
2. Tu ✳ en vacances?
3. Il ✳ 18 ans.

4. Nous n'✳ pas faim.
5. Vous ✳ des amis français.
6. Tia ✳ étudiant.

➋ L'ARTICLE INDÉFINI APRÈS LA NÉGATION

Dans une phrase à la forme négative, l'article indéfini **un**, **une**, **des** est remplacé par **de/d'**.

*Est-ce que tu as **un** chien? Non, je n'ai pas **de** chien.*
*J'ai **des** amis français. Je n'ai pas **d'**amis français.*
*Nous utilisons **un** ordinateur. Nous n'utilisons pas **d'**ordinateur.*

Phrases affirmatives	Phrases négatives
J'ai **un**… J'ai **une**… J'ai **des**…	Je n'ai pas **de**…
Vous invitez **un/une/des** amis.	Je n'invite pas **d'**amis.

exercice écrit

2.1 Mettez les phrases à la forme négative.

1. Il a une voiture.
2. Nous avons un chat.
3. Elle dessine une maison.

4. Je chante une chanson.
5. Tu invites des amis.
6. Il utilise un portable.

exercice oral

2.2 Complétez les phrases et jouez à deux.

Mettez les verbes avoir ou être au présent.

– Tu ✳ un frère ou une sœur?   – J'✳ une sœur.
– Elle ✳ mariée?   – Non, elle ✳ célibataire.
– Elle ✳ quel âge?   – Elle ✳ 25 ans.
– 25 ans? Elle ✳ jeune. Elle ✳ un petit ami?

➌ LE PRONOM ON

Le pronom **on** est utilisé à la place de **nous**, surtout à l'oral.

***On** préfère le vin rouge.*   *Luc et moi, **on** travaille dans une banque.*
Nous préférons   **nous** travaillons

Attention: Quand le sujet est **on**, le verbe est à la 3e personne du singulier.

• **On** signifie un groupe de personnes ou toute une population.
  *Maintenant, **on** parle anglais dans beaucoup de pays.*
  les gens parlent

• Le pronom tonique qui correspond à **on** est **nous**.
  ***Nous**, on parle français. Et vous?*

exercice écrit

3.1 Mettez on ou nous.

1. Au Canada, ✳ a un gouverneur général.
2. ✳ sommes contents d'être ici.
3. En Europe, ✳ ne travaille pas le dimanche.
4. ✳ avons le temps de prendre un café?
5. ✳ parle français à Paris, à Québec et à Abidjan.

exercice oral

3.2 Complétez les phrases et jouez à deux.

– Oh là là, j'✳ faim. Vous n'✳ pas faim, vous?   – Non, mais ✳, on ✳ très soif.

– Et toi, Lucie ?   – Moi, j'✳ froid.

4 L'INTERROGATION AVEC EST-CE QUE

L'interrogation avec **est-ce que** est très utilisée. On met **est-ce que** au début de la phrase. On emploie **est-ce que** pour obtenir une information : la réponse est **oui** ou **non**.

Est-ce que tu étudies le français?   *Oui, j'étudie le français.*

Non, je n'étudie pas le français.

> **Attention :** Si le sujet commence par une voyelle, on utilise **est-ce qu'**.
>
> *Est-ce qu'il habite à la résidence?*   *Est-ce qu'Anne travaille ici?*

exercice oral

4.1 Posez les questions avec est-ce que à votre voisin.

Avoir un frère.   *Est-ce que tu as un frère?*

1. Parler français.
2. Poser des questions intéressantes.
3. Être calme.
4. Aimer la forêt.
5. Avoir 20 ans.
6. Avoir un dictionnaire bilingue.

5 LE PRÉSENTATIF IL Y A

On utilise **il y a** pour indiquer l'existence d'une chose ou d'une personne.

Il y a des étudiants dans la cour.   *Il n'y a pas de fenêtre dans la salle.*

exercice oral

5.1 Regardez la photo et dites ce qu'il y a dans la ville.

Aubernai, France

exercice oral 2

5.2 Vous habitez dans une grande ville ou une petite ville ? Qu'est-ce qu'il y a dans votre quartier ? Racontez à un ami.

■ L'interrogation avec il y a

On met **est-ce que** devant **il y a**.

Est-ce qu'il y a un bureau de poste ici ?

6 DES VERBES POUR EXPRIMER SES GOÛTS

Les verbes **aimer**, **adorer**, **détester**, **préférer** servent à exprimer les goûts.

■ Verbe + nom commun

On utilise l'article défini **le**, **la**, **les** ou **l'** devant un nom commun.

*Marion **aime les** statues grecques, mais Tia **préfère les** statues contemporaines. Et vous ?*

exercice écrit

6.1 Mettez l'article approprié : le, la, les ou l'.

1. J'aime ＊ mer.
2. Les Dupont détestent ＊art classique.
3. Émilie adore ＊ mathématiques.
4. Les enfants aiment ＊ sport.
5. Nous adorons ＊ fêtes.

■ Verbe + nom propre

On n'utilise pas d'article devant un nom propre ou un prénom.

J'aime Montréal.   J'aime Paul.

■ Verbe + verbe à l'infinitif

*J'**aime lire** au lit. Et toi ?   Sophie et Louis n'**aiment** pas **nager**.*

Attention : Dans une phrase à la forme négative, l'article **le**, **la** ou **les** ne change pas.

*Les étudiants aiment **les** livres. Ils n'aiment pas **les** livres chers.*

exercice oral +

6.2 Faites des phrases avec les verbes.

En groupes, parlez de vos goûts.

aimer voyager en été   Nous aimons voyager en été.

1. aimer sortir le week-end
2. détester voyager en famille
3. adorer rester au lit le week-end
4. préférer boire le soda avec du citron
5. ne pas aimer regarder la télévision
6. détester nager dans un lac
7. ne pas aimer offrir des fleurs

7 LES VERBES PRÉFÉRER ET ACHETER AU PRÉSENT

Préférer	À l'oral	Acheter	À l'oral
Je préfère		J'achète	
Tu préfères	[prefɛʀ]	Tu achètes	[aʃɛt]
Il/Elle/On préfère		Il/Elle/On achète	
Nous préférons	[prefeʀɔ̃]	Nous achetons	[aʃtɔ̃]
Vous préférez	[prefeʀe]	Vous achetez	[aʃte]
Ils/Elles préfèrent	[prefɛʀ]	Ils/Elles achètent	[aʃɛt]

- Les verbes **espérer**, **répéter**, **posséder**, **célébrer** se conjuguent comme **préférer**.
- Les verbes **lever** et **geler** se conjuguent comme **acheter**.

module 1 unité 2

exercice écrit

7.1 Conjuguez les verbes entre parenthèses au présent.

Faites attention aux accents.

1. Elle, elle (préférer) * le café. Et lui ?
2. Le professeur de français (répéter) * toujours : « Étudiez la conjugaison des verbes. »
3. La famille Smith (posséder) * un terrain de golf aux États-Unis.
4. J'aime le cinéma, mais je (préférer) * le théâtre.
5. Mélanie (acheter) * des vêtements dans le magasin Moda.

2 exercices oraux

7.2 Complétez les phrases et jouez à deux.

Ajoutez un verbe ou un article.

– Tu préfères * **montagne** ou * **mer** ?

– Je * * **mer**.

– Pourquoi ?

– J'* **nager**. Et toi ?

– Je déteste * **eau**.

– Qu'est-ce que tu * alors ?

– Toi.

7.3 Jouez un autre dialogue.

Dans le dialogue précédent, remplacez **montagne** par **soleil**, **mer** par **neige**, **nager** par **skier**, **eau** par **froid**.

LES VERBES EN GER ET CER

■ **Pour les verbes en ger, on met un e après le g devant a et o pour obtenir le son [ʒ] comme dans je.**

changer — Nous changeons.   *manger — Nous mangeons.*

■ **Pour les verbes en cer, on ajoute une cédille au c devant a et o pour obtenir le son [s] comme dans son.**

commencer — Nous commençons.   *placer — Nous plaçons.*

---

2 exercice oral

7.4 Refaites les phrases avec **nous** et **on** comme sujet.

Je lance le ballon.   ***Nous lançons** le ballon.*   ***On lance** le ballon.*

1. Je range les chaises de la salle de réunion.
2. J'oblige l'élève à faire des devoirs.
3. Je nage bien.
4. Je voyage en train.
5. Je ne change pas.
6. Je commence le livre.

8 LES PRÉSENTATIFS

■ **C'est un / C'est le**

Singulier		À l'oral
C'est + **un/une** + nom	C'est **une** librairie.	[setœ̃]/[setyn]
C'est + **le/la** + nom + de	C'est **la** librairie de l'université.	[selə]/[sela]

Pluriel		
Ce sont + **des** + nom	Ce sont **des** amis.	[səsɔ̃dɛ]
Ce sont + **les** + nom + de	Ce sont **les** étudiants de psychologie.	[səsɔ̃lɛ]

L'ARTICLE INDÉFINI ET L'ARTICLE DÉFINI APRÈS C'EST

■ **On met c'est un, une ou des quand on ne donne pas de précision.**

*Qu'est-ce que c'est? C'est **un** restaurant.*
*Qu'est-ce que c'est? Ce sont **des** tableaux de Picasso.*

■ **On met c'est le, la, les ou l' quand on donne une précision.**

*C'est **le** restaurant de l'université.*
*Ce sont **les** enfants de Maria.*

 exercice écrit **8.1 Complétez les phrases avec un, une, des ou le, la, les, l'.**

1. C'est * bibliothèque. C'est * bibliothèque de la ville.
2. C'est * résidence. C'est * résidence de l'université.
3. C'est * bureau. C'est * bureau du professeur.
4. C'est * musée. C'est * musée du Louvre.
5. Ce sont * étudiantes. Ce sont * étudiantes du cours de français.

L'ARTICLE INDÉFINI APRÈS LA NÉGATION DE C'EST UN

■ **On ne modifie pas un, une, des ou de après la négation de c'est un.**

*C'est **un** dictionnaire bilingue.*   *Ce n'est pas **un** dictionnaire bilingue.*
*Ce sont **des** commentaires intéressants.*   *Ce ne sont pas **des** commentaires intéressants.*

exercice écrit **8.2 Complétez les phrases avec un, une, des ou de.**

1. C'est * stylo? Non, ce n'est pas * stylo.
2. C'est * étudiante en psychologie, ce n'est pas * étudiante en français.
3. Ce sont * cours très intéressants.
4. Non, ce ne sont pas * films français.
5. Ce n'est pas * acteur célèbre.

〉 **9** QUI EST-CE? QU'EST-CE QUE C'EST?

■ **On utilise qui est-ce? pour désigner une personne.**

Qui est-ce?	*C'est Tia.*
	C'est un homme.
	Ce sont Marion et Georges.
	Ce n'est pas le professeur.

■ **On utilise qu'est-ce que c'est? pour désigner une chose.**

Qu'est-ce que c'est?	*C'est une bibliothèque.*
	Ce sont des livres.
	Ce n'est pas une caméra.

exercice écrit **9.1 Utilisez qui est-ce? ou qu'est-ce que c'est?**

1. * C'est un nouveau livre.
2. * C'est Sylvette, une amie d'enfance.
3. * C'est le président de la compagnie.
4. * C'est un disque.
5. * C'est le nouveau film de Spielberg.
6. * C'est un journaliste de la télévision.

9.2 Complétez les phrases et jouez à deux.

exercice oral

Ajoutez un verbe, un pronom sujet ou **qui est-ce?**

– ✳   – C'est une actrice française. Elle ✳ célèbre. Elle ✳ Audrey Tautou.

– Elle ✳ quel âge?   – Trente ans peut-être?

– Est-ce qu'✳ joue bien?   – Elle ✳ excellente.

– Est-ce qu'elle ✳ un site Internet?   – Ah oui, c'est www…

◼ **On utilise c'est ou ce sont pour répondre à la question qui est-ce? ou qu'est-ce que c'est?**

- • **C'est** + article indéfini ou défini + nom singulier
  Qui est-ce? C'est un directeur. C'est le directeur de l'entreprise.

- • **C'est** + prénom
  Qui est-ce? C'est Anna, une artiste.

- • **Ce sont** + article indéfini ou défini + nom au pluriel
  Qui est-ce? Ce sont les amis de Pénélope.
  Qu'est-ce que c'est? Ce sont les nouveaux logiciels.

IL EST OU ELLE EST POUR RÉPONDRE À LA QUESTION EST-CE QUE...

◼ **Il est + adjectif**
Est-ce qu'il est célèbre? Oui, il est célèbre.

◼ **Il est + nom de profession**
Est-ce qu'il est mécanicien? Oui, il est mécanicien.

Attention : *Il est professeur. (pas d'article)*   *C'est **un** professeur.*

Ils sont informaticiens. (pas d'article)   *Ce sont **des** informaticiens.*

9.3 Ajoutez c'est / ce sont ou il est / elle est / ils sont / elles sont.

exercice écrit

1. ✳ un pianiste célèbre.
2. ✳ journaliste.
3. ✳ un exercice facile.
4. ✳ médecins.
5. ✳ un instrument de musique.
6. ✳ Sophie.
7. ✳ une étudiante étrangère.
8. ✳ des caissières.

9.4 Complétez les phrases et jouez à deux.

exercice oral

Ajoutez un verbe, **c'est**, **il y a**, **où**, **des** ou un pronom sujet.

– Tu ✳ où?   – J'habite à côté du Grand Marché.

– C'est bien là-bas?   – Oui, ✳ un quartier très animé. ✳ des cafés, des restaurants, des cinémas.

– Quelle chance!   – ✳ habites ✳, toi?

– À la résidence. ✳ des bibliothèques, ✳ ordinateurs, beaucoup de profs, c'est tout.

⟩ 10 L'OPPOSITION AVEC MAIS

Mais oppose deux idées.

*Elle aime regarder des films, **mais** elle n'a pas le temps.*

*Nous, on préfère le vin, **mais** lui, il préfère la bière.*

10.1 Complétez les phrases avec mais.

exercice écrit

*J'aime la mer, **mais** je préfère la montagne.*

1. J'aime étudier les langues, ✳
2. Nous avons un tableau de Chagall, ✳
3. Elle regarde la télé, ✳
4. J'adore le football, ✳

APPRENEZ DE NOUVEAUX MOTS

⟩ C'EST DANS LE DIALOGUE

 exercices écrits

1. Quelles sont les matières à la mode aujourd'hui?

Relisez le dialogue de la page 23.

2. Masculin ou féminin?

Relisez les dialogues des pages 22 et 23 et indiquez le genre des mots suivants.

1. visite	3. statue	5. langue	7. magasin
2. laboratoire	4. campus	6. mythologie	8. centre-ville

3. Associez un verbe à chaque nom.

une visite → visiter

Noms   **Verbes**

1. une rencontre	4. une préférence	a) préférer	d) téléphoner
2. un téléphone	5. un commencement	b) rencontrer	e) étudier
3. un étudiant	6. un guide	c) guider	f) commencer

4. Choisissez cinq mots de l'exercice précédent et faites des phrases comme dans l'exemple.

*Philippe et Nicolas **étudient** en politique.*
*Les **étudiants** écoutent le professeur.*

⟩ 1 LES MATIÈRES

■ Les matières enseignées à l'Université internationale

*Elle étudie **la langue française**.*
*J'adore **les maths**, mais je déteste **la chimie**.*

Les matières	La profession	Les matières	La profession
la biologie	biologiste	l'informatique	informaticien/ informaticienne
la chimie	chimiste		
le commerce	commerçant/ commerçante	la linguistique	linguiste
	homme/femme d'affaires	la littérature	littéraire
		les mathématiques (les maths)	mathématicien/ mathématicienne
le droit	avocat/avocate	la médecine	médecin
l'économie	économiste	la musique	musicien/musicienne
le génie électrique/ civil/mécanique	ingénieur/ ingénieure	la philosophie	philosophe
		la psychologie	psychologue
la géographie	géographe	la sociologie	sociologue
la géologie	géologue	la traduction	traducteur/ traductrice
l'histoire	historien/historienne		

Attention: Pour préciser la discipline, on utilise **en**:
*Je suis étudiante **en** traduction à l'Université d'Ottawa, au Canada.*

piste 15 ⟩ **2 LES NOMBRES DE 0 À 60**

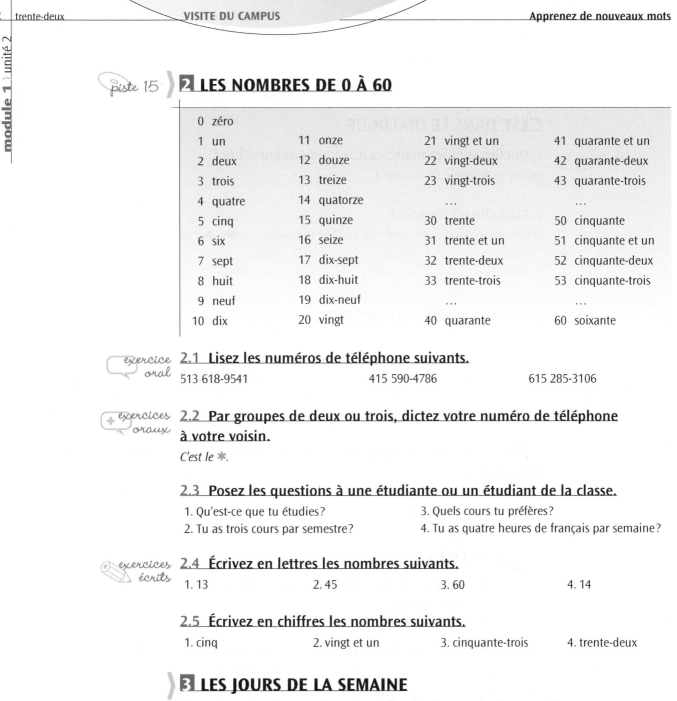

0 zéro			
1 un	11 onze	21 vingt et un	41 quarante et un
2 deux	12 douze	22 vingt-deux	42 quarante-deux
3 trois	13 treize	23 vingt-trois	43 quarante-trois
4 quatre	14 quatorze	…	…
5 cinq	15 quinze	30 trente	50 cinquante
6 six	16 seize	31 trente et un	51 cinquante et un
7 sept	17 dix-sept	32 trente-deux	52 cinquante-deux
8 huit	18 dix-huit	33 trente-trois	53 cinquante-trois
9 neuf	19 dix-neuf	…	…
10 dix	20 vingt	40 quarante	60 soixante

exercice oral **2.1 Lisez les numéros de téléphone suivants.**

513 618-9541 415 590-4786 615 285-3106

exercices oraux **2.2 Par groupes de deux ou trois, dictez votre numéro de téléphone à votre voisin.**

C'est le ✱.

2.3 Posez les questions à une étudiante ou un étudiant de la classe.

1. Qu'est-ce que tu étudies?
2. Tu as trois cours par semestre?
3. Quels cours tu préfères?
4. Tu as quatre heures de français par semaine?

exercices écrits **2.4 Écrivez en lettres les nombres suivants.**

1. 13
2. 45
3. 60
4. 14

2.5 Écrivez en chiffres les nombres suivants.

1. cinq
2. vingt et un
3. cinquante-trois
4. trente-deux

3 LES JOURS DE LA SEMAINE

dimanche lundi mardi mercredi jeudi vendredi samedi

exercice écrit

3.1 Écrivez dans l'agenda votre emploi du temps de la semaine.

– *Mercredi : réunion des jeunes avocats à la mairie.*

– *Jeudi : cours de biologie le matin et deux cours de maths l'après-midi.*

LUNDI	VENDREDI
MARDI	**SAMEDI**
8 heures de cours de français	
MERCREDI	**DIMANCHE**
JEUDI	

〉4 LES MOIS DE L'ANNÉE

janvier	février	mars	avril	mai	juin
juillet	août	septembre	octobre	novembre	décembre

	Amérique du Nord	Europe
La rentrée universitaire	en septembre	en septembre ou en octobre
Action de grâce	en octobre (Canada)	
	en novembre (États-Unis)	
Vacances de Noël	en décembre	en décembre
Début du semestre	en janvier	en janvier
C'est le printemps !	en mars	en mars
Fin de l'année universitaire	en avril	en mai ou en juin
Enfin les vacances !	en juillet et en août	en juillet et en août

Et chez vous, la rentrée universitaire est **en** septembre ou **en** octobre ?

COMMENT DEMANDER LA DATE ? LE JOUR ?

– Quelle est la date aujourd'hui ?   – Nous sommes le 12 septembre.

– Quel jour sommes-nous ?   – Nous sommes mardi.

– On est quel jour ?   – Jeudi

---

exercice écrit

4.1 Complétez les phrases avec les mots suivants :

> août   décembre   juillet   lundi   mois   12 mai

1. En général, la semaine commence le *.
2. Il y a douze * dans l'année.
3. Les mois de * et d'* sont des mois de vacances.
4. Aujourd'hui, nous sommes le *.
5. Noël, c'est en *.

5 LES SAISONS

Au printemps Camille Pissarro (1830-1903). *Potager, arbres en fleurs, printemps, Pontoise* (1877), musée d'Orsay, Paris.

En été Claude Monet (1840-1926). *Jardin en fleurs* (1866), musée d'Orsay, Paris.

En automne Paul Gauguin (1848-1903). *Paysage breton (« Le moulin David »)* (1894), musée d'Orsay, Paris.

En hiver Claude Monet (1840-1926). *La Pie* (1868-1869), musée d'Orsay, Paris.

Attention : Pour les noms des saisons, on met **en** devant la voyelle ou le *h*, et **au** devant la consonne.

 exercice écrit

5.1 Quels mois correspondent aux saisons ?

Les saisons	L'hiver	Le printemps	L'été	L'automne
Les mois	***	***	***	***

LES COULEURS

Est-ce que vous avez une couleur préférée pour les saisons ? Beaucoup de gens associent le noir et le gris à l'hiver. Vous êtes d'accord ? D'après vous, quelles couleurs correspondent aux saisons ?

noir   bleu   rouge   blanc   gris   orange   jaune   vert   marron

PRONONCEZ

piste 16 ▶ **LES SONS**

Le son [õ]

bonjour	salon	prénom	long	Nous regardons.
non	pardon	Montréal	on	C'est bon.

Le son [ã]

étudiant	dans	cent	lent	prendre
restaurant	centre	intelligent	temps	vendredi
quarante	dimanche	représente	monument	en retard

Le son [ẽ]

fin	Tintin	demain	canadien	bien
matin	train	main	ancien	

piste 17 ▶ **LA LIAISON**

C'est un enfant timide.

C'est un ami.

Je suis en retard.

J'ai vingt-six ans.

Nous avons froid en hiver.

Vous avez faim.

Des exercices faciles.

Dans un parc, il y a des arbres, des fleurs.

piste 18 ▶ **Attention** à la différence entre le verbe **être** et le verbe **avoir**.

Ils sont   *Ils ont*

[ilsõ]   [ilzõ]

Écoutez et répétez.

Ils ont trente ans.

Ils sont contents.

Elles ont un livre chinois.

Elles sont chinoises.

Ils sont six enfants.

Ils ont six enfants.

piste 19 ▶ **LES SCHÉMAS INTONATIFS**

– Tu as un ordinateur? ↗

– Non, je n'ai pas d'ordinateur. ↘

– Tu es employé de bureau? ↗

– Oui, je suis employé de bureau. ↘

– Vous avez le temps? ↗

– Non, je n'ai pas le temps. ↘

ÉCOUTEZ ET ÉCHANGEZ

〉 ENTRAÎNEZ-VOUS À L'ÉCOUTE

piste 20　Écoutez l'enregistrement *Interview de monsieur Bienfou*. Sur le même modèle, jouez le dialogue à deux ou à trois.

〉 RENDEZ-VOUS AU COIN CAFÉ

Demander et donner une adresse

– Quelle est votre adresse?　　　　　　　– C'est le 42, rue Dupont.

Demander un numéro de téléphone

– Quel est votre numéro de téléphone?　　– C'est le 614 287-4215.

Parler de soi

– Est-ce que vous êtes marié?　　　　　　– Non, je suis célibataire.

– Tu as quel âge?　　　　　　　　　　　– J'ai 25 ans.

Parler de sa ville, de son quartier

– Est-ce qu'il y a un restaurant français?　– Oui, bien sûr, il y a des restaurants français.

Exprimer ses goûts

– Est-ce que tu as soif?　　　　　　　　　– Oui, j'ai très soif.

– Tu préfères le vin rouge ou le vin blanc?　– Je préfère le vin blanc.

– J'aime le thé, mais je préfère le café.

Donner des informations sur une personne ou une chose

– Qui est-ce?　　　　　　　　　　　　　– C'est Marion.

– Qu'est-ce que c'est?　　　　　　　　　– C'est un portable.

1. Posez des questions en suivant le modèle ci-dessous et répondez-y à l'aide des mots figurant dans la liste suivante.

> un ordinateur　une lampe　des livres　une radio　un téléphone
> des stylos　un dictionnaire　des tableaux　une étagère　une plante
> une télévision　un portable　un agenda　une horloge

*Est-ce qu'il y a **une horloge** dans la salle? Oui, il y a une horloge.*

2. À l'aide du vocabulaire ci-dessus, décrivez ce qu'il y a dans votre chambre.

Il y a une lampe, une étagère et une plante.

Attention à la forme négative :	
Il y a **un** + nom	Il n'y a pas **de** + nom
*Il y a **un** livre sur la table.*	*Il n'y a pas **de** livre sur la table.*

3. Pour chacune des photos, posez la question qui est-ce? ou qu'est-ce que c'est? et répondez-y.

Qui est-ce?   *C'est une chanteuse mexicaine. Elle s'appelle Juanita Lopez.*

4. Posez des questions sur des objets ou des personnes de votre classe et répondez-y.

Qui est-ce? C'est Sabine. Elle est suisse.   *Qu'est-ce que c'est? C'est un agenda.*

5. Parlez de vos goûts.

Dites ce que vous aimez et ce que vous n'aimez pas.

– Est-ce que tu aimes les films américains ou les films français?
– J'aime les films américains, mais je déteste les films français.

Reprenez ce dialogue avec:

1. la pluie / le soleil
2. les langues / les sciences
3. la musique moderne / la musique classique
4. le thé / le café

JEUX DE RÔLES

Imaginez les situations suivantes et jouez à deux.

1. Au Salon du livre

A tient un stand au Salon du livre. Il se présente et salue **B**.

B se présente et demande des renseignements sur un dictionnaire bilingue.

A demande de quelles langues.

B répond « français-anglais ».

A montre le dictionnaire.

B le remercie.

2. Vous assistez à une conférence sur la jeunesse au XXIᵉ siècle. Vous arrivez à la réception. Vous saluez la réceptionniste et vous vous présentez.

DÉCOUVREZ…
LA FRANCE

PARIS

LYON

MARSEILLE

ALBERT JACQUARD

Albert Jacquard est né à Lyon le 23 décembre 1925. C'est un scientifique et un essayiste français. Il est généticien. C'est aussi un conférencier recherché pour son discours humaniste. Il a publié plusieurs livres dont *Éloge de la différence* (1981), *Moi et les autres* (1983), *Cinq milliards d'hommes dans un vaisseau* (1987) et *Un monde sans prisons ?* (1993). Il est professeur honoraire de l'Université Paris VII et de l'Université de Genève. C'est un des grands penseurs de notre siècle.

D'ICI ET D'AILLEURS

Français de France	Français standard
un toubib	un médecin
Laisse beton (verlan).	Laisse tomber.
On se casse.	On s'en va.
On va au ballon (Marseille).	On va voir un match de foot.

Classez les conférences suivantes en deux catégories : écologie et économie.

Le risque environnemental

du 19 au 27 janvier, par Anne Leduc, professeure à l'Université d'Ottawa (Canada).

La mondialisation et ses conséquences sur les pays africains

du 7 au 15 mars, par Mamadou Dialo, professeur à l'Université Cheikh Anta Diop, Dakar (Sénégal).

Les climats de la Terre : hier, aujourd'hui... et demain ?

du 20 au 23 décembre, par Micheline Leblanc, professeur à l'Université de Genève (Suisse).

La disparité entre les pays riches et les pays pauvres

du 15 au 23 mars, par Antoinette Dupont, professeur à l'Université de Louvain (Belgique).

Le réchauffement de la Terre

du 11 au 18 mai, par Kaled Youssef, professeur à l'Université de Fez (Maroc).

Environnement mondial

du 16 au 28 février, par Olivier Dieudonné, professeur à la Sorbonne, Paris (France).

RÉDIGEZ...

... UNE RÉPONSE À UNE ANNONCE

Vous cherchez un correspondant francophone sur un site Internet. Vous lisez les annonces suivantes. Répondez-y.

Bonjour, je m'appelle Jean Camus. J'ai 35 ans et je suis belge. Je suis à Toronto du 15 août 2006 au 15 août 2007 pour un stage dans une entreprise anglaise. J'aimerais rencontrer des francophones. N'hésitez pas à communiquer avec moi.

Bonjour, je m'appelle Nathalie Lapointe. Je suis française. J'habite en Saskatchewan depuis 3 mois et demi et je cherche de nouveaux amis pour parler français-anglais. Ça vous intéresse?

VOCABULAIRE DE L'UNITÉ 2

Noms

architecte, m./f.	environnement, m.	laboratoire, m.	photo, f.
automne, m.	été, m.	langue, f.	poste, f.
bibliothèque, f.	faim, f.	librairie, f.	printemps, m.
chaise, f.	famille, f.	maison, f.	réunion, f.
chance, f.	forêt, f.	mer, f.	sport, m.
chambre, f.	génie, m.	montagne, f.	statistique, f.
climat, m.	gens, m./f. p.	monument, m.	statue, f.
cours, m.	guide, m./f.	mythologie, f.	traduction, f.
dictionnaire, m.	hiver, m.	neige, f.	visite, f.
dimanche, m.	information, f.		

Verbes et locutions

acheter	boire	espérer	posséder
aimer	célébrer	geler	préférer
avoir	changer	lancer	regarder
avoir chaud	commencer	montrer	remplacer
avoir faim	décrire	nager	répéter
avoir froid	demander	obliger	rester
avoir peur	dessiner	offrir	sortir
avoir raison	détester	placer	voyager
avoir soif			

Adjectifs

beau/belle	gris/grise	noir/noire	rouge
blanc/blanche	jaune	orange	vert/verte
bleu/bleue	marron		

unité 3

C'est parti !

Sommaire

J'aime beaucoup, passionnément…

L'ART

 piste 21 Marion et Tia se rencontrent devant la bibliothèque. Ils discutent des cours.

Marion : Tiens, bonjour Tia. Tu vas où ?

Tia : Je vais à la cafétéria pour prendre un café avant le premier cours.

Marion : Attends, je viens avec toi. Nous allons à la cafétéria ou au **resto U** ?

*Le **resto U** est le restaurant universitaire.*

Tia : Je ne connais pas le resto U. Il est où ?

Marion : Viens avec moi. Qu'est-ce que tu fais le samedi ?

Tia : En général, je me lève tard et l'après-midi, je me promène. J'aime marcher et écouter les oiseaux.

Marion : Eh bien, moi, j'ai une passion : c'est la sculpture. Je fais des masques. J'adore l'art africain. Tiens, le resto U. On rentre ?

Tia : D'accord. Ah! C'est joli ici !

Pendant ce temps...

piste 22   Au ministère de la Culture, Caroline se prépare à partir en Côte-d'Ivoire. Elle va participer à la Conférence sur la francophonie.

Caroline : Oh là là! Je suis en retard. Patrick, s'il vous plaît, aidez-moi : je cherche mon discours.

Patrick : Pas de panique, il est dans votre ordinateur et vous avez un CD. De toute façon, vous connaissez votre discours par cœur.

Caroline : À votre avis, c'est intéressant ?

Patrick : Oui, c'est parfait.

Caroline : Ah, vous et vos compliments! Le vol dure 12 heures, n'est-ce pas ?

Patrick : Oui, c'est ça. Vous avez une chambre réservée à l'hôtel Ivoire. C'est un bel hôtel avec un jardin magnifique et vue sur l'océan.

Caroline : Enfin quelques jours de soleil !

module 1 › unité 3

OBSERVEZ ET EMPLOYEZ LES STRUCTURES

⟩ **1** LES VERBES CONNAÎTRE, SAVOIR, FAIRE AU PRÉSENT

Connaître	À l'oral	Savoir	À l'oral	Faire	À l'oral
Je connais		Je sais		Je fais	
Tu connais	[kɔnɛ]	Tu sais	[sɛ]	Tu fais	[fɛ]
Il/Elle/On connaît		Il/Elle/On sait		Il/Elle/On fait	
Nous connaissons	[kɔnesɔ̃]	Nous savons	[savɔ̃]	Nous faisons	[fəzɔ̃]
Vous connaissez	[kɔnese]	Vous savez	[save]	Vous faites	[fɛt]
Ils/Elles connaissent	[kɔnɛs]	Ils/Elles savent	[sav]	Ils/Elles font	[fɔ̃]

■ **Le verbe connaître s'utilise toujours de la même façon :**

connaître + nom (personne, pays, ville…)
Je connais bien Mélanie Trudeau.
Je connais l'Angleterre.

 1.1 Mettez les sujets et les verbes au pluriel.

1. Je connais les fables de La Fontaine.
2. Tu connais la famille Leroux?
3. Elle connaît les bons restaurants du quartier.
4. Est-ce que tu connais l'alphabet français?
5. Il connaît Marion?

■ **Le verbe savoir s'utilise de trois façons :**

• **savoir + nom** de quelque chose qu'on a appris
  Elle sait le français.   *Nous savons la leçon.*

• **savoir + verbe à l'infinitif**
  Elle sait conduire.

• **savoir + où, comment, pourquoi, quand**
  Elle sait où elle va.   *Elle sait pourquoi elle est fatiguée.*

Attention : Devant un nom de personne, de pays ou de ville, on emploie **connaître** et non pas **savoir**.
Je connais M. Leroy.

 1.2 Complétez les phrases avec les verbes savoir ou connaître.

1. Elle ✳ faire la tarte aux pommes.
2. Est-ce que tu ✳ quand les examens commencent?
3. Je ne ✳ pas le Louvre.
4. Vous ✳ comment elle s'appelle?
5. Est-ce que tu ✳ parler italien?
6. Tu ✳ Vincent? Tu ✳ où il habite?
7. Vous ✳ la rue Saint-Denis?

② *exercices oraux*

1.3 Complétez les phrases avec les verbes savoir ou connaître et jouez à deux.

Vous ✳ où est la **galerie d'art**? Désolé, je ne ✳ pas.

Vous ✳ le **directeur**? Le **directeur**? Non.

Et vous ✳ l'**art moderne**? L'**art moderne**? Vous ✳, je n'aime pas beaucoup l'**art**.

Et vous ✳ la **grande statue de Napoléon**? Non, pas du tout.

1.4 Jouez un autre dialogue.

Remplacez les mots en gras du dialogue précédent par les mots suivants:

• galerie d'art → **opéra**;
• directeur → **chef d'orchestre**;
• art moderne → **Mozart**;

• art → **musique**;
• grande statue de Napoléon → **opéra de Verdi**.

■ **Le verbe faire s'utilise beaucoup en français et dans des contextes très différents:**

Je fais la vaisselle (le ménage, le lit).

Elle fait la grasse matinée.

Il fait ses devoirs de français.

Nous faisons de la gymnastique.

Il fait froid ou il fait chaud.

Attention: Quand on vous pose une question avec **qu'est-ce que tu fais?**, répondez avec un autre verbe.

Qu'est-ce que tu fais? Je travaille dans une librairie.

Qu'est-ce que tu fais aujourd'hui? Je rencontre des amis au centre-ville.

 exercice écrit

1.5 Complétez les phrases avec le verbe faire.

1. Est-ce que tu ✳ du sport?
2. Les parents de Mélanie ✳ un gâteau d'anniversaire.
3. Est-ce que tu ✳ une promenade le week-end?
4. Est-ce que vous ✳ le ménage une fois par semaine?
5. Cinq et cinq ✳ dix, bien sûr.

② *exercice oral*

1.6 Posez des questions avec le verbe faire et répondez-y avec les expressions suivantes. Jouez à deux.

| faire le ménage   faire les travaux   faire une promenade |
| faire de la gymnastique   faire la vaisselle   faire la grasse matinée |

– Qu'est-ce que tu fais après le cours?

– Qu'est-ce que tu fais le week-end?

– Est-ce que tu fais la cuisine?

Continuez.

⟩ 2 LES VERBES PRONOMINAUX SE LAVER, SE LEVER AU PRÉSENT

Se laver	**Se lever**
Je me lave	**Je me** lève
Tu te laves	**Tu te** lèves
Il/Elle/On se lave	**Il/Elle/On se** lève
Nous nous lavons	**Nous nous** levons
Vous vous lavez	**Vous vous** levez
Ils/Elles se lavent	**Ils/Elles se** lèvent

- Dans les verbes pronominaux, les sujets sont toujours accompagnés des pronoms **me, te, se, nous, vous**.

- À la forme négative, **ne** se met entre le sujet et le pronom et **pas** après le verbe.
  *Je **ne** me lave **pas**.*
  *Tia **ne** se lève **pas** tôt.*

- Beaucoup de verbes pronominaux expriment une activité quotidienne.
  s'habiller, se raser, se brosser les dents

exercices écrits **2.1 Associez les verbes aux dessins.**

se lever   s'habiller   se doucher   se maquiller   se brosser les dents

2.2 Répondez à ces questions en faisant des phrases complètes.

– À quelle heure tu te lèves?

– Ensuite, tu te douches ou tu prends ton petit-déjeuner?

– Après le petit-déjeuner, tu t'habilles?

– Est-ce que tu te parfumes tous les jours?

– Après le travail, tu te promènes avec tes amis?

❸ LE VERBE ALLER AU PRÉSENT

Aller	À l'oral
Je vais	[vɛ]
Tu vas	
Il / Elle / On va	[va]
Nous allons	[alɔ̃]
Vous allez	[ale]
Ils / Elles vont	[vɔ̃]

Attention : Les verbes **être**, **faire** et **aller** se terminent par **ont** à la 3ᵉ personne du pluriel.
*Ils **sont**, ils **font**, ils **vont**.*

■ Les prépositions à, chez, en avec le verbe aller

- On **va** à un lieu, à un événement.

  *Ils vont **à une** fête.   Je vais **à la** bibliothèque.   Nous allons **à l'**université.*

LA PRÉPOSITION À DEVANT UN ARTICLE DÉFINI
(LE, LA, LES, L')

à + le = au (devant un nom masculin singulier commençant par une consonne)
*Vous allez **au** centre-ville ?*

à + la = à la (devant un nom féminin singulier commençant par une consonne)

à + les = aux (devant un nom masculin ou féminin au pluriel)
*Tu vas **aux** magasins du centre-ville ?*

à + le et **à + la = à l'** (devant un nom masculin ou féminin commençant par une voyelle)

- On **va chez** une personne.

  *On va **chez** Monique.   Tu vas **chez** le dentiste ?   Je vais **chez** moi.*

- Pour le mode de transport, on utilise **en** si l'espace est fermé et **à** dans les autres cas.

  *Je vais **en** voiture / **en** bateau / **en** avion / **en** train.*
  espace fermé
  *Je vais **à** pied / **à** bicyclette / **à** vélo / **à** moto.*

Attention : Le verbe **aller** s'utilise également pour saluer.
    *Comment **allez**-vous ? Je **vais** bien.   Salut, ça **va** ? Ça **va**.*

exercices écrits

3.1 Complétez les phrases avec le verbe aller.

1. Tu ✳ où ?
2. Est-ce qu'ils ✳ à la plage ?
3. Pour voir un film, on ✳ au cinéma.

4. Samedi, je ✳ au stade.
5. Vous ✳ au bureau de poste ou à la banque ?
6. Les enfants ne ✳ pas à l'école.

3.2 Complétez les phrases avec les prépositions et les articles appropriés.

1. Tu vas ✳ salle de gymnastique.
2. Ils vont ✳ cinéma.
3. Nadine va ✳ opéra.
4. Paul va ✳ le médecin.

5. Nous allons ✳ réunion des directeurs.
6. Je vais ✳ Paul.
7. Pauline va ✳ restaurant ✳ pied.
8. Nous allons ✳ bureau ✳ voiture.

ALLER DANS UNE VILLE, UNE ÎLE, UN PAYS

◼ **Quand on est dans une ville ou qu'on y va, on emploie à.**

Je vais à Paris (Montréal, Abidjan).
J'habite à New York (Rome, Genève).

◼ **Devant certains noms d'îles, on ne met pas d'article.**

Tu vas à Cuba ou à Taïwan?

◼ **Quand on est dans un pays ou qu'on y va,**

• on emploie **en** :

– devant les noms de pays féminins (qui se terminent par **e**).

*Je vais **en** France (Espagne, Chine, Angleterre, Allemagne).*

– devant les noms de pays commençant par une voyelle.

*J'habite **en** Égypte.*

• on emploie **au** :

– si le nom du pays est au singulier et **aux** s'il est au pluriel.

*Je vais **au** Canada.*
*Je vais **aux** États-Unis.*

Montréal

en			au			aux
Afghanistan	Égypte	Israël	Brésil	Maroc	Venezuela	États-Unis
Chine	Équateur	Russie	Canada	Pérou	Vietnam	Pays-Bas
Colombie	France	Turquie	Japon	Portugal		
Côte-d'Ivoire	Iran	Ukraine	Liban	Sénégal		

exercice écrit **3.3 Complétez les phrases avec des noms de pays.**

1. Nous aimons le soleil, nous allons ✳.

2. Mireille adore le ski, elle va ✳.

3. Daniel fait des photos des pyramides, il est ✳.

4. Ils ont une réunion aux Nations Unies.
   Ils sont ✳.

5. Pour admirer le Vatican, on va ✳.

❭ 4 LE VERBE VENIR AU PRÉSENT

Venir	À l'oral
Je viens	
Tu viens	[vjɛ̃]
Il/Elle/On vient	
Nous venons	[vənɔ̃]
Vous venez	[vəne]
Ils/Elles viennent	[vjɛn]

◼ **Le verbe venir est souvent suivi de la préposition de.**

*Je viens **de** Québec.*

La préposition de devant un article défini (le, la, les, l')

de + **le** = **du** (devant un nom masculin singulier commençant par une consonne)

*Elle vient **du** bureau.*

de + la = de la (devant un nom féminin singulier commençant par une consonne)
Je viens de la cafétéria.

de + les = des (devant un nom masculin ou féminin au pluriel)
Il revient des colonies de vacances.

de + la et **de + le = de l'** (devant un nom masculin ou féminin commençant par une voyelle)
Stéphanie revient de l'école.

exercice écrit   **4.1 Complétez les phrases avec de la, du ou de l'.**

1. Nous venons ✳ piscine.
2. Il arrive ✳ gare.
3. Nous venons ✳ hôtel.
4. Ils arrivent ✳ centre-ville.
5. Je rentre ✳ université.
6. Elles arrivent ✳ musée.

VENIR D'UNE VILLE, D'UN PAYS

◼ Quand on vient d'une ville :

- On emploie **de** devant un nom de ville qui commence par une consonne.
  Elle vient de Genève.

- On emploie **d'** devant un nom de ville qui commence par une voyelle.
  Elle vient d'Ottawa.

◼ Quand on vient d'un pays :

On utilise **venir de** pour dire d'où l'on vient (pour indiquer l'origine).

- On emploie **d'** devant un nom de pays féminin ou masculin singulier qui commence par une voyelle.
  Je viens d'Argentine.

- On emploie **de** devant un nom de pays féminin singulier commençant par une consonne.
  Tu viens de France (Belgique, Tunisie).

- On emploie **du** devant un nom de pays masculin singulier qui commence par une consonne.
  Je viens du Portugal (Brésil, Vietnam).

- On emploie **des** devant un nom de pays pluriel.
  Elles viennent des États-Unis (Philippines, Pays-Bas).

de		du			d'		des
Chine	France	Brésil	Maroc	Venezuela	Afghanistan	Israël	États-Unis
Colombie	Russie	Canada	Pérou	Vietnam	Égypte	Ukraine	Pays-Bas
Côte-d'Ivoire	Turquie	Japon	Portugal		Iran		
		Liban	Sénégal				

exercice écrit   **4.2 Complétez les phrases avec de la, du, des ou de l'.**

1. Les Morlet arrivent ✳ Chine.
2. Nous venons ✳ Pays-Bas.
3. Je connais Maria. Elle vient ✳ Grèce.
4. Angela et Viviane ont un petit accent espagnol. Elles viennent ✳ Espagne.
5. Les professeurs de l'école Sainte-Anne sont ✳ Canada.
6. Dung est étudiant étranger. Il vient ✳ Vietnam.

◼ On utilise également de la, du, des ou de l' pour compléter un nom.

C'est le rapport du comité.   *C'est le sac des étudiants.*
C'est le livre de l'étudiante.   *C'est le centre de la ville.*

Attention : Devant un nom de personne, on emploie seulement **de**, sans article.
C'est la sœur de Marc.   *C'est le bureau de monsieur Lacroix.*

exercice écrit   **4.3** Complétez les phrases avec **de la, du, des, de l'** ou **de.**

1. C'est le bureau * madame Allais.
2. C'est la réunion * directeurs.
3. C'est un article sur la crise * logement.
4. Ce sont les livres * professeurs.

5. Ce n'est pas le fils * président.
6. C'est un livre * bibliothèque.
7. C'est la fille * monsieur Aubert.
8. Ce n'est pas la fin * histoire.

5 L'ADVERBE

L'adverbe donne une précision à propos d'un verbe ou d'un adjectif.

Je travaille **beaucoup**.   *Il fait* **très** *chaud.*

> Adverbes d'intensité : assez, beaucoup, peu, très, trop, un peu.
>
> Adverbes de temps : souvent, parfois, toujours, de temps en temps.

exercice écrit   **5.1** Complétez les phrases avec **assez, trop, un peu, beaucoup** ou **très.**

1. Je n'achète pas le livre. Il est * cher.
2. Il est 8 heures. J'ai * faim.
3. L'hiver, nous mangeons *. C'est normal.
4. Les parents de Marion habitent * loin.
5. La distance entre ma maison et l'université est * grande.

6 L'INTERROGATION

Le mot interrogatif peut apparaître en début ou en fin de phrase.

- **En début de phrase :** **mot interrogatif** + est-ce que + sujet + verbe
  Où est-ce que tu vas?   **Quand** *est-ce qu'elle arrive?*   **Qu'**est-ce que tu fais?

- **En fin de phrase :** sujet + verbe + **mot interrogatif**
  Tu vas **où**?   *Elle arrive* **quand**?   *Tu fais* **quoi**?

 exercice oral   **6.1** En groupes de deux, répondez librement aux questions.

1. Qu'est-ce que tu étudies?
2. Qu'est-ce que vous aimez?
3. Tu habites où?
4. Qu'est-ce que vous regardez?
5. Où est-ce que vous allez le soir?

6. Tu fais quoi dans la vie?
7. Qu'est-ce que tu prépares?
8. Qu'est-ce qu'il y a dans votre chambre?
9. Qu'est-ce qu'il y a dans ta classe?
10. Où est-ce que tu vas le week-end?

7 L'ADJECTIF QUALIFICATIF

L'adjectif s'accorde avec le nom. Quand l'adjectif féminin se termine par **e**, on enlève en général ce **e** pour former le masculin. Pour former le pluriel, on ajoute généralement un **s**.

Féminin (s./p.)	**Masculin** (s./p.)
brune(s)	brun(s)
directe(s)	direct(s)
fatiguée(s)	fatigué(s)
grande(s)	grand(s)
jolie(s)	joli(s)
petite(s)	petit(s)
seule(s)	seul(s)

> **Attention :** Parfois, on n'enlève pas le **e** pour former le masculin.
>
> Un *jeune* homme   Une *jeune* femme
>   masculin   féminin
>
> Certains adjectifs sont irréguliers.
> *Ce costume est **beau**. Cette veste est **belle**. Un **bel** enfant.*

Féminin (s./p.)	Masculin (s./p.)	Féminin (s./p.)	Masculin (s./p.)
ancienne(s)	ancien(s)	gentille(s)	gentil(s)
belle(s)	beau(x)*	grosse(s)	gros
blanche(s)	blanc(s)	heureuse(s)	heureux
bonne(s)	bon(s)	nouvelle(s)	nouveau(x)*
étrangère(s)	étranger(s)	sèche(s)	sec(s)
folle(s)	fou(s)*	traditionnelle(s)	traditionnel(s)
fraîche(s)	frais	vieille(s)	vieux*

*Devant un nom masculin commençant par une voyelle ou un *h* aspiré, **beau** devient **bel**, **fou** devient **fol**, **nouveau** devient **nouvel** et **vieux** devient **vieil**.

▇ La plupart des adjectifs sont placés après le nom.

*Ce sont des livres **intéressants**.   C'est une chaise **confortable**.*

▇ Certains adjectifs sont placés devant le nom.

Belle / beau, petite / petit, grande / grand, grosse / gros, mauvaise / mauvais, jeune, nouvelle / nouveau (nouvel), vieille / vieux (vieil), jolie / joli, bonne / bon, ancienne / ancien

*Il a une **belle** voiture.   C'est un **joli** tableau.   C'est un **nouvel** hôtel.*

> **Attention :** Quand l'adjectif au pluriel est placé devant le nom, **des** devient **de**.
>
> *Il a **des** enfants. Il a **de** beaux enfants.*
> *Ce sont **des** livres, mais ce sont **de** vieux livres.*

 exercices écrits

7.1 Mettez l'adjectif qui convient au masculin. Faites attention aux accords.

> fatiguée   intéressante   amusante   internationale   intelligente

1. Un événement ✳   4. Un commentaire ✳
2. Un marché ✳   5. Des films ✳
3. Des garçons ✳

7.2 Accordez les adjectifs au féminin et mettez-les à la place qui convient.

Faites attention à l'accord au singulier ou au pluriel.

1. Monica Bellucci est une actrice (beau).
2. La directrice prend une décision (définitif).
3. Je termine mon travail la semaine (prochain).
4. Le professeur raconte toujours des histoires (sérieux).
5. C'est une fille (curieux).
6. Elle a des filles (beau).

■ **Les adjectifs de couleur, de nationalité et de forme sont placés après le nom.**

*Pascal vote pour le parti **vert**.*
*La pizza est une spécialité **italienne**.*
*Je mange sur une table **ronde**.*

 7.3 Complétez les phrases avec des adjectifs et jouez à deux.

> triste   larges   difficile   magnifiques   verts   belle

– Quelle ✳ ville!

– Tu trouves? Elle est ✳ et grise.

– Mais non! Les parcs sont très ✳, les rues sont ✳ et les immeubles sont ✳.

– «Intéressants» est le mot. «Magnifiques» non.

– Oh là là! Tu es ✳, toi.

❽ RÉPONDRE À UNE QUESTION PAR <u>OUI</u>, <u>SI</u>, <u>NON</u>, <u>MOI AUSSI</u>, <u>MOI NON PLUS</u>…

■ **Oui / si / non**

À une question affirmative, on répond **oui** ou **non**. Quand on veut donner une réponse positive à une question négative, on dit **si**.

> – *Tu parles anglais?*   – ***Oui**, je parle anglais.*
>
> – *Tu ne parles pas anglais?*   – ***Si**, je parle anglais.*
>
> – *Le directeur n'est pas là?*   – ***Si**, il est là.*

 8.1 Répondez aux questions par oui ou si.

1. Vous allez au cinéma?
2. Tu ne viens pas?
3. Elle ne travaille pas?
4. Tu n'aimes pas le café?
5. Il parle français?
6. Vous ne connaissez pas Montréal?

■ **Moi aussi / moi non plus**

On utilise **moi aussi** pour donner une réponse positive à une question affirmative. On utilise **moi non plus** pour donner une réponse négative à une question négative.

> – *Je parle anglais. Et toi?*   – ***Moi aussi**.*
> – *Je ne parle pas anglais. Et toi?*   – ***Moi non plus**.*

Questions	Réponses positives	Réponses négatives
– *Tu aimes le chocolat?*	– ***Oui**, j'aime le chocolat.*	– ***Non**, je n'aime pas le chocolat.*
– *Tu n'aimes pas le café?*	– ***Si**, j'aime le café.*	– ***Non**, je n'aime pas le café.*
– *J'adore lire. Et toi?*	– ***Moi aussi**.*	– ***Moi, non**.*
– *Je n'aime pas la bière. Et toi?*	– ***Moi, si**.*	– ***Moi non plus**.*

8.2 Répondez aux questions en utilisant moi aussi, moi non plus…

1. Je n'aime pas le chocolat. Et toi?
2. Je n'ai pas d'enfants. Et vous?
3. J'adore le cinéma français. Et toi?
4. Je n'aime pas le froid. Et toi?
5. Je pars en vacances bientôt. Et vous?

APPRENEZ DE NOUVEAUX MOTS

) C'EST DANS LE DIALOGUE

exercices écrits

1. Masculin ou féminin?

Relisez les dialogues des pages 42 et 43 et indiquez le genre des mots suivants.

1. cours	5. après-midi	8. discours
2. café	6. sculpture	9. chambre
3. cafétéria	7. ordinateur	10. conférence
4. resto U		

2. Trouvez le nom correspondant aux verbes suivants.

1. se promener	5. préparer	9. retarder
2. marcher	6. aider	10. chercher
3. écouter	7. complimenter	
4. sculpter	8. réserver	

3. Choisissez cinq mots de l'exercice 1 ou 2 et faites une phrase en suivant le modèle.

*Monique **sculpte** une statue.*   *C'est une **sculpture** intéressante.*

) 🔟 LES NOMBRES DE 70 À 1 000 000 000

70 soixante-dix	90 quatre-vingt-dix	200 deux cents
71 soixante et onze	91 quatre-vingt-onze	203 deux cent trois
72 soixante-douze	92 quatre-vingt-douze	378 trois cent soixante-dix-huit
73 soixante-treize	93 quatre-vingt-treize	586 cinq cent quatre-vingt-six
		982 neuf cent quatre-vingt-deux
80 quatre-vingts	100 cent	1000 mille
81 quatre-vingt-un	101 cent un	2245 deux mille deux cent quarante-cinq
82 quatre-vingt-deux	102 cent deux	1 000 000 un million
83 quatre-vingt-trois	126 cent vingt-six	1 000 000 000 un milliard

🔲 **Les nombres sont invariables. On ne met pas de s, sauf à vingt, cent et million.**

> *Sabine a **quatre** CD de Céline Dion.*
> *Il y a **trois mille** personnes dans le stade.*
> *Il y a **soixante millions** d'habitants en France.*

Attention : **Vingt** et **cent** prennent un **s** quand ils sont multipliés et ne sont pas suivis d'un autre nombre.

*Deux **cents*** (2 × 100)	mais	*deux **cent** trois*
*Quatre-**vingts*** (4 × 20)	mais	*quatre-**vingt**-douze*

CALCUL

Combien font 70 + 5? (soixante-dix **plus** cinq)
70 plus 5 font 75.

Combien font 55 × 100? (cinquante-cinq **multiplié** par 100)
55 fois 100 font 5500.

Combien font 86 − 5? (quatre-vingt-six **moins** cinq)
86 moins 5 font 81.

exercice écrit

1.1 Par groupes de deux, faites les problèmes suivants.

Écrivez les résultats en lettres.

1. 46 + 24 = *   4. 49 + 9 = *   7. 20 × 40 = *   10. 477 − 10 = *
2. 3 × 40 = *   5. 36 + 50 = *   8. 311 × 4 = *
3. 321 − 19 = *   6. 2002 + 28 = *   9. 150 − 32 = *

exercice oral

1.2 Par groupes de deux, posez les questions suivantes.

Combien font   21 + 14 ?

33 + 10 ?

100 + 20 ?

320 + 11 ?

Continuez.

2 LES ADJECTIFS ORDINAUX

En général, on ajoute **ième** au nombre en enlevant le **e** final (s'il y en a déjà un).

trois (3) → *troisième (3e)*
quatre (4) → *quatrième (4e)*
dix-huit (18) → *dix-huitième (18e)*
deux (2) → *deuxième (2e)*
vingt et un (21) → *vingt et unième (21e)*

Attention!

un (1) → *premier / première (1er, 1re)*
cinq (5) → *cinquième (5e)*
neuf (9) → *neuvième (9e)*

Le contraire de **premier**/**première** est **dernier**/**dernière**.
Deuxième peut aussi se dire **second**/**seconde**.

exercice oral

2.1 Par groupe de deux, pratiquez les adjectifs ordinaux.

1. Sylvie habite au 3e étage.
2. Les Deleuze habitent au 15e étage.
3. Mes voisins sont au 26e étage.
4. Et toi? Tu habites à quel étage?

3 LES ARTS

Arts	Quelques verbes et locutions
	faire de la sculpture/de la peinture/de la poterie
la sculpture	sculpter ou faire de la sculpture
la peinture	peindre ou faire de la peinture
la poterie	faire de la poterie
la musique	jouer de (+ instrument de musique), composer
la littérature	écrire

exercice oral

3.1 Par groupes de deux, répondez aux questions suivantes.

1. Qui est Rodin?
2. Est-ce que tu aimes la musique?
3. Joues-tu d'un instrument?
4. Est-ce que tu aimes peindre?
5. Quels peintres connaissez-vous?
6. Visitez-vous les musées?

4 LA MÉTÉO

exercice oral   Décrivez les photos suivantes. Utilisez le vocabulaire qui apparaît en légende pour parler du temps.

1. Il fait beau, le ciel est bleu, il fait soleil.

2. Il fait froid, il fait –5 degrés Celsius, le ciel est couvert, il neige.

3. Il pleut, le ciel est gris.

4. Il vente, il fait mauvais.

PRONONCEZ

 piste 23) **LES SONS**

Le son [a]

Ça va? Pas mal.	Quel climat idéal!	Tu as le temps?
Anne a quatre ans.	Voilà!	
Il va à Paris.	Désolé, il n'est pas là.	

Le son [o]

bureau	Mexico	Oh! Le joli tableau!
tôt	numéro	Et ce chiot, il n'est pas beau?
vidéo	aussi	Oh! Que c'est beau!
mot	au revoir	

piste 24) **LES SCHÉMAS INTONATIFS**

– Ça va? ↗   – Ça va. ↘

– Tu vas où? ↘

– Où est-ce que tu vas? ↘

– Est-ce que tu vas au cinéma? ↗

– Vous aimez lire des bandes dessinées? ↗

– Vous regardez souvent la télévision? ↗

– Tu restes une semaine au Portugal? ↗ Quelle chance! ↘

– Tu aimes la peinture, la musique, le cinéma, les livres? ↗ Quelle culture! ↘

ÉCOUTEZ ET ÉCHANGEZ

❯ ENTRAÎNEZ-VOUS À L'ÉCOUTE

piste 25

1. Écoutez le texte suivant.

Répondez aux questions.

1. Où sont-ils?
2. Est-ce qu'ils se réveillent tôt?
3. Qu'est-ce qu'ils font au village?
4. À quelle heure vont-ils au marché?
5. Qu'est-ce qu'ils font l'après-midi?
6. Relevez les adjectifs dans le texte. Puis mettez-les au féminin.

❯ RENDEZ-VOUS AU COIN CAFÉ

Demander et dire où l'on va
– Où est-ce que tu vas?   – Je vais au bureau de poste.
– Tu vas où en été?   – Je vais en Tunisie.

Raconter sa journée
– Qu'est-ce que tu fais?   – Je fais du ménage.
– En semaine, tu te lèves tôt ou tard?   – Je me lève tôt. Ensuite, je me douche, etc.

Exprimer son accord
– Tu es d'accord?   – Je suis d'accord.
– Vous êtes d'accord?   – Je suis d'accord avec toi, avec vous, avec lui, etc.
– C'est d'accord?   – C'est d'accord.
– C'est bon?   – C'est bon.
                                                 – Tu as raison.

Exprimer son désaccord
– Je ne suis pas d'accord.
– Tu as tort.

Exprimer son opinion
– Vous aimez mon discours?   – J'aime votre discours, il est original.
– Alors, à votre avis, c'est intéressant?   – Je n'aime pas.
                                                 – C'est bon / Ce n'est pas bon / extraordinaire, etc.

Parler du temps
– Quel temps fait-il?   – Il fait beau, froid…

1. Dites **je suis d'accord** ou **je ne suis pas d'accord**.

1. Internet est une invention utile.
2. La génétique permet aux hommes de prévenir plusieurs maladies.
3. La pollution est un sérieux problème du monde moderne.
4. Avec l'informatique et la télévision, les enfants ne jouent pas beaucoup dehors.
5. Le français est une langue facile.

2. Vous rencontrez un ami d'enfance et vous parlez de votre nouvelle vie à l'université. Expliquez-lui les aspects négatifs et positifs.

Les cours sont intéressants.   *La cafétéria…*
Les professeurs sont gentils.   *Le prix des repas…*
Le laboratoire de langues est super.   *La bibliothèque…*

3. **Par équipes de deux, posez des questions avec le verbe aller et utilisez les noms de lieux suivants dans les réponses.**

> le stade   le bureau de poste   le musée   le cinéma   la banque   la station de ski
> l'agence de voyages   le supermarché   la gare

*– Où est-ce que vous **allez** pour acheter un billet de train ?*   *– Nous **allons** à la gare.*

4. **Utilisez les adverbes suivants pour parler de ce que vous faites.**

> rarement   souvent   parfois   jamais   toujours

1. Tu as l'habitude de remettre ton travail en retard ?
2. Tu discutes des problèmes d'argent avec tes amis ?
3. Quand vous êtes avec des amis, vous exprimez votre opinion librement ?
4. Est-ce que tu vas au musée ?
5. Quand tu as un rendez-vous, tu arrives en retard ?

5. **Par groupes de deux ou trois, trouvez le masculin de chaque adjectif, puis associez les deux contraires.**

tolérante	mauvaise	généreux	intéressante
vieille	stupide	gentille	intelligente
optimiste	intolérante	sympathique	pessimiste
antipathique	jeune	travailleuse	paresseuse
ennuyeuse	égoïste	méchante	bonne

6. **Utilisez les adjectifs de l'exercice précédent pour trouver la bonne réponse.**

1. Jean partage avec ses amis. Il est ✳.
2. Jacques parle tout le temps de lui. Il est ✳.
3. Pierre n'est pas gentil. Il est ✳.
4. Éric n'aime pas travailler. Il est ✳.
5. Véronique a toujours de bonnes notes. Elle est ✳.
6. Il n'est pas jeune. Il est ✳.
7. Michelle voit le bon côté des choses. Elle est ✳.
8. Le film est nul et ennuyeux. Il est très ✳.

7. **Utilisez le vocabulaire suivant pour poser des questions et y répondre.**

> souvent   parfois   beaucoup   régulièrement   une ou deux fois par semaine/par jour/par mois
> se réveiller   se coucher   s'intéresser à   s'occuper de   se parfumer   se laver
> se maquiller   se promener

*– Est-ce que tu **te promènes** souvent à la montagne ? – Oui, je vais à la montagne **une fois par semaine**.*

〉 JEUX DE RÔLES

Utilisez les adjectifs de l'exercice 5 et les expressions du Coin café pour donner votre opinion.

1. B a vu un film.
   A demande à B quel est le titre du film.
   B répond : Il s'appelle… C'est l'histoire de…
   A demande si les acteurs sont connus.
   B répond : Les acteurs sont…
   A demande d'autres informations.

2. A et B parlent d'un politicien connu.
   Il est ✳.
   Son programme est ✳.

3. A, B et C font des plans pour la soirée.
   A dit : aller au cinéma.
   B dit : aller au théâtre.
   C dit : aller au restaurant.

   Discutez et choisissez ce que vous allez faire.

CÔTE-D'IVOIRE

DÉCOUVREZ...
L'AFRIQUE FRANCOPHONE

CÔTE-D'IVOIRE

Les masques de Côte-d'Ivoire

La Côte-d'Ivoire est située sur la côte occidentale de l'Afrique. Sa population est composée de 60 ethnies différentes. Ses habitants créent une foule d'objets d'art dans des styles très variés en utilisant des matières diverses.

Le masque est l'une des expressions de leur recherche artistique. Ce n'est pas un accessoire de théâtre. Ce n'est pas un objet d'art décoratif ou figuratif. Ce n'est pas un objet inerte. Ce n'est pas non plus un objet utilisé pour des actes de sorcellerie.

C'est un «être sacré» qui utilise l'homme pour apparaître et s'exprimer. Il est vivant. Il existe pour provoquer des sentiments de respect, de crainte, de terreur, de courage, d'hilarité.

DAKAR, SÉNÉGAL

D'ICI ET D'AILLEURS

Français en Afrique*	Français standard
hier nuit (Mali)	la nuit dernière
une boule de neige (Sénégal)	un chou-fleur
la radio-trottoir (Zaïre)	l'information
cadeauter (Sénégal)	faire un cadeau
un long-crayon (Cameroun)	un étudiant de deuxième cycle de l'université

* DEPECKER, Loïc. *Les mots de la francophonie*, Paris, Éditions Belin, 1990.

CHEIK MODIBO DIARRA

Un grand savant malien: Cheik Modibo Diarra

Le cheik Modibo Diarra est né en 1952 à Nioro du Sahel, au Mali. En 1974, il part en France et s'inscrit à l'Université Pierre-et-Marie-Curie, à Paris. Il poursuit ses études à l'Université Howard (Washington D.C.) et reçoit son doctorat en ingénierie aérospatiale en 1986.

En 1988, il devient «navigateur interplanétaire» au Jet Propulsion Laboratory (JPL) de la NASA à Pasadena, en Californie. En 1994, il est nommé directeur du programme d'éducation et de vulgarisation de la mission d'exploration de Mars.

Il dirige cinq missions spatiales, notamment la mission Mars Pathfinder. Il reçoit plusieurs distinctions, dont le prix de l'innovation de la NASA en 1999.

Il a créé la Fondation Pathfinder pour l'éducation et le développement en Afrique sous l'égide de l'UNESCO.

De 2002 à 2005, il contribue au développement de son pays et du continent africain.

Il est ambassadeur de bonne volonté de l'UNESCO depuis 1998.

BAMAKO, MALI

RÉDIGEZ...

... UNE CARTE POSTALE

Lisez la carte postale de Francine et écrivez une réponse.

Abidjan, le 14 février

Chère Lise,

Je suis à Abidjan, en Côte-d'Ivoire. C'est la saison sèche. Il fait beau. Je suis à l'hôtel Ivoire, face à l'océan. Il y a des cocotiers et des palmiers ici. La vie est belle! J'ai l'intention de prolonger mes vacances jusqu'à mercredi prochain. Comment ça va? Est-ce que tu travailles? C'est l'hiver chez toi? Réponds vite!

Bisous

Francine

Mon adresse à l'hôtel : Francine Delpêche
Hôtel Ivoire
Chambre 1759
Abidjan – Côte-d'Ivoire

VOCABULAIRE DE L'UNITÉ 3

Noms

bande dessinée, f.	gare, f.	logement, m.	pied, m.	vaisselle, f.
bateau, m.	gâteau, m.	matinée, f.	piscine, f.	vélo, m.
chou-fleur, m.	goût, m.	ménage, m.	promenade, f.	vie, f.
courage, m.	heure, f.	mode, f.	rue, f.	village, m.
déjeuner, m.	immeuble, m.	monde, m.	sculpture, f.	voiture, f.
dessin, m.	informatique, f.	oiseau, m.	soirée, f.	vol, m.
dîner, m.	jardin, m.	peintre, m./f.	stade, m.	
école, f.	leçon, f.	petit-déjeuner, m.	tarte, f.	

Verbes

aider	devenir	peindre	se brosser	se promener
arriver	diriger	prendre	se doucher	se raser
attendre	faire	rentrer	se laver	terminer
avoir tort	laver	s'occuper de	se lever	venir
chercher	marcher	savoir	se maquiller	voter
connaître	naviguer	sculpter	se parfumer	

Adjectifs

amical/amicale	curieux/curieuse	gentil/gentille	prochain/prochaine
amusant/amusante	désolé/désolée	heureux/heureuse	sec/sèche
ancien/ancienne	ennuyeux/ennuyeuse	laid/laide	seul/seule
antipathique	étranger/étrangère	magnifique	sympathique
blanc/blanche	fatigué/fatiguée	mauvais/mauvaise	tolérant/tolérante
bon/bonne	fou/folle	nouveau/nouvelle	vieux/vieille
brun/brune	frais/fraîche	parfait/parfaite	

Autres mots

après	enfin	ensuite	rarement	souvent

BILAN DU MODULE 1

Je m'appelle Anne Leblanc. J'ai vingt et un ans. Je suis canadienne et française. Je suis étudiante à l'Université Laval, à Québec. Je partage un grand appartement avec Vanessa. Nous habitons au troisième étage d'un bel immeuble, près de l'université. L'appartement est grand et bien décoré. Le concierge est très gentil, mais il est souvent absent.

Vanessa, c'est aussi une très bonne amie. Elle est belge. C'est une étudiante sérieuse. C'est formidable de partager un appartement avec elle. En semaine, nous nous levons à sept heures et nous nous couchons vers minuit. Elle prépare souvent le dîner et moi, le petit-déjeuner. Nous sommes étudiantes en sciences politiques. Nous avons quatre cours par semestre. C'est beaucoup. Nous parlons trois langues : français, anglais et espagnol. Nous aimons bien l'ambiance de l'université. Il y a des étudiants étrangers : des Européens, des Asiatiques, des Africains et, bien sûr, des Américains. Le week-end, nous travaillons à l'université. Je suis bibliothécaire et elle, elle est la présidente du club francophone.

Pour les vacances de Noël, je vais souvent en France. L'été, je vais en Acadie. Vous connaissez l'Acadie ? Je suis née à Bouctouche. La célèbre romancière Antonine Maillet vient également de cette ville.

Vanessa et moi, nous n'avons pas les mêmes goûts. Je suis une passionnée de la nature. J'adore les fleurs, les animaux. J'aime lire des livres sur la nature. Je ne suis pas très sportive. Je déteste le froid. Vanessa n'a pas beaucoup de temps. Elle utilise beaucoup l'ordinateur, elle aime naviguer sur les sites Internet des médias francophones : Radio-Canada, Radio-France, RTB, Radio-Afrique. Elle clique et clique… En général, elle préfère acheter les journaux, mais moi, j'achète souvent des revues sur la science et l'environnement.

De temps en temps, nous invitons les amis de la fac. Le dimanche soir, nous discutons de politique, nous comparons les cours faciles et difficiles, nous jouons au scrabble ou nous regardons un film. S'il fait beau, nous nous promenons dans les parcs. Le soir, nous allons chez « Flo », c'est le café des étudiants. On danse, on chante, on mange de la poutine*, c'est super. En juillet, nous allons à Montréal pour le Festival de jazz. C'est la rencontre de tous les grands artistes de la planète. En février, on est dans la rue pour participer au Carnaval de Québec. C'est spectaculaire. Nous aimons beaucoup la ville de Québec.

Vanessa et moi avons une chose en commun. Après nos études, nous rêvons de faire le tour du monde avant de chercher du travail.

*La poutine est un mets typique au Québec. Ce sont des pommes de terre frites servies avec du fromage et de la sauce.

COMPRÉHENSION DU TEXTE

1. Qui est Anne?
2. Quels sont ses goûts? Qu'est-ce qu'elle aime faire?
3. Est-ce que Vanessa et Anne ont les mêmes goûts?
4. Qu'est-ce qu'elles font le week-end?
5. Est-ce qu'elles sont heureuses?

VOCABULAIRE

1. Reliez les mots ou expressions qui ont le même sens.

1. de temps en temps	a) à côté de
2. après	b) trop
3. avant	c) ensuite
4. près de	d) d'abord
5. beaucoup	e) en particulier
6. surtout	f) quelquefois

2. Complétez les jours de la semaine.

Lundi…

3. Quelles sont les quatre saisons?

4. Donnez le contraire.

a) souvent   d) adorer
b) sérieux   e) acheter
c) se coucher

GRAMMAIRE

1. Faites la liste de tous les verbes en **er** dans le texte.

2. Posez six questions sur Anne, cinq sur Vanessa et trois sur les deux.

3. Relevez dans le texte deux phrases qui commencent par:

a) C'est + nom   b) C'est + adjectif   c) Il y a + nom

4. À votre tour, écrivez une phrase avec chacune des structures de l'exercice 3.

5. Écrivez le paragraphe suivant à la troisième personne du singulier avec **elle**.

Je m'appelle Anne Leblanc. J'ai vingt et un ans. Je suis canadienne et française. Je suis étudiante à l'Université Laval, à Québec. Je partage un grand appartement avec Vanessa. L'été, je vais en Acadie. Je suis née à Bouctouche. Je suis une passionnée de la nature. J'adore les fleurs, les animaux. J'aime lire des livres sur la nature. Je ne suis pas très sportive. Je déteste le froid.

6. Mettez les phrases suivantes au pluriel.

a) L'appartement est grand et bien décoré.
b) C'est une étudiante sérieuse.
c) Le matin, tu te lèves à 7 heures.
d) Je suis canadienne et française.

7. Masculin ou féminin? Ajoutez l'article.

dîner	romancière
soir	froid
rue	fleur
musée	bibliothécaire
silence	ordinateur
table	ville
journal	planète

EXPRESSION ORALE

Sur le modèle du texte de l'exercice 5, présentez une personne (un ami, une sœur, un frère).

EXPRESSION ÉCRITE

Sur le modèle du texte de l'exercice 5, présentez votre ami(e).

Nourriture, force, nature

module 2

unité 4

Loisirs et plaisirs

Objectifs communicatifs

Parler de ses loisirs

*Exprimer la fréquence
(une fois par semaine/par mois, etc.)*

Parler de sport et d'autres activités

Apprécier l'art

Demander/Donner l'heure

Sommaire

C'est la
fête !

 26 C'est le 15 octobre. La grande fête culturelle des étudiants est pour bientôt. Des étudiants apportent des produits de leur pays. D'autres, comme Amar, Tia et Mélanie, montrent leur talent artistique.

Amar : Alors, vous êtes prêts pour la grande fête de samedi ?

Tia : Tu plaisantes ? Tu sais, la sculpture, ça demande beaucoup d'heures de travail. Heureusement, Marion est là, elle adore la sculpture.

Amar : Eh bien, moi, c'est la musique et encore la musique. Mon rêve, c'est de...

Tia : Oui, oui, on le connaît ton rêve... Pour l'instant, nous avons l'intention d'aménager la galerie pour exposer les sculptures, les tableaux, les collages...

Mélanie : Attention, tu oublies les bandes dessinées. Je vais présenter les grands créateurs de bandes dessinées belges. Bien sûr, les étudiants présentent eux aussi leurs propres créations. Et toi, Amar ?

Amar : Pour moi, cette fête, c'est la rencontre de tous les instruments : le tam-tam africain, la **derbouka** algérienne, la guitare, le saxo, la batterie. À partir de 10 heures, 2000 jeunes vont danser, chanter, rire et manger des plats exotiques. Alors, les amis, savez-vous jouer d'un instrument ? Que la fête commence !

derbouka : Tambour utilisé au Maghreb.

Pendant ce temps...

piste 27 (*Le répondeur de Bruno et Sabine*) Vous avez rejoint la boîte vocale de Bruno et Sabine. Au signal, laissez votre message.

Christophe : Bonjour, c'est Christophe. Demain, c'est le vernissage de mon exposition. J'invite tous mes amis et ma famille. Mon adresse, c'est le 52, rue Rodin. Si vous venez en voiture, il y a un stationnement derrière mon immeuble. À demain !

Bruno : Mon exposition, mes amis, ma famille, mon immeuble ! Christophe aime parler de lui-même.

Sabine : Mais toi aussi ! Tu parles toujours de ton travail, de tes collègues, de ta voiture, de ton équipe de football préférée.

Bruno : Et toi alors ? Tu as bien tes histoires avec tes parents et ta voisine, madame Petit.

Sabine : C'est comme ça. On est tous un peu égocentriques, non ?

OBSERVEZ ET EMPLOYEZ LES STRUCTURES

〉 **1 LES ADJECTIFS POSSESSIFS**

L'adjectif possessif s'accorde en genre et en nombre avec le nom qu'il accompagne.

J'ai un livre – c'est **mon** *livre. C'est à moi.*
masculin singulier

J'ai une voiture – c'est **ma** *voiture. C'est à moi.*
féminin singulier

J'ai des cahiers – ce sont **mes** *cahiers. C'est à moi.*
pluriel

> **Attention :** Le possesseur donne la forme à l'adjectif possessif. Son genre n'a aucune importance.
> ***Philippe*** *a un livre. C'est* ***son*** *livre. C'est à lui.*
> ***Mélanie*** *a un livre. C'est* ***son*** *livre. C'est à elle.*

	Masculin / Féminin singulier / singulier	Pluriel	À + pronom
J'ai un livre / une table.	C'est **mon** livre / **ma** table.	Ce sont **mes** livres / **mes** tables.	C'est à **moi.**
Tu as un livre / une table.	C'est **ton** livre / **ta** table.	Ce sont **tes** livres / **tes** tables.	C'est à **toi.**
Il a un livre / une table.	C'est **son** livre / **sa** table.	Ce sont **ses** livres / **ses** tables.	C'est à **lui.**
Elle a un livre / une table.	C'est **son** livre / **sa** table.	Ce sont **ses** livres / **ses** tables.	C'est à **elle.**
Nous avons un livre / une table.	C'est **notre** livre / **notre** table.	Ce sont **nos** livres / **nos** tables.	C'est à **nous.**
Vous avez un livre / une table.	C'est **votre** livre / **votre** table.	Ce sont **vos** livres / **vos** tables.	C'est à **vous.**
Ils / elles ont un livre / une table.	C'est **leur** livre / **leur** table.	Ce sont **leurs** livres / **leurs** tables.	C'est à **eux** / à **elles.**

> **Attention :** **On a un livre** veut dire la même chose que **nous avons un livre**. C'est pourquoi les adjectifs possessifs des sujets **on** et **nous** sont les mêmes.
> *On a* ***notre*** *livre. Nous avons* ***notre*** *livre. C'est à nous.*
>
> Devant un nom commençant par une voyelle, **ma** devient **mon**, **ta** devient **ton** et **sa** devient **son**.
> ***Mon*** *amie,* ***ton*** *affaire,* ***son*** *erreur*
> féminin

 exercices écrits

1.1 Complétez les phrases avec mon, ma ou mes.

1. ✽ cours sont intéressants.
2. ✽ spécialité est la chimie.
3. ✽ amie est sympathique.
4. ✽ professeur est exigeant.
5. ✽ hôtel est agréable.
6. ✽ table est petite.
7. ✽ voisins sont curieux.

1.2 Complétez les phrases avec **son**, **sa** ou **ses** suivi du nom.

1. Le cahier de l'étudiante : ✳
2. Les consignes du professeur : ✳
3. La cousine d'Hélène : ✳
4. L'amie d'Éric : ✳
5. Les notes de Julia : ✳
6. Le portable de Marion : ✳

1.3 Mettez l'adjectif possessif qui convient (il y a parfois plusieurs possibilités).

1. C'est ✳ père. Il est architecte.
2. Il habite toujours chez ✳ parents.
3. Je te présente ✳ professeur de français. Il est très sympa.
4. Est-ce qu'il y a un supermarché dans ✳ quartier ?
5. ✳ cours de philosophie est très intéressant.
6. Jean Rouaud est ✳ écrivain préféré.
7. Elle s'appelle comment, ✳ patronne ?
8. J'aime beaucoup Jean-Jacques Goldman. C'est ✳ chanteur préféré.

exercice oral **3**

1.4 Complétez les phrases avec un adjectif possessif et jouez à trois.

Alain : Bonjour Marc, c'est ✳ sœur ?

Marc : Non, c'est ✳ mère.

Alain : ✳ mère ? Euh, enchanté, madame. Moi, c'est Alain.

La mère : Enchantée, Alain, et voilà ✳ frère, n'est-ce pas ?

Alain : Non, non, c'est ✳ professeur d'histoire, M. Baud.

La mère : Oh, excusez-moi, M. Baud.

■ La possession peut s'exprimer de différentes manières.

- C'est + article + nom + de + nom de la personne
  C'est le livre de Mario.

- C'est + adjectif possessif + nom
  C'est son livre.

- C'est + à + pronom
  C'est à lui. / C'est à elle.

> **Attention :** À la forme négative, **ne** et **pas** encadrent le verbe **être**.
> *Ce n'est pas mon livre.*
> *Ce ne sont pas mes livres.*

exercice écrit

1.5 Répondez aux questions comme dans le modèle.

*C'est le stylo de Marion ? Oui, c'est **son** stylo.*

1. C'est le sac de Brigitte ? Oui, c'est ✳.
2. C'est la voiture de ta mère ? Oui, c'est ✳.
3. Ce sont les bandes dessinées des enfants ? Non, ✳.
4. C'est l'exposition de Christophe ? Oui, ✳.
5. C'est la sculpture de Tia ? Non, ✳.
6. C'est le chien de Mélanie ? Oui, ✳.

〉 **2** L'INTERROGATION

En français, il y a trois types de questions. À ces trois types de questions, on peut répondre par oui ou par non.

- **Langue familière** La question est identique à la phrase affirmative, mais l'intonation est montante.

  – *Tu habites rue Dupré ?*   – *Oui, j'habite rue Dupré.*
  – *Vous étudiez la musique ?*   – *Non, je n'étudie pas la musique.*

- **Langue courante** On ajoute **est-ce que** au début de la phrase affirmative. C'est la formulation la plus courante.

  Est-ce que tu habites rue Dupré ?
  Est-ce que vous étudiez la musique ?

- **Langue soutenue** On inverse le pronom sujet et le verbe, et on met un trait d'union entre eux. L'inversion est rare à la première personne du singulier.

  Habites-tu rue Dupré ?
  Étudiez-vous la musique ?

> **Attention :** Quand le verbe se termine par **e**, on ajoute un **t** devant **il** et **elle**.
>
> *Habite-**t**-il rue Dupré ?*   *Étudie-**t**-elle la musique ?*
>
> Quand le sujet est un nom, il n'est pas inversé, mais il est repris par un pronom placé après le verbe.
>
> ***Tia** habite-t-**il** à Abidjan ?*   ***Anne** étudie-t-**elle** le chinois ?*

 exercice écrit

2.1 Posez les deux autres types de questions comme dans le modèle.

Tu habites à New York ?   **Est-ce que tu habites à New York ?**   *Habites-tu à New York ?*

1. Est-ce que vous étudiez les mathématiques ?
2. Évelyne et Solange travaillent à la banque ?
3. Aimes-tu la sculpture ?
4. Est-ce qu'il mange à la cafétéria ?
5. Nous allons au cinéma aujourd'hui ?

exercice oral

2.2 Complétez les phrases avec le mot qui convient et jouez à deux.

> il y a   au   quelle   ton   où   bons

– ✳ heure est-il ? On sort ?
– Oui, ✳ un nouveau film ✳ cinéma.
– ✳ ?
– Ici, au cinéma d'à côté.
– Bof, en général, ils n'ont pas de ✳ films.
– Oui, mais…
– D'accord, j'accepte ✳ choix.

〉 **3 LE VERBE PRENDRE AU PRÉSENT**

Prendre	À l'oral
Je prends	
Tu prends	[pʀɑ̃]
Il/Elle/On prend	
Nous prenons	[pʀənɔ̃]
Vous prenez	[pʀəne]
Ils/Elles prennent	[pʀɛn]

Les verbes **apprendre**, **comprendre** et **reprendre** se conjuguent comme **prendre**.

Le verbe **prendre** a plusieurs sens en français :

*Je **prends** des notes pendant le cours.*
*Tu **prends** le stylo, il est sur la table.*
*Vous **prenez** un café le matin.*
*Nous **prenons** une décision importante.*

> **Rappel :** Dans une phrase négative, **un/une/des** + **nom** devient **pas** + **de** + **nom**.
>
> *Vous prenez **un café**?   Non, je ne prends **pas de café**.*

3.1 Complétez les phrases avec les verbes prendre, apprendre ou comprendre.

1. Est-ce que tu ✳ toujours ton petit-déjeuner à la même heure?
2. Bonjour madame. Qu'est-ce que vous ✳?
3. Nous ✳ le bus pour aller à l'université.
4. Tu ✳ vite.
5. Pascal ✳ à conduire.
6. Nous ne ✳ pas bien.
7. Vous ✳ la rue Victor-Hugo et c'est là.

3.2 Complétez les phrases avec les verbes apprendre, comprendre, être, parler ou avoir et jouez à deux.

– Et vous ✳ souvent français?
– Oui, souvent. J'✳ des amis français. Et vous?
– Moi, je ✳ bien le chinois et j'✳ le français.
– Le chinois, c'✳ difficile, non?
– Non, je ✳ chinois.

〉 **4 LES VERBES EN IR COMME FINIR AU PRÉSENT**

Finir	À l'oral
Je finis	
Tu finis	[fini]
Il/Elle/On finit	
Nous finissons	[finisɔ̃]
Vous finissez	[finise]
Ils/Elles finissent	[finis]

Les verbes **applaudir**, **choisir**, **grandir**, **grossir**, **maigrir**, **obéir**, **réfléchir**, **réussir**… se conjuguent comme **finir**.

4.1 Conjuguez les verbes entre parenthèses.

1. Tu (finir) ✳ quand?
2. Les ministres (finir) ✳ leur réunion très tard.
3. Qu'est-ce que vous (choisir) ✳ comme dessert?
4. Je (remplir) ✳ le formulaire pour avoir une bourse.
5. Il est très timide. Il (rougir) ✳ facilement.
6. Vous (choisir) ✳ le premier ou le deuxième?
7. Est-ce que vous (réfléchir) ✳ un peu?
8. Elle (réussir) ✳ toujours très bien ses examens.
9. Paul (obéir) ✳ à ses parents.

4.2 Complétez les phrases avec le verbe qui convient et jouez à deux.

maigrir   vieillir   rajeunir   grossir

1. Tu ✳ en hiver?
Mais non, au contraire,
je ✳ toujours de 2 kilos.

2. Eh bien! Ton grand-père ne ✳ pas.
Eh non, comme tout le monde,
il ✳ un peu tous les jours.

3. Est-ce qu'en été tu ✳?
Mais non, au contraire,
je ✳ parce que
je marche beaucoup.

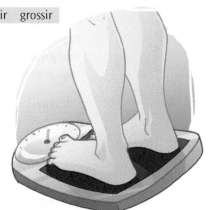

5 LES VERBES SORTIR, PARTIR ET DORMIR AU PRÉSENT

Les verbes **sortir** et **partir** ont des sens semblables, mais ils s'utilisent dans des contextes différents.

Sortir	À l'oral		Dormir	À l'oral
Je sors			Je dors	
Tu sors	[sɔʀ]		Tu dors	[dɔʀ]
Il/Elle/On sort			Il/Elle/On dort	
Nous sortons	[sɔʀtɔ̃]		Nous dormons	[dɔʀmɔ̃]
Vous sortez	[sɔʀte]		Vous dormez	[dɔʀme]
Ils/Elles sortent	[sɔʀt]		Ils/Elles dorment	[dɔʀm]

Le verbe **partir** se conjugue comme **sortir**.

• **Partir** est le contraire d'**arriver**.
*Nous **partons** demain.*

• **Sortir** peut vouloir dire:
 – **se distraire**
  *Je **sors** tous les vendredis. Je vais au cinéma.*
 – **avoir une relation avec quelqu'un**
  *Julie **sort** avec Marc. C'est son petit ami.*
 – **paraître pour un livre**
  *Le livre de Jean-Christophe Rufin **sort** la semaine prochaine.*

Rappel: Les s et t des verbes **sortir**, **partir** et **dormir** conjugués au singulier ne se prononcent pas.
je sors   il part   tu dors

6 LE VERBE **RÉPONDRE** AU PRÉSENT

Répondre	À l'oral
Je réponds	
Tu réponds	[ʀepɔ̃]
Il/Elle/On répond	
Nous répondons	[ʀepɔ̃dɔ̃]
Vous répondez	[ʀepɔ̃de]
Ils/Elles répondent	[ʀepɔ̃d]

Les verbes **descendre**, **entendre**, **rendre** et **vendre** se conjuguent comme **répondre**.

6.1 Conjuguez les verbes entre parenthèses.

1. Vous (partir) ✳ au Brésil ou au Portugal?
2. En général, vous (sortir) ✳ le vendredi soir ou le samedi soir?
3. Les étudiants ne (sortir) ✳ pas quand ils préparent leurs examens.
4. Vous (entendre) ✳ le chant des oiseaux?
5. Tu (dormir) ✳ beaucoup le week-end?
6. En juillet, nous (partir) ✳ tous en vacances.
7. Les étudiants (répondre) ✳ toujours en français.
8. Tu connais la célèbre chanson française «Frère Jacques, (dormir) ✳-vous?».

6.2 Complétez les phrases avec les verbes sortir, vouloir, aller, finir ou choisir et jouez à deux.

– Chérie, où est-ce que tu ✳ manger?
– Je ne sais pas. On ✳ ou on reste à la maison?
– Comme tu ✳.
– On ✳ chez «Paul et Pierre».
– Ah non, chez «Paul et Pierre», on ✳ toujours tard. On ✳ chez «Magali», on y mange bien.
– D'accord, c'est toi qui ✳.

7 QUE, MOT INTRODUCTEUR D'UNE PENSÉE, D'UNE AFFIRMATION, D'UNE OPINION

Je pense que ce film est original.
Je constate qu'il est absent aujourd'hui.
Je remarque qu'il arrive toujours en retard.

7.1 Qu'est-ce qu'on dit dans les situations suivantes? Utilisez que et l'adjectif qui convient: difficile, ennuyeux, intéressant, bizarre.

1. Vous sortez d'un spectacle.
2. Vous apprenez le chinois.
3. Vous êtes dans un musée. Vous regardez un tableau.
4. Vous écoutez un politicien.

8 LE FUTUR AVEC ALLER + INFINITIF

Aller + infinitif

Je vais travailler
Tu vas venir
Il/Elle/On va partir
Nous allons écrire
Vous allez boire
Ils/Elles vont jouer

- On utilise souvent le futur avec **aller** + **infinitif** pour exprimer un avenir très proche.
  *Tu **vas regarder** ce film? Moi, je **vais travailler**.*
  *Le train **va arriver** bientôt.*

- Avec une indication de temps, **aller** + **infinitif** peut aussi indiquer un événement plus ou moins lointain.
  *L'année prochaine, Annie **va partir** au Mexique.*
  *En août, est-ce que tu **vas assister** à la conférence sur l'environnement?*

- Les indications de temps suivantes s'emploient souvent avec **aller** + **infinitif**.
  La semaine prochaine   *Demain matin/soir*
  Le week-end prochain   *Après-demain*
  L'année prochaine   *Cet été/hiver/automne/ce printemps*
  Cette année

- La négation **ne/n' pas** encadre le verbe **aller**.
  *Nous **n'allons pas** dîner ici.*
  *Le gouvernement **ne va pas** signer le nouveau traité commercial.*

exercices écrits

8.1 Complétez les phrases avec le verbe aller.

1. Demain, mes parents ✳ venir chez moi. Ce soir, je ✳ ranger ma chambre.
2. Elle a un examen lundi, elle ne ✳ pas sortir ce week-end.
3. Moi, je ✳ passer mon week-end dans les montagnes. Et toi, qu'est-ce que tu ✳ faire?
4. Je pense qu'ils ✳ en Europe en juin.

8.2 Complétez les phrases avec les verbes partir, faire, rester, travailler, aller ou chercher comme dans le modèle.

*Aujourd'hui, il **travaille**.*   *Demain, il **va rester** chez sa grand-mère.*

1. Aujourd'hui, il ✳ à la campagne. Le mois prochain, il ✳ en Europe.
2. Aujourd'hui, Raymond ✳ le ménage.
   Demain, Raymond ✳ du sport.
3. Je ✳ chez moi jusqu'en décembre. L'année prochaine, je ✳ un autre travail.
4. Aujourd'hui, nous ✳.
   Demain, nous ✳.

APPRENEZ DE NOUVEAUX MOTS

❯ C'EST DANS LE DIALOGUE

exercices écrits

1. Masculin ou féminin?

Relisez les dialogues des pages 66 et 67 et indiquez le genre des mots suivants.

1. galerie
2. talent
3. fête
4. création
5. sculpture
6. instrument
7. répondeur

2. Trouvez le verbe qui correspond à chaque nom.

1. un jeu
2. un chant
3. une création
4. une présentation
5. une invitation
6. une fête
7. une exposition
8. une rencontre

3. Choisissez cinq noms ou verbes des exercices 1 ou 2 et faites une phrase avec chacun d'eux.

*Cet artiste a beaucoup de **talent**.*
*Nous **rencontrons** nos parents au restaurant.*

4. Qu'est-ce que c'est?

1. Le tam-tam, le saxo, la batterie : ce sont des ✳.
2. On expose les sculptures, les tableaux, les collages : c'est une ✳.
3. Une série de dessins qui racontent une histoire : c'est une ✳.

❯ **1** LES MEMBRES DE LA FAMILLE

mère	grand-mère	tante	beau-frère
père	grand-père	oncle	belle-sœur
		nièce	beaux-parents
fils	petit-fils	neveu	beau-père
fille	petite-fille	cousin	belle-mère
frère		cousine	gendre
sœur			belle-fille

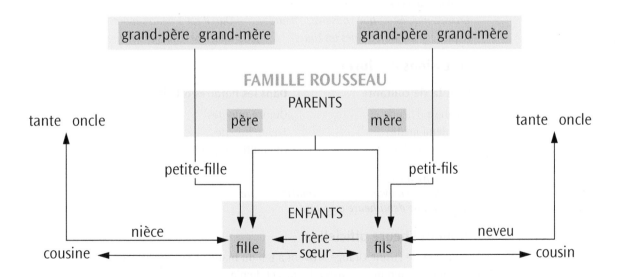

FAMILLE ROUSSEAU

exercice oral

1.1 Apportez une photo et présentez votre famille.

module 2 ⟩ unité 4

2 L'HEURE

Dans la conversation quotidienne, on utilise l'heure courante.

L'heure courante :
la journée se divise en deux fois douze heures : de une heure du matin à midi et de une heure de l'après-midi à minuit.

L'heure officielle :
la journée se divise en vingt-quatre heures.

Heure courante

Heure officielle

3 heures du matin   3 heures de l'après-midi

		L'heure courante (dans la vie de tous les jours)	**L'heure officielle** (utilisée par les compagnies de transport, les réseaux de télévision, etc.)
Le matin*	6 h	Il est 6 h (du matin).	Il est 6 h.
Le midi	12 h	Il est midi.	Il est 12 h.
		Il est midi et demi.	Il est 12 h 30.
L'après-midi	3 h	Il est 3 h (de l'après-midi).	Il est 15 h.
		Il est 3 heures moins 25.	Il est 14 h 35.
Le soir	8 h	Il est 8 h (du soir).	Il est 20 h.
		Il est 8 h 20.	Il est 20 h 20.
La nuit	0 h	Il est minuit.	Il est 0 h.
		Il est minuit cinq.	Il est 0 h 05.

* Au Canada, on dit l'avant-midi.

Attention : On écrit une demi-heure, mais une heure et dem**i**e (un **e**) et trois heures et dem**i**e (un **e**, pas de **s**).

■ Demander et donner l'heure

– *Quelle heure est-il ?*   – *Il est 2 heures et demie.*
– *Il est quelle heure ?*   – *Il est 5 heures.*
– *Excusez-moi, est-ce que vous avez l'heure ?*   – *Oui, il est 3 heures moins le quart.*
– *À quelle heure tu termines tes cours ?*   – *Je termine mes cours à 3 heures.*

■ Expressions de durée

Dans la vie courante	Dans les horaires officiels
Un quart d'heure	Quinze minutes
Une demi-heure	Trente minutes
Trois quarts d'heure	Quarante-cinq minutes

Jeanne arrive à l'heure.
Christophe est en avance de **trois quarts d'heure**.
Ils partent **une demi-heure** *en retard.*

exercice écrit

2.1 Donnez l'heure officielle.

1. Les ouvriers de l'usine Orange arrivent à 6 h du matin et terminent à 5 h.
2. La famille Legrand mange vers 8 heures et demie le soir.
3. Je ne comprends pas pourquoi la banque ferme à 3 heures et quart.
4. Jean-François se couche toujours à 11 h du soir.
5. Notre rendez-vous est à 1 heure moins le quart, madame Petit. Vous êtes en retard.

2 exercice oral   **2.2   Posez les questions suivantes à un autre étudiant et jouez à deux.**

1. Ton réveil sonne à quelle heure en semaine?

2. À quelle heure vous vous levez le week-end? Et le lundi?

3. Quand tu as rendez-vous, tu arrives toujours en retard ou en avance?

4. À quelle heure est-ce que vous vous couchez?

5. Quand est-ce que tu déjeunes?

6. Le week-end, tu rentres avant ou après minuit?

7. À quel moment de la journée vas-tu faire tes courses en ville?

8. À quelle heure est-ce que tu as ton cours de français?

9. Tu prends ton petit-déjeuner à quelle heure?

⟩ **3** LES ACTIVITÉS CULTURELLES ET SPORTIVES

Rappel :

- **Faire (de + le) du tennis**

           de la gymnastique

           de l'équitation (féminin)

           de l'escrime (féminin)

           de l'aviron (masculin)

- **Jouer + de + un instrument de musique**

    *Je joue **de la** guitare.*   *Nous jouons du **saxo**.*

- **Le verbe jouer** s'utilise également pour les sports d'équipe :
jouer à + jeu ou sport.

    *Je joue **au** tennis.*   *Elle joue **au** basket.*

exercice oral   **3.1   Désignez l'endroit où se pratique chaque sport.**

| un terrain | un court | une patinoire | une piscine |

1. le hockey   4. la natation

2. le patinage   5. le football

3. le tennis   6. le baseball

exercices écrits

3.2 Quelles sont vos activités préférées? Répondez aux questions en écrivant des phrases complètes. Posez ensuite quelques questions à un étudiant.

1. Qu'est-ce que vous faites pendant vos loisirs?
   Je fais du sport. Je joue au tennis.

   a) Rester chez soi et lire   c) Faire du sport
   b) Collectionner les timbres   d) Autres activités

2. Vous vous intéressez:
   a) aux beaux-arts?   c) à l'opéra?
   b) au théâtre?   d) à d'autres choses?

3. Aimez-vous lire:
   a) de la science-fiction?   c) des magazines?
   b) des romans?   d) autre chose?

4. Vous jouez:
   a) du piano?   c) du saxo?
   b) de la guitare?   d) d'un autre instrument?

5. Qu'est-ce que vous aimez comme jeux de société?
   a) Les cartes?   c) Les jeux électroniques?
   b) Les échecs?   d) D'autres jeux?

6. Préférez-vous les tableaux:
   a) des impressionnistes?   c) du xxᵉ siècle?
   b) des romantiques?   d) d'autres époques?

7. Quand vous sortez le week-end, vous allez:
   a) au cinéma?   c) dans une boîte de nuit?
   b) dans un bar?   d) ailleurs?

8. Êtes-vous artiste? Avez-vous du talent?
   a) Beaucoup   c) Peu
   b) Un peu   d) Pas du tout

3.3 Quels sont vos sports préférés? Répondez aux questions en écrivant des phrases complètes.

1. Vous préférez les sports d'intérieur?
   a) Le tennis de table   c) Le jeu de quilles
   b) La gymnastique   d) Autres

2. Vous pratiquez des sports d'équipe?
   a) Le football   c) Le hockey
   b) Le basket   d) Autres

3. Vous faites des sports de plein air?
   a) De la randonnée   c) De l'escalade
   b) Du cyclisme   d) Autres

4. Vous pratiquez un sport d'hiver?
   a) Le ski de fond   c) Le ski alpin
   b) Le patinage   d) Autres

5. Vous pratiquez d'autres types d'activités physiques?
   a) Le yoga   c) Le karaté
   b) Le taï chi   d) Autres

3.4 Associez chaque activité sportive à un nom de la seconde colonne.

1. le judo	a) un cavalier
2. l'athlétisme	b) un footballeur (ou joueur de football)
3. le hockey	c) un judoka
4. le football	d) un rameur
5. la gymnastique	e) un athlète
6. l'équitation	f) un gymnaste
7. l'aviron	g) un hockeyeur (ou joueur de hockey)

3.5 Associez chaque verbe à la bonne activité sportive.

1. nager	a) le ski
2. patiner	b) la natation
3. skier	c) le jeu
4. jouer	d) le patinage
5. servir	e) le tennis

PRONONCEZ

> ## LES SONS

 Le son [i]

si	image	Il finit.
joli	Paris	Il finit à midi.
ski	aussi	Il finit à midi et demi.
lit	gris	Il finit à midi et demi et il dit merci.
gentil	merci	
outil	fini	

 Le son [il]

il	Il habite sur une île.
île	Il habite sur une île à côté d'une ville.
ville	Il habite sur une île à côté d'une jolie petite ville.
difficile	

Le son [ij]

fille	Voici une fille.
gentille	Voici une fille gentille.
brille	Voici une fille gentille qui aime beaucoup sa famille.
famille	

 Le son [ɥi]

lui	ennui
puis	aujourd'hui
bruit	ensuite
cuisine	depuis
huit	
minuit	

Nicolas fait du ski à midi. Il rencontre une jolie fille, Sylvie. Il choisit un joli restaurant en ville. Ils dînent à dix heures et demie, puis ils visitent la ville de Rimouski. Sylvie dit merci et Nicolas aussi. Maintenant, il a une amie. Quelle belle vie !

ÉCOUTEZ ET ÉCHANGEZ

〉 **ENTRAÎNEZ-VOUS À L'ÉCOUTE**

piste 32

1. Écoutez et répondez aux questions.

Ajoutez les heures manquantes.

1. Le secrétaire des Nations Unies arrive à Montréal à ✳.
2. La manifestation commence à ✳.
3. Les participants sont là depuis ✳.
4. Les chefs d'État et de gouvernement inaugurent la bibliothèque à ✳.
5. Le premier concert de la fête de la musique est à ✳.

piste 33

2. Écoutez le dialogue et répondez aux questions.

1. Quand est-ce que le film de Jean-Pierre Jeunet sort ?
2. Pourquoi Claire refuse-t-elle l'invitation ?
3. Où habite-t-elle ?
4. Quelle est la nationalité de Claire ?
5. Où habitent ses parents ?
6. Pourquoi vont-ils en Belgique ?

〉 **RENDEZ-VOUS AU COIN CAFÉ**

Exprimer la fréquence

D'habitude, en général, rarement, souvent, parfois
Une fois par jour / par semaine / par mois…

Parler de sport et d'autres activités

– Où vas-tu ?
– Où est-ce que tu vas ?
– Tu vas où ?
– Qu'est-ce que tu fais ce week-end ?

– Je vais au cinéma.
– Je vais danser.
– Je vais au musée.
– Je fais du tennis / de la natation.
– Je joue du piano.
– Je joue au tennis / aux cartes.
– Je fais du sport trois fois par semaine.

– Tu fais du sport ?

Apprécier l'art

J'adore la musique, la sculpture.
C'est ma passion.

Demander / Donner l'heure

– Quelle heure est-il ?
– À quelle heure est-ce que tu déjeunes ?

– Il est 10 heures.
– Je déjeune à midi.

1. Vous êtes une personne très active. On vous pose des questions sur vos activités sportives et culturelles. Répondez-y avec les mots suivants comme dans le modèle.

rarement	quelquefois ou parfois	souvent	toujours	une fois par semaine
	une fois par mois	une fois par an		

– *Est-ce que tu fais souvent du sport ?*   – *Oui, je fais du sport une fois par semaine.*

1. Tu participes à des compétitions ?
2. Tu vas parfois au cinéma ?
3. Tu sors le week-end ?
4. Est-ce que tu fais du vélo ? De la natation ?

2. Utilisez le futur avec le verbe aller pour répondre aux questions et jouez à deux.

1. Qu'est-ce que vous allez faire l'année prochaine ?
2. Allez-vous chercher un autre travail ? Dans quel domaine ?
3. Est-ce que vous allez voyager ? Où ? Seul ou avec vos amis ?
4. Et vos parents ? Votre frère ? Votre sœur ? Qu'est-ce qu'ils vont faire ?
5. Allez-vous déménager cet été ?
6. Quand est-ce que vous allez prendre votre retraite ?

〉 JEUX DE RÔLES

1. Jouez ces courts dialogues à deux.

1. – On sort ou on reste à la maison ?
   – On sort, mais on va où ?
   – On va au cinéma ?
   – Il n'y a pas de bons films. Je préfère rester à la maison.

2. – On part en vacances.
   – Ah bon, vous allez où ?
   – Nous allons au Mexique, au soleil.
   – Quelle chance !

3. – Ça va ? Tu ne te sens pas bien ?
   – Si, ça va. Je me sens un peu fatigué. C'est tout.

4. – Ça sent bon ici. Qu'est-ce que c'est ?
   – C'est mon nouveau parfum.
   – Comment ça s'appelle ?
   – Ah ! mystère !
   – Ça s'appelle « Mystère » ou c'est un mystère ?

2. Jouez cette situation à trois.

A demande à **B** qu'est-ce qu'il va faire pendant le week-end.

B répond qu'il n'est pas sûr, qu'il va peut-être se reposer ou alors faire du sport.

C propose de faire une randonnée samedi avec la visite d'un musée local et un déjeuner dans un petit restaurant sympathique.

B accepte mais dit que cela dépend du temps.

A répond que le temps va être beau.

C propose de faire du sport : du canoë, de la natation.

A et **B** sont d'accord.

Grande mosquée
de la médina, à Tunis

TUNIS

DÉCOUVREZ LE MAGHREB

Le Maghreb

Le Maghreb, d'un mot arabe qui désigne «l'endroit où le soleil se couche», est la pointe ouest du monde arabe. C'est un ensemble de trois pays situés dans le nord de l'Afrique : d'ouest en est, le Maroc, l'Algérie et la Tunisie. L'identité arabe et musulmane s'exprime dans la langue et la civilisation, mais aussi dans une architecture unique. La langue française tient encore une grande place dans les trois pays ; elle constitue un vestige de leur passé colonial. De nombreux écrivains utilisent tantôt l'arabe, tantôt le français : par exemple, le Marocain Tahar Ben Jelloun et l'Algérien Rachid Boudjedra.

FÈS

MALIKA MOKEDDEM

Malika Mokeddem, auteure

Malika Mokeddem est née en Algérie en 1949. Elle étudie la médecine à Oran puis à Paris. Elle s'installe à Montpellier en 1979 et y exerce la médecine. Elle se consacre à la littérature à partir de 1985. L'Algérie est très présente dans ses œuvres. L'auteure est née dans le désert et elle a traversé la Méditerranée pour échapper à la servitude des femmes nomades. C'est par l'étude qu'elle continue son émancipation. Elle a publié *Les hommes qui marchent*, *Le Siècle des sauterelles* et *L'Interdite*, et elle a reçu de nombreux prix tels que le prix Fémina et le prix Méditerranée. Le style de Malika Mokeddem est fait de paraboles.

Remparts de Fès au Maroc

MARRAKECH

Un marché de la ville
de Marrakech, au Maroc

D'ICI ET D'AILLEURS

Français au Maghreb	Français standard
un taxieur (Algérie)	un chauffeur de taxi
un cabanon (Maroc)	une maison construite sur la plage
une médina (Tunisie)	la partie musulmane d'une ville
un soukier (Maroc)	le commerçant d'un souk (marché)

Un marché de la ville El-Oued,
oasis du Sahara en Algérie

EL-OUED

RÉDIGEZ...

... UNE LETTRE

1. Le club Sportout propose un abonnement gratuit à une personne sportive. Cela vous intéresse. Vous écrivez une lettre pour décrire les sports que vous pratiquez.

2. Une compagnie qui fabrique des jeux de société veut recruter un concepteur. Vous êtes une personne très créative, vous savez que vous avez du talent et vous jouez à ce type de jeux. Vous écrivez pour expliquer ce que vous faites.

VOCABULAIRE DE L'UNITÉ 4

Noms

chant, m	examen, m.	matinée, f.	talent, m.
circulation, f.	exposition, f.	mère, f.	tante, f.
cuisine, f.	fille, f.	note, f.	timbre, m.
cyclisme, m.	fils, m.	oncle, m.	
endroit, m.	fois, f.	parapluie, m.	
ennui, m.	galerie, f.	patinage, m.	
équilibre, m.	grands-parents, m. p.	patinoire, f.	
erreur, f.	instrument, m.	père, m.	
escalade, f.	lieu, m.	randonnée, f.	
événement, m.	manifestation, f.	société, f.	

Verbes

applaudir	dormir	partir	sentir
apporter	encercler	réfléchir	se reposer
apprendre	exposer	refuser	sonner
choisir	finir	remplir	vieillir
collectionner	grandir	réussir	
comprendre	grossir	rire	
consacrer	maigrir	rougir	

Adjectifs

absent/absente	agréable	bizarre	ennuyeux/ennuyeuse

Autres mots

derrière	même	vite

unité 5

« Notre planète est fragile et précieuse »

Sommaire

Sauvegardons
la planète

 Du 20 au 23 octobre, les étudiants organisent un colloque sur le thème « Notre planète est fragile et précieuse : comment la sauvegarder ? » Amar, Marion et Vincent préparent une table ronde.

Amar : Dans notre table ronde, il faut absolument parler de la protection de la biodiversité, non ?

Marion : Qu'est-ce que ça veut dire, la biodiversité ?

Amar : La biodiversité veut tout simplement dire la protection des animaux, des parcs, des plantes, des espèces animales menacées.

Vincent : Qu'est-ce qu'on décide ? Est-ce qu'on veut parler des espèces de mammifères menacées ou du réchauffement climatique de la planète ?

Marion : Il y a plus de 12 000 espèces menacées. Je trouve que c'est inquiétant.

Amar : Je suis d'accord avec Marion, il faut réagir.

Vincent : C'est vrai, mais nous avons déjà décidé de parler du protocole de Kyoto. C'est le traité le plus important dans la lutte contre les changements climatiques.

Amar : Ah, il est déjà 11 heures. Je dois partir. On peut continuer la réunion après les cours ?

Marion : Mais on n'a pas fini de préparer le...

Amar : Je suis désolé. À tout à l'heure.

Pendant ce temps…

piste 35

Sabine et Bruno visitent l'exposition de Christophe. Bruno n'apprécie pas l'art de Christophe. Sabine pense que c'est un style particulier.

Sabine : Tu ne trouves pas ce tableau un peu bizarre ?

Bruno : Oui, un peu. C'est une ville étrange.

Sabine : Tu as raison. Derrière l'école, il y a un zoo. La bibliothèque est au milieu du parc. À gauche de la mairie, il y a un hôpital. En face du commissariat de police, il y a une discothèque. À côté de la banque, il y a un bar…

Bruno : Mais c'est pratique : tu danses, tu t'amuses et si tu as un problème, tu vas voir la police ou les médecins.

Sabine : Ah, tu es drôle, toi.

Bruno : Allez, on sort, c'est assez ! Tu sais, moi, je ne comprends pas l'art moderne. J'aime bien l'ordre et la symétrie. En fait, les tableaux de Christophe, ce n'est pas le style de… Comment s'appelle ce peintre ?

Sabine : Tu veux dire Chagall ?

Bruno : C'est ça ! Tu es géniale. Je t'admire.

OBSERVEZ ET EMPLOYEZ LES STRUCTURES

〉**1** LES ADJECTIFS DÉMONSTRATIFS

▪ **On utilise l'adjectif démonstratif pour désigner une personne ou une chose.**

*J'aime beaucoup **ce** professeur.*   *Ils ne comprennent pas **cet** exercice.*

▪ **On l'utilise aussi pour indiquer un moment proche.**

*Qu'est-ce que vous faites **ce** week-end?*   ***Cette** semaine, nous irons au cinéma.*

Les adjectifs démonstratifs		
Singulier	Masculin	Féminin
	ce tableau	cette voiture
	cet homme	cette année
Pluriel	ces documents	ces peintures

Attention : **Ce** devient **cet** devant un nom masculin qui commence par une voyelle ou un **h** muet.

exercice écrit **1.1** Mettez **ce, cet, cette** ou **ces**.

1. Tu habites dans ✴ immeuble?
2. ✴ jeune fille est française.
3. ✴ cadeau est pour vous.
4. Vous n'êtes pas libre ✴ soir?
5. ✴ appartement est très moderne.

6. Est-ce que ✴ journaux sont à vous?
7. ✴ acteur est bizarre.
8. ✴ photos sont superbes.
9. ✴ livre n'est pas intéressant.
10. ✴ machine ne fonctionne jamais.

〉**2** LES VERBES SUIVRE ET VIVRE AU PRÉSENT

Suivre	À l'oral		Vivre	À l'oral
Je suis			Je vis	
Tu suis	[syi]		Tu vis	[vi]
Il / Elle / On suit			Il / Elle / On vit	
Nous suivons	[syivɔ̃]		Nous vivons	[vivɔ̃]
Vous suivez	[syive]		Vous vivez	[vive]
Ils / Elles suivent	[syiv]		Ils / Elles vivent	[viv]

Le verbe **poursuivre** se conjugue comme le verbe **suivre**.

Attention : Il ne faut pas confondre le verbe **être** à la première personne du singulier (**je suis**) et le verbe **suivre** (**je suis**). Seul le contexte de la phrase permet de distinguer le sens.

*Je **suis** journaliste.*   *Je **suis** un cours de français.*
    être   suivre

exercices écrits

2.1 Complétez les phrases avec les verbes **être** ou **suivre**, puis conjuguez les verbes à la première personne du pluriel.

1. Je ✳ cinq cours ce semestre.
2. Je ✳ ici 7 jours sur 7.
3. Qu'est-ce que je ✳ pour toi?
4. Je ✳ cette voiture?
5. Je ✳ l'exemple de mes parents.
6. Je ✳ très triste ce soir.

2.2 Complétez les phrases avec les verbes **suivre**, **étudier** ou **faire**.

1. Toi, tu ✳ un cours de biologie. Et elle, qu'est-ce qu'elle ✳ comme cours?
2. Nous ✳ de la peinture. Et vous, qu'est-ce que vous faites?
3. Jean-Marie ne veut pas ✳ la chimie.
4. Louis ✳ des études d'ingénieur.
5. Aujourd'hui, les élèves ✳ l'environnement à l'école primaire.

2.3 Complétez les phrases avec les verbes **suivre** ou **vivre**.

1. Vous ✳ en Asie?
2. Qu'est-ce que tu fais? Je ✳ un match de hockey à la télévision.
3. Si vous ne connaissez pas la rue, vous ✳ le plan.
4. Est-ce qu'elle ✳ seule ou avec sa famille?
5. Ce n'est pas loin. Vous ✳ ce monsieur devant vous.
6. Mon petit frère est difficile à ✳.
7. La famille Lachance ✳ à la campagne. Quelle chance!
8. Je ne peux pas manger de sucre. Je ✳ un régime.

3 LES VERBES VOULOIR, POUVOIR ET DEVOIR AU PRÉSENT

Vouloir	À l'oral	Pouvoir	À l'oral	Devoir	À l'oral
Je veux		Je peux		Je dois	
Tu veux	[vø]	Tu peux	[pø]	Tu dois	[dwa]
Il/Elle/On veut		Il/Elle/On peut		Il/Elle/On doit	
Nous voulons	[vulɔ̃]	Nous pouvons	[puvɔ̃]	Nous devons	[dəvɔ̃]
Vous voulez	[vule]	Vous pouvez	[puve]	Vous devez	[dəve]
Ils/Elles veulent	[vœl]	Ils/Elles peuvent	[pœv]	Ils/Elles doivent	[dwav]

Le verbe **recevoir** se conjugue comme le verbe **devoir**.

Attention: Il reçoit, ils reçoivent.
c cédille

■ Le verbe vouloir exprime la volonté, le désir ou le souhait.

- Vouloir + nom
  *Tu **veux** un **café**?*

- Vouloir + verbe à l'infinitif
  *Je **veux aller** en Floride.*
  *Nous **voulons parler** français avant d'aller en France.*

Rappel: Dans une phrase négative, **un**, **une**, **des** devient **de** ou **d'**.
*Non, je ne veux pas **de** café.*

• Quand on veut être poli, on utilise **vouloir** au conditionnel.

*Je **voudrais** partir plus tôt.*

*Ici Joëlle, je **voudrais** parler à monsieur Gustave, s'il vous plaît.*

3.1 Complétez les phrases avec le verbe **vouloir**.

1. Est-ce que tu ✳ aller au cinéma ce soir?

2. Vous ✳ habiter au premier étage ou au dernier étage?

3. Nous ✳ la paix.

4. Les citoyens ✳ de l'air pur.

5. Jean, ✳ -vous répondre à la troisième question?

6. Elle ✳ un dictionnaire bilingue.

◾ Le verbe **pouvoir + infinitif** exprime la possibilité.

*Est-ce que je **peux ouvrir** la fenêtre? Il fait très chaud.*

> **Attention :** Dans une phrase interrogative avec inversion du sujet, **peux** devient **puis-je** pour la première personne seulement.
>
> ***Puis-je** quitter la salle maintenant?*
> inversion

3.2 Complétez les phrases avec le verbe **pouvoir**.

1. Tu ✳ rester chez moi. Pas de problème.

2. ✳-je avoir vos coordonnées?

3. Valérie et moi ✳ rester avec vous?

4. Vous ✳ finir votre travail à la maison.

5. En classe, vous ne ✳ pas allumer votre portable.

6. Le cinéma n'est pas loin. Nous ✳ y aller à pied.

7. Ici, on ne ✳ pas fumer.

3.3 Remplacez **vous** par **tu** dans les phrases et jouez à deux.

1. Voulez-vous faire une pause?

2. Est-ce que vous voulez aller au cinéma ce soir?

3. Dans votre pays, pouvez-vous conduire à 16 ans?

4. Voulez-vous être célèbre?

5. Pouvez-vous revenir demain?

◾ Le verbe **devoir + infinitif** exprime une obligation, une nécessité.

*Je **dois finir** ce rapport avant minuit.*

• Le verbe **devoir + infinitif** exprime aussi parfois une intention.

*Nous **devons dîner** chez Brigitte demain soir.*

• En français, pour exprimer l'obligation ou la nécessité, on utilise également **il faut + infinitif** ou **il faut + nom**.

*Pour bien parler français, il **faut connaître** la grammaire.*

*Pour prendre le métro, il **faut un ticket**.*

3.4 Conjuguez les verbes entre parenthèses.

1. Je (devoir) ✳ aller au marché. Tu (vouloir) ✳ venir avec moi?

2. Elle (détester) ✳ faire les courses.

3. Tu ne (pouvoir) ✳ pas faire un petit effort et être gentil de temps en temps?

4. On (aller) ✳ à pied ou on (prendre) ✳ la voiture?

5. Nous (pouvoir) ✳ aller à l'épicerie du quartier. Ce n'est pas loin.

6. Nous (devoir) ✳ marcher pour ne pas polluer la planète avec la voiture.

3.5 Par groupes de deux, répondez aux questions suivantes comme dans le modèle.

Qu'est-ce qu'il faut faire pour améliorer son français ?
Il faut réviser ses leçons et faire ses devoirs.

Où est-ce qu'il faut aller pour voir l'architecture de Gaudi ?
Il faut aller à Barcelone.

Qu'est-ce qu'il faut :
 1. étudier pour être médecin ?

 4. faire pour apprendre à conduire ?

Où est-ce qu'il faut aller :
 1. pour voir la Joconde ?
 2. pour retirer de l'argent ?
 3. pour faire des études en art ?

2. manger pour être en bonne santé ?
3. faire pour être en bonne forme ?

4. pour faire de longues excursions
 en montagne ?

4 LE VERBE PAYER AU PRÉSENT

Payer (1)	À l'oral	Payer (2)	À l'oral
Je paie	[pɛ]	Je paye	[pɛj]
Tu paies		Tu payes	
Il / Elle / On paie		Il / Elle / On paye	
Nous payons	[pɛjɔ̃]	Nous payons	[pɛjɔ̃]
Vous payez	[pɛje]	Vous payez	[pɛje]
Ils / Elles paient	[pɛ]	Ils / Elles payent	[pɛj]

Les verbes **appuyer**, **employer**, **envoyer**, **nettoyer** se conjuguent comme **payer** (**1**).

Le verbe **essayer** se conjugue comme **payer** (**1 et 2**).

4.1 Mettez le sujet et le verbe des phrases au pluriel.

 1. J'essaie de réviser la conjugaison des verbes tous les jours.
 2. Elle paie les factures à la fin du mois.
 3. Tu envoies le cadeau par la poste.
 4. En général, je nettoie la maison trois fois par semaine.
 5. Notre professeur de français emploie toujours des mots simples.

4.2 Complétez les phrases avec les verbes envoyer, être, payer, pouvoir ou vouloir et jouez à deux.

 – Bonjour madame.
 – Bonjour monsieur. Est-ce que je ✳ avoir des timbres ?
 – Oui, bien sûr.
 – Je peux ✳ avec ma carte de crédit ?
 – Oui. Vous ✳ envoyer quoi ?
 – Un colis.
 – Quelle ✳ la destination ?
 – Mars.
 – Vous ✳ dire la planète Mars ?
 – Oui, c'est ça.
 – Mais ici, ce n'✳ pas la NASA !

5 LE PRONOM Y

▨ **Le pronom y remplace une expression de lieu précédée de la préposition à (indiquant le lieu où on va, où on est, où on habite, où on reste).**

– Tu vas <u>**à New York**</u> pour le Nouvel An ?   – Oui, j'**y** vais.

– Est-ce qu'elles sont <u>**à la bibliothèque**</u> ?   – Oui, elles **y** sont.

– Est-ce que vous restez <u>**au Portugal**</u> ?   – Oui, on **y** reste.

▨ **Le pronom y remplace également une expression de lieu précédée de la préposition dans, sur, sous, à côté de, en ou chez.**

– Voulez-vous aller <u>**dans un casino**</u> ?   – Ah non, on n'**y** va pas.

> **Attention :** Dans les phrases avec **aller**, **devoir**, **pouvoir**, **vouloir** + **infinitif**, **y** se place après le premier verbe conjugué.
>
> *Vous allez* <u>***en Italie***</u> *? Combien de jours vous allez* ***y*** *rester ?*

▨ **Le pronom y remplace aussi le complément des verbes penser (à quelque chose) et jouer (à quelque chose).**

– Vous pensez <u>**aux vacances**</u> ?   – Oui, j'**y** pense.

> **Attention :** Dans une phrase négative, le pronom **y** suit **n'**.
>
> *Vous allez* <u>***au cinéma***</u> *ce soir ? Non, nous n'***y*** allons pas.*

 exercice écrit

5.1 Écrivez la réponse aux questions en utilisant le pronom y.

1. Vous allez au marché samedi ?
2. Est-ce que vous restez en Californie ?
3. La voiture est dans le garage ?
4. Tu joues au hockey à l'aréna ?
5. Vous voulez aller à Montréal ?
6. Le livre est sur la table ?

exercice oral

5.2 Complétez les phrases avec un verbe et le pronom y et jouez à deux.

– Tu ✳ où, Julie ?

– Je vais au nouveau magasin.

– Tu ✳ vas comment ?

– À pied. Tu viens ?

– Ah non ! C'est trop loin.

– Tant pis ! Tu aurais pu ✳ voir Luc dans son nouvel emploi.

– Attends… je viens avec toi.

6 LE PASSÉ COMPOSÉ

• Le **passé composé** est formé de l'auxiliaire **avoir** ou **être** conjugué au présent et du verbe au participe passé.

<u>Vincent</u>   <u>a</u>   <u>travaillé</u>   au Cirque du Soleil.

sujet auxiliaire **avoir** au présent participe passé du verbe **travailler**

• On emploie le passé composé pour parler de faits, d'événements qui ont eu lieu dans le passé.
*Hier, j'***ai aidé*** mes voisins à déménager.*

▪ Le participe passé des verbes en **er** se termine par **é**.

aimer → aimé

Attention : La négation encadre l'auxiliaire : **ne + auxiliaire + pas**.

*Il **n'**a **pas** travaillé.*
*Nous **n'**avons **pas** reçu votre message.*

Verbe à l'infinitif	Pronom sujet	avoir	Participe passé
Parler	J'	ai	parlé
	Tu	as	parlé
	Il / Elle / On	a	parlé
	Nous	avons	parlé
	Vous	avez	parlé
	Ils / Elles	ont	parlé

▪ Le participe passé de **avoir** et **être**

*avoir → **eu**   être → **été***
*Le trimestre dernier, j'ai **eu** 18 sur 20 en français.*
*Hier, elle a **été** malade.*

exercice écrit

6.1 Mettez les phrases au passé composé.

1. Je téléphone à mes parents.
2. Tu étudies la philosophie.
3. Nous continuons notre chemin.
4. Vous visitez le musée.
5. Ils envoient une carte postale.

2 exercice oral

6.2 Mettez les verbes **passer, assister, parler** ou **avoir** au passé composé et jouez à deux.

– Est-ce que tu ✳ une bonne journée ?

– Pas du tout. Le matin, j'✳ au téléphone des heures et des heures. L'après-midi, j'✳ à une réunion. Je suis très fatiguée. Et toi ?

– J'✳ une journée difficile. Mon patron a refusé mon nouveau projet.

C'EST DU PASSÉ !

En général, ces adverbes et ces indications de temps sont utilisés avec le passé composé. Ils sont souvent placés au début de la phrase.

Hier (matin/soir), elle a mangé une glace.

Avant-hier, il a donné un cadeau à son ami.

La semaine dernière, ils ont signé le contrat.

Le mois dernier, tu as visité Londres.

L'année dernière, nous avons assisté à une conférence sur l'environnement.

Ce matin ou cet après-midi (si l'action est passée), j'ai téléphoné à ma mère.

Londres

LISTE DE PARTICIPES PASSÉS

Notez que ces verbes ne se terminent pas en **er**.

Verbes à l'infinitif	Participes passés	Verbes à l'infinitif	Participes passés	Verbes à l'infinitif	Participes passés
apprendre	appris	faire	fait	réfléchir	réfléchi
boire	bu	finir	fini	répondre	répondu
choisir	choisi	lire	lu	savoir	su
comprendre	compris	mettre	mis	suivre	suivi
connaître	connu	obéir	obéi	tenir	tenu
devoir	dû	offrir	offert	venir	venu
dire	dit	ouvrir	ouvert	voir	vu
dormir	dormi	pouvoir	pu	vouloir	voulu
écrire	écrit	prendre	pris		
entendre	entendu	recevoir	reçu		

PARTICIPES PASSÉS AVEC L'AUXILIAIRE ÊTRE

Je suis allé/allée.

aller :	allé/allée	**venir :**	venu/venue
		revenir :	revenu/revenue
		devenir :	devenu/devenue
arriver :	arrivé/arrivée	**partir :**	parti/partie
		repartir :	reparti/repartie
entrer :	entré/entrée	**sortir :**	sorti/sortie
monter :	monté/montée	**descendre :**	descendu/descendue
naître :	né/née	**mourir :**	mort/morte
passer :	passé/passée	**rester :**	resté/restée
retourner :	retourné/retournée		
tomber :	tombé/tombée		

exercices écrits

6.3 Soulignez les verbes conjugués au passé composé et donnez leur infinitif.

Je m'appelle Jean-Jacques Delerme. Je suis né en 1985, à Nantes, mais j'ai grandi à Toulouse. Je suis conseiller dans une petite banque. J'ai fait mes études à Toulouse. J'aime le football et la lecture. Hier, je suis resté chez moi et j'ai lu un livre de 250 pages en 4 heures. C'est ma grand-mère qui m'a donné la passion des livres. L'année dernière, j'ai rencontré Annie. Cet été, nous sommes allés à Venise. Nous allons nous marier l'année prochaine.

6.4 Conjuguez les verbes entre parenthèses au passé composé.

1. À 8 h, Jacques (sortir) ✻ de l'immeuble.
2. À 8 h 15, il (arriver) ✻ à son bureau.
3. À 8 h 20, il (écouter) ✻ son message.
4. À 8 h 30, il (commencer) ✻ à lire les journaux.
5. À 9 h, il (aller) ✻ prendre un café.
6. À 9 h 30, il (retourner) ✻ à son bureau.

Continuez.

APPRENEZ DE NOUVEAUX MOTS

› C'EST DANS LE DIALOGUE

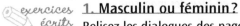 *exercices écrits*

1. Masculin ou féminin?

Relisez les dialogues des pages 86 et 87 et indiquez le genre des mots suivants.

1. biodiversité
2. espèce
3. réunion
4. changement
5. problème
6. bibliothèque
7. commissariat de police
8. discothèque
9. hôpital
10. école

2. Trouvez le verbe qui correspond à chaque nom.

1. la compréhension
2. la menace
3. le réchauffement
4. une plante
5. la réunion
6. la protection
7. la sortie
8. une admiration
9. le changement

3. Choisissez quelques mots dans les exercices 1 ou 2 et faites des phrases comme dans l'exemple.

*Madame Garneau **sort de la réunion**.*

› **1** QUELQUES EXPRESSIONS POUR LOCALISER

 exercices oraux

1.1 Par groupes de deux, utilisez les expressions suivantes pour décrire l'illustration.

| en face | à côté | tout droit | au-dessous | au-dessus | devant |
| derrière | à droite | à gauche | au coin de |

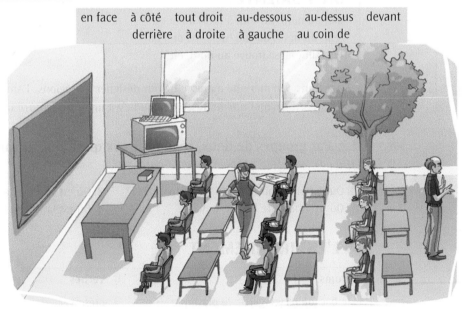

1.2 Par groupes de deux, situez votre lieu d'habitation et expliquez comment on fait pour aller chez vous. Utilisez le vocabulaire du tableau suivant.

*La banque se trouve **à côté de** la mairie.*
*J'habite **au coin de** la rue Saint-Denis **et de** la rue Dupont.*

Prépositions (+ nom)			
entre	à l'extérieur de	en face de	au milieu de
sur	à l'intérieur de	à côté de	loin de
sous	à l'angle de	au bout de	près de

Rappel : **de la** (devant un nom féminin singulier) – *loin de la* ville

du (devant un nom masculin singulier) – *près du* musée

de l' (devant une voyelle ou un **h** muet) – *à côté de l'immeuble*

des (devant un nom pluriel) – *en face des* magasins

⟩ 2 QUELQUES EXPRESSIONS POUR S'ORIENTER

Noms		Verbes	
une autoroute	un métro	aller	prendre
une avenue (av.)	une piste cyclable	arrêter	sortir
un boulevard (boul.)	une route	continuer	suivre
un carrefour	une rue	monter	tourner
un feu de circulation	un trottoir	passer	traverser

 exercice écrit

2.1　Complétez les phrases avec à droite, juste à côté, à gauche, étage ou porte.

– Bonjour madame, je voudrais être membre du club écolo.

– Désolée madame. Ici, c'est le club des chasseurs. Le club écolo est au 2ᵉ ✳, la troisième ✳ ✳, non je veux dire ✳. C'est facile, c'est ✳ du club des amateurs de 4 × 4.

ON S'ORIENTE ?

Aller **au** nord / **au** sud / **à** l'est / **à** l'ouest.

Venir **du** nord / **du** sud / **de** l'est / **de** l'ouest.

Il est situé / Il se trouve **au** nord, etc.

Attention : On met une majuscule pour désigner les régions : l'Amérique du **Sud**, du **Nord**.

On met une minuscule quand c'est un nom : le **nord** du pays est très beau.

 exercice oral

2.2　Par groupes de deux, répondez aux questions suivantes.

– Où habites-tu ?　　– J'habite **au nord-ouest** d'ici.

1. Où se trouve votre maison par rapport à ici?　　3. Où est votre restaurant préféré?
2. Où se situe votre lieu de travail?　　4. Où est la ville la plus proche?

⟩ 3 L'ENVIRONNEMENT

Noms		Verbes	
le bac (de recyclage)	le plastique	préserver	sauvegarder
les déchets	la pollution	protéger	sélectionner
les ordures	la poubelle	ramasser	séparer
le papier	le réchauffement	recycler	trier

 exercices écrits

3.1　Dans la liste suivante, regroupez les mots liés à l'environnement et les mots liés à une conférence.

la pollution　le réchauffement　selon notre ordre du jour　la table ronde　les mammifères

l'ordre du jour　un thème　le climat　les participants　une réunion　les préparatifs

3.2 Trouvez le contraire des mots en caractères gras.

1. Nous habitons **devant** le parc.
2. Tu prends la première rue **à droite**.
3. L'université est **loin** du centre-ville.
4. La maman trouve le livre de son fils **sous** le lit.
5. La cafétéria est **en haut**?
6. Le bureau du directeur est juste **après** la salle de réunion.
7. Quand il fait **beau**, les enfants jouent **à l'extérieur** de la maison.

3.3 Complétez les phrases avec à côté, près, loin, en face ou devant.

1. La résidence universitaire est à 20 mètres des salles de cours. C'est ✳ des salles de cours.
2. Pour venir chez nous, notre grand-mère traverse une rue. Elle habite ✳ de chez nous.
3. L'usine est à l'extérieur de la ville. Elle est ✳ du centre-ville.
4. Leur magasin s'appelle «Infini»; c'est le prochain bâtiment. Il est juste ✳.
5. Heureusement, j'ai une très belle vue. Il y a un jardin ✳ de mon immeuble.

 2 exercices oraux

3.4 Par groupes de deux, répondez aux questions.

1. Bonjour, comment ça va?
2. Comment tu t'appelles?
3. Tu fais quoi dans la vie?
4. Tu vis dans quel continent? Dans quel pays?
   Dans quelle province? C'est dans le nord?
   Dans le sud? Tu habites dans une ville ou
   en banlieue? Tu es près ou loin du centre-ville?
   C'est un quartier calme ou bruyant?

piste 36   ### 3.5 Écoutez la conversation et répondez aux questions.

1. Relevez toutes les questions du touriste.
2. Pourquoi les enfants ne parlent-ils pas aux étrangers?
3. Est-ce qu'il trouve où est le bureau de poste à la fin? Pourquoi?
4. Jouez ce scénario en petits groupes.

PRONONCEZ

piste 37   ## LES SONS

Le son [ø]

nuageux
nombreux
Il est heureux.
Ils sont sérieux.
Elle a les yeux bleus.
deux jeux dangereux
un monsieur paresseux
C'est ennuyeux, ce jeu!
Tu veux ou tu ne veux pas?
Elle peut ou elle ne peut pas?
C'est curieux, des cheveux bleus.

Le son [œ]

l'ordinateur de ma sœur
un jeune professeur
Elle est à l'heure.

Les sons [ø] et [œ]

des vœux de bonheur
un vieux sans cœur
un fameux chanteur
deux ingénieurs
leurs yeux bleus
un chanteur merveilleux

ÉCOUTEZ ET ÉCHANGEZ

⟩ **ENTRAÎNEZ-VOUS À L'ÉCOUTE**

piste 38   **Écoutez et jouez à deux. Imaginez des personnages célèbres.**

⟩ **RENDEZ-VOUS AU COIN CAFÉ**

Demander / Donner la direction

– Où est le bureau de poste, s'il vous plaît?

– Je cherche la banque, je suis touriste.

– Vous prenez la rue / vous continuez / vous traversez / vous suivez…

Se situer et localiser un objet

– J'habite en face du parc / à côté de la banque / derrière l'université…

– Le restaurant se trouve entre la bibliothèque et le musée.

Proposer / Prendre un rendez-vous

– Quand est-ce que vous êtes libre?   – Je suis libre ce week-end.

– Quand est-ce que vous pouvez venir?   – On peut se rencontrer demain.

– Mardi matin à 9 h, c'est bon?   – Non, le 25 à 9 h, je ne peux pas. Ce n'est pas possible.

– Nous devons partir.   – Ah, c'est dommage.

S'exprimer avec les verbes vouloir, pouvoir et devoir

– Tu dois vraiment partir?   – Désolé, je ne peux pas rester. Je veux être en forme demain.

1. Répondez aux questions en utilisant les verbes devoir, pouvoir ou falloir.

1. Qu'est-ce qu'on doit faire pour protéger la nature ? (recycler les papiers, prendre les transports en commun, etc.)

2. Qu'est-ce qu'on peut faire une fois qu'on a un diplôme de littérature? (être journaliste, être professeur de français, être écrivain, être politicien, être critique dans une revue, etc.)

3. Qu'est-ce qu'il faut faire pour être heureux? (se sentir libre, partager avec les autres, avoir des amis, partir en vacances, etc.)

2. Répondez aux questions comme dans le modèle.

Dans la vie, est-ce qu'on peut tout faire?

Oui bien sûr, on peut tout faire.

Non, on ne peut pas tout faire. C'est impossible. On ne peut pas être en vacances et travailler en même temps.

1. Dans la vie, est-ce qu'on peut tout dire?

2. Dans la vie, est-ce qu'on peut tout avoir?

3. Est-ce qu'on peut changer le monde?

4. Est-ce qu'on doit regarder les mêmes films ? Écouter les mêmes chansons?

3. Jouez à deux. Une personne lit la phrase au présent, l'autre la répète au passé composé.

– Je danse.   – J'ai dansé.

1. Je mange.
2. Tu visites.
3. Elle accepte.
4. Nous restons.
5. Vous finissez.
6. Tu sais.
7. Elle dit.
8. Je vais.
9. Tu rentres.

4. Répondez aux questions suivantes.

1. Qu'est-ce que tu as fait hier soir? Et samedi?
2. Est-ce que tu as vu un film intéressant?
3. Tu es resté chez toi? Tu n'es pas sorti?
4. Tu as fini tes devoirs?
5. Tu as trouvé une bonne adresse?
6. Où est-ce que tu as dîné hier soir?
7. Ce matin, est-ce que tu as pris un café?
8. Vous êtes allés à la banque?
9. Est-ce que vous avez fini l'exercice?
10. Tu es venu en bus?
11. Ils sont arrivés vendredi ou samedi?

5. Complétez les phrases comme dans le modèle.

D'habitude, je déjeune à 7 heures, mais hier, j'ai déjeuné à 8 heures.

1. D'habitude, le dimanche soir, je vais au cinéma, mais hier, ✳.
2. D'habitude, Alice finit son travail à 5 h, mais hier, ✳.
3. D'habitude, le week-end, nous restons chez nous, mais hier, ✳.
4. D'habitude, le soir, il lit avant de dormir, mais hier, ✳.
5. D'habitude, elle prend le métro, mais hier, ✳.

〉 JEUX DE RÔLES

1. Vous invitez vos amis à une petite fête. Un de vos amis n'a pas votre adresse. Vous lui expliquez comment se rendre chez vous.

Utilisez le vocabulaire de la direction: tu tournes à droite, etc.

2. Proposez une sortie à une personne.

A dit à B qu'il connaît une ville charmante à 300 km. A demande si B est libre. A invite B.

B refuse et donne une bonne excuse. (vouloir / devoir)
A insiste. (falloir / devoir)
B pose des questions sur la ville. (faire / vouloir)
A décrit et situe les choses à voir. (y avoir / se trouver)
B propose un moyen de transport. (prendre)
A donne une réponse positive. (être d'accord)
B accepte l'invitation. (vouloir)

Unité 5

PHILIPPE GELUCK

MAURICE DE BÉVÈRE, DIT MORRIS

DÉCOUVREZ…
LA BELGIQUE

La Belgique et le neuvième art

Georges Remi, dit Hergé, André Franquin, Maurice de Bévère, dit Morris, François Schuiten, Joseph Gillain, dit Jijé, Philippe Geluck. Qu'est-ce qu'ils ont en commun? Ce sont les grands maîtres de la bande dessinée belge. Qu'est-ce que la bande dessinée (appelée souvent BD ou bédé)? C'est une forme littéraire où une histoire est racontée grâce à des dessins ou à des images. Les dialogues contiennent souvent des onomatopées (par exemple, «grrr», «vroum»). C'est vrai que la BD est une lecture destinée au divertissement. Cependant, les lecteurs de BD sont de tous âges car les styles sont divers: humour, aventure, politique, fantastique. La BD a aussi ses stars: Lucky Luke (créé par Morris), le Chat (créé par Philippe Geluck). Gaston Lagaffe, créé par Franquin, est l'un des héros de la BD humoristique. Mais le superhéros de la BD reste Tintin qui a maintenant plus de 75 ans et qui est traduit dans plusieurs langues. Hasard ou destin, Hergé et Franquin, deux géants dans l'histoire de la BD, sont nés à Etterbeek, une banlieue de Bruxelles, en Belgique. Les personnages de BD sont immortels grâce aux produits dérivés: t-shirts, vêtements, emballages de biscuits et de céréales, jeux vidéo, sacs, flacons, bouteilles de parfum. De plus en plus, les superhéros sont portés au cinéma. Depuis son enfance, Steven Spielberg rêve de faire passer Tintin du papier aux écrans de cinéma. En France, les deux films sur Astérix ont attiré plus de 24 millions de spectateurs, un record national.

D'ICI ET D'AILLEURS

Français en Belgique	Français standard
le légumier	le marchand de légumes
Je vous sonnerai demain.	Je vous appellerai demain.
septante	soixante-dix
nonante	quatre-vingt-dix
se disputer pour des queues de cerises	se disputer pour des choses sans importance
des yeux bruns	des yeux marron

Vous gagnez un prix pour assister au Festival international de la BD.
Lisez les quatre destinations possibles et faites votre choix.
Justifiez votre réponse.

Belgique

Festival international de la BD (Charleroi)

Organisation :

Bulle – Centre Hélios, rue de Montigny

101 à 6000 Charleroi

Tél.: 071/26 67 44 ou 27 67 45

Date : Tous les ans en novembre

QUÉBEC

Festival de la BD francophone de Québec

Organisation :
70, de Salaberry, bureau 110
Québec, QC G1R 2T9
Canada

Téléphone : 418 524-9696

Date : Tous les ans, en avril

SUISSE

Festival international de la BD (Sierre)

Organisation : Association du festival de la BD

CP 200, 3960 Sierre

Tél.: (+41) 027-455 90 43

Date : Tous les ans, en juin

FRANCE

Festival international de la BD (Angoulême)

Organisation :
2, place de l'Hôtel de Ville
16000 Angoulême

Tél.: (33) 05 45 97 86 50

Date : Tous les ans, le dernier week-end de janvier

Rédigez...

... une description de votre ville

1. Utilisez les mots suivants pour décrire votre ville ou une ville que vous aimez.

Un parc, une université, l'hôtel de ville, des magasins (café, boulangerie, épicerie), des monuments, un musée, un cinéma, un arrêt de bus, une bouche de métro, des petites rues, un pont, une cabine téléphonique, une banque, une église, des maisons, une université, une école, un gymnase, un poste de police, un centre culturel, un hôpital, une bibliothèque

*Il y a
On trouve/On y trouve
La ville est/la ville se trouve…
C'est une ville/une région*

... une lettre pour faire une proposition

2. Écrivez une lettre.

Vous remarquez que, dans votre université, on organise beaucoup de fêtes. Vous êtes un étudiant écolo et militant. Vous écrivez une lettre au président de l'association des étudiants. Vous lui demandez d'organiser une manifestation sur le thème «Sauvons notre planète» ou «Tous contre le sida». Utilisez :
* le vocabulaire de l'environnement ;
* les verbes **pouvoir**, **devoir**, **falloir** ;
* le futur formé avec **aller** + **infinitif**.

*Monsieur le président,
Je lis souvent des affiches pour des concerts, des pièces de théâtre, mais…*

Vocabulaire de l'unité 5

Noms

agenda, m.	changement, m.	mammifère, m.	protection, f.
autoroute, f.	colloque, m.	ordre, m.	réchauffement, m.
aventure, f.	commissariat de police, m.	ordure, f.	revue, f.
bar, m.	déchet, m.	planète, f.	style, m.
biodiversité, f.	espèce, f.	pollution, f.	symétrie, f.
biscuit, m.	feu de circulation, m.	pont, m.	thème, m.
carrefour, m.		poubelle, f.	trottoir, m.

Verbes

assister	monter	recycler	traverser
devoir	pouvoir	sauvegarder	vivre
envoyer	préserver	sélectionner	vouloir
essayer	protéger	se trouver	
falloir	quitter	suivre	
imiter	réagir	tourner	

Adjectifs

climatique	inquiétant/inquiétante	nombreux/nombreuses
extérieur/extérieure	intérieur/intérieure	sérieux/sérieuse
fragile	menacé/menacée	

Autres mots

à droite	au milieu de	devant	près de
à gauche	au-dessous	en face de	sous
au bout de	au-dessus	loin de	sur

Un esprit sain dans un corps sain

Sommaire

La
malbouffe

piste 39   C'est la Semaine de la santé à l'université. Mélanie et Vincent veulent déjeuner, mais leurs goûts sont différents. Vincent préfère les aliments sains et Mélanie mange n'importe quoi.

Mélanie: Il est midi, j'ai un peu faim. J'ai envie de manger des frites avec du poulet frit.

Vincent: Ah moi, je suis végétarien. Allons plutôt manger une salade avec du yaourt et quelques fruits. C'est bon pour la santé.

Mélanie: Tu es végétarien, on le sait. Tu dis toujours «Je mange bio». Mais n'oublie pas, manger est un des plaisirs de la vie, et les produits bio sont chers.

Vincent: C'est vrai. Mais de nos jours, il faut être informé et lire les étiquettes sur les produits. Il y a beaucoup de produits chimiques dans les aliments. On peut au moins essayer de manger des repas équilibrés. Nous avons besoin de vitamines, de protéines, de minéraux. Nous sommes d'accord, non?

Mélanie: Allons donc manger une salade avec du pain complet!

Pendant ce temps...

piste 40   Bruno et Sabine prennent leur petit-déjeuner. Bruno lit une critique de l'exposition de Christophe, parue dans le journal *InfoMatin*.

Si vous voulez voir une exposition originale et créative, allez admirer les œuvres de Christophe Lévesque... Il a du talent et surtout beaucoup d'imagination.

Réservez votre place sur Internet : Lévesque@expo.com.

Il est surpris et donne son opinion à Sabine.

Bruno :   Viens chérie, lis ça! Christophe a du talent!

Sabine :   Ça alors! Tu te rappelles le tableau bizarre avec le zoo derrière l'école et la bibliothèque au milieu du parc?

Bruno :   Il a quand même du style.

Sabine :   Oui, c'est vrai. Il exprime sa vision de la société et du monde, et il a le courage de sortir des conventions, cependant...

Bruno :   Mais c'est ça, le talent! En plus, il a de l'humour.

Sabine :   D'accord, mais l'art, c'est aussi l'esthétique...

Bruno :   Arrête! Allons plutôt le féliciter. C'est notre ami.

OBSERVEZ ET EMPLOYEZ LES STRUCTURES

1 LES PARTITIFS

On utilise les articles partitifs **du**, **de la**, **de l'**, **des** pour indiquer une quantité non définie.

Je mange
- ***du*** *poulet.*
- ***des*** *fraises.*
- ***de la*** *crème caramel.*

> **Rappel :** Dans une phrase négative, **du**, **de la**, **de l'** et **des** deviennent **de**.
>
> *Nous mangeons **du** chocolat.*   *Nous ne mangeons pas **de** chocolat.*
> *Ils prennent **des** fruits.*   *Ils ne prennent pas **de** fruits.*
>
> **Attention :** Avec les verbes **aimer**, **détester**, **adorer** et **préférer**, on utilise **le**, **la**, **l'**, **les**.
>
> *Nous **aimons le** poisson.*   *Vous **détestez les** fruits.*   *Ils **adorent la** tarte aux pommes.*

 exercice écrit

1.1 Complétez les phrases avec **du**, **de la**, **de l'** ou **des**.

1. Le matin, je mange ✳ pain avec ✳ chocolat.
2. À midi, nous prenons ✳ salade, ✳ sandwichs et ✳ eau.
3. Le soir, les Dubois préparent ✳ soupe, ✳ poulet et ✳ tarte aux pommes.
4. Le week-end, Julie mange ✳ riz ou ✳ pâtes avec ✳ brocolis.

2 LES VERBES BOIRE ET METTRE AU PRÉSENT

Boire	À l'oral		Mettre	À l'oral
Je bois			Je mets	
Tu bois	[bwa]		Tu mets	[mɛ]
Il/Elle/On boit			Il/Elle/On met	
Nous buvons	[byvɔ̃]		Nous mettons	[metɔ̃]
Vous buvez	[byve]		Vous mettez	[mete]
Ils/Elles boivent	[bwav]		Ils/Elles mettent	[met]

Les verbes **remettre**, **permettre** et **transmettre** se conjuguent comme **mettre**.

exercice écrit

2.1 Mettez le sujet et le verbe des phrases au pluriel.

1. Le matin, je bois du café.
2. Il boit du lait chaud le soir avant de dormir.
3. Tu bois du thé ou une tisane ?
4. Qu'est-ce qu'elle boit ? De l'eau minérale plate ou gazeuse ?

▦ Le verbe **mettre** a plusieurs sens.

- On utilise **mettre** :

  pour exprimer l'action de déposer quelque chose.
  *Je **mets** le livre sur la table.*

  pour exprimer l'action de s'habiller :
  *En hiver, nous **mettons** un manteau et des gants.*

  pour exprimer la durée :
  *Je **mets** une heure pour arriver au travail en métro.*

  dans l'expression **mettre la table** :
  *Avant le repas, nous **mettons la table**.*

2.2 Conjuguez les verbes entre parenthèses.

1. Les enfants, vous (mettre) ✳ la table s'il vous plaît?

2. Qu'est-ce que tu (mettre) ✳ dans ton sac?

3. Je (transmettre) ✳ ton message à la directrice.

4. Le professeur ne (permettre) ✳ pas de parler anglais en classe.

5. Il fait froid. Nous (mettre) ✳ un manteau.

6. Vous (permettre) ✳ ? Je vais m'absenter quelques secondes.

2.3 Complétez les phrases avec boire, mettre ou un article partitif, puis jouez à deux.

– Avant de dormir, est-ce que tu ✳ quelque chose?

– ✳ eau. Et toi ?

– Je ✳ un verre de lait chaud.

– Tu ✳ ✳ sucre dans ton lait?

– Ah non, pas de sucre.

– Et tes parents, est-ce qu'ils ✳ quelque chose?

– Mon père prend un whisky. Il ✳ trois glaçons.

– Trois glaçons? Mais c'est ✳ eau alors!

2.4 Complétez les phrases avec les verbes mettre, remettre ou boire.

1. Pour faire ce gâteau, je ✳ du chocolat et du sucre.

2. Nous ✳ du café le matin.

3. Tu ✳ ce livre dans la bibliothèque, s'il te plaît?

4. Avec le poisson, on ✳ du vin blanc.

5. Ils ✳ huit heures pour aller de Paris à Montréal en avion.

6. Les invités vont arriver, vous ✳ la table?

7. Marie ne ✳ pas de café.

3 LES VERBES DIRE ET LIRE AU PRÉSENT

Dire	À l'oral		Lire	À l'oral
Je dis			Je lis	
Tu dis	[di]		Tu lis	[li]
Il/Elle/On dit			Il/Elle/On lit	
Nous disons	[dizɔ̃]		Nous lisons	[lizɔ̃]
Vous dites	[dit]		Vous lisez	[lize]
Ils/Elles disent	[diz]		Ils/Elles lisent	[liz]

3.1 Complétez les phrases avec les verbes dire ou lire.

1. Le professeur ✳ de préparer une composition.

2. Nous ✳ les journaux le week-end.

3. Qu'est-ce que tu ✳ ?

4. Vous ✳ des romans ou des BD ?

5. Je ✳ mes courriels.

6. Marion ✳ des articles sur l'art.

3.2 Complétez les phrases avec les verbes boire, dire, lire ou mettre.

1. Veux-tu ✱ quelque chose ?
2. Je ✱ un café avec un peu de lait.
3. Tu ne ✱ pas de sucre dans ton café ?
4. Je ✱ « non » au sucre.
5. Je ✱ un roman extraordinaire. C'est un nouveau roman de Malika Mokeddem. Super !
6. Qu'est-ce que tu ✱ ? Malika Mokeddem ! Encore un nouveau roman ?

❯ 4 QUELQUES EXPRESSIONS AVEC AVOIR

Plusieurs expressions sont formées avec le verbe avoir : **avoir besoin de, avoir envie de, avoir peur de, avoir l'air de, avoir le temps de,** etc.

 4.1 Complétez les phrases en utilisant la bonne expression formée avec le verbe avoir.

*J'ai un examen la semaine prochaine, j'**ai besoin** d'étudier.*

1. Je suis fatigué. J'✱ de vacances.
2. Il fait chaud, j'✱ d'une glace.
3. Le chien a l'air très méchant. J'✱ du chien.
4. J'ai froid. J'✱ de mon pull.
5. Il est 5 h. J'✱ de dîner avant d'aller au théâtre.

2 exercice oral   **4.2 Complétez les phrases et jouez à deux.**

Ajoutez **c'est**, **lire**, **faire**, **écouter**, **dire**, **vouloir** ou **avoir envie de** à la forme appropriée.

– Martine, téléphone, ✱ pour toi.
– Pardon ?
– Téléphone, c'est pour toi.
– Comment, qu'est-ce que tu ✱ ?
– Mais qu'est-ce que tu ✱ ?
– Je ✱ un roman et j'✱ de la musique.
– Alors tu réponds, oui ou non ?
– Non, je ne ✱ pas répondre. J'✱ de rester tranquille.

❯ 5 LES PRONOMS COMPLÉMENTS D'OBJET DIRECTS (COD)

Pour ne pas répéter les noms, on utilise les pronoms COD : **le, la, les, l', me, te, se, nous, vous.**

– *Est-ce que Julien connaît **son voisin** ?*   – *Oui, il **le** connaît.*
– *Vous aimez **ces chansons** ?*   – *Oui, nous **les** aimons.*
– *Le professeur dit à ses étudiants : « Vous **m'**écoutez ? »*   – *Oui, monsieur, on **vous** écoute.*

> **Attention :** Les pronoms COD **le, la, les, l', me, te, se, nous,** vous se placent devant le verbe, même dans les phrases négatives.
>
> *Julien ne voit pas sa famille.*
> *Julien ne **la** voit pas.*

> **Rappel :** Les pronoms **le** et **la** deviennent **l'** devant une voyelle ; **me** devient **m'**, **te** devient **t'**.
>
> *Vous étudiez **la sociologie** ? Oui, nous **l'**étudions.*   *Tu **m'**écoutes ? Oui, je **t'**écoute.*

Pronoms COD	Pronoms toniques
Il **me** connaît	moi
Il **te** connaît	toi
Il **le** connaît	lui
Il **la** connaît	elle
Il **nous** connaît	nous
Il **vous** connaît	vous
Il **les** connaît	eux/elles
On **se** connaît	soi

- Dans les constructions **aller** + **infinitif**, **vouloir** + **infinitif**, **aimer** + **infinitif**, etc., le pronom COD se place devant l'infinitif.

    – *Est-ce que tu vas prendre **le dossier** chez toi?*   – *Oui, je vais **le** prendre pour le week-end.*

 exercice écrit

5.1 Supprimez les répétitions en utilisant des pronoms COD.

*Louise arrive. Je vois **Louise** dans la rue.*
*Louise arrive. Je **la** vois dans la rue.*

1. Les enfants ont un cours de gymnastique. Tu accompagnes les enfants?
2. C'est une exposition formidable. Je visite cette exposition cet après-midi.
3. Mes parents sont à la campagne. J'appelle souvent mes parents.
4. Tu veux lire ce journal? Non, je ne veux pas lire ce journal.
5. J'ai des amis sympathiques. J'invite mes amis à mon anniversaire.

2 exercices oraux

5.2 Complétez les phrases et jouez à deux.

Mettez l'article défini ou le pronom COD.

– Est-ce que tu fais souvent ✳ cuisine?
– Oui bien sûr, tous ✳ jours.
– Et tu fais ✳ ménage?
– Je ne ✳ fais pas tous les jours.
– Tu fais aussi ✳ vaisselle?
– Oui, je ✳ fais deux fois par jour. Je n'ai pas le choix. Et toi?
– J'habite chez mes parents. Papa fait tout.
– Quel âge as-tu déjà?
– Je vais avoir 35 ans ✳ mois prochain.

5.3 Par groupes de deux, trouvez le nom manquant. Plusieurs réponses sont possibles.

*Je **le** lis tous les matins: **le journal**.*

1. Je l'achète à la boulangerie: ✳.
2. Nous l'écoutons avec plaisir: ✳.
3. Je **les** fais chaque semaine: ✳.
4. Vous **la** regardez le soir: ✳.
5. Ils **la** révisent tous les soirs: ✳.
6. Elle l'aime beaucoup: ✳.

module 2) unité 6

6 LE PRONOM EN

■ Le pronom en se place toujours devant le verbe. Il peut remplir diverses fonctions.

- Le pronom **en** remplace le partitif **du, de la, des** + **nom**.
  – *Est-ce que vous prenez **de la tarte aux pommes**?*   – *Oui, nous **en** prenons.*

- Le pronom **en** remplace **de** + **nom**.
  – *Vous venez **de Paris**?*   – *Nous **en** venons.*

- Le pronom **en** remplace **un, une, des** + **nom** quand on répond à une question portant sur le nombre ou une quantité (beaucoup de, un peu de, etc.).
  – *Tu as un peu **de lait**?*   – *Oui, j'**en** ai un litre.*

- Le pronom **en** accompagne souvent un adjectif numéral (un, une, deux, etc.).
  – *Je mets **une pomme** dans mon sac.*   – *J'**en** mets **une**.*

  – *Tu as **un frère**?*   – *J'**en** ai **deux**.*   – *Non, je n'**en** ai pas.*

6.1 Remplacez les expressions en caractères gras par le pronom qui convient.

1. Solange et Éric adorent **les fruits de mer**.
2. Ils reprennent **du vin rouge**.
3. Marc revient **de vacances**.
4. Vous m'envoyez un **courrier électronique** ce soir?
5. Patricia travaille beaucoup **à la bibliothèque**.
6. Tu dois choisir **ce gâteau**, il est délicieux.

6.2 Répondez aux questions en utilisant le pronom **en**.

1. Vous arrivez de Marseille? (Non)
2. Est-ce que Patricia parle de son accident? (Non)
3. Est-ce qu'ils boivent du jus de fruits avant les repas? (Oui)
4. Tu veux des fruits secs? (Oui)
5. Combien de cours suivez-vous?
6. Est-ce qu'elle parle souvent de ses examens? (Oui)
7. Ils font du ski? (Non)

7 L'IMPÉRATIF

- L'impératif ne se conjugue qu'à trois personnes: **tu, nous** et **vous**.
  *Mange. **Prends** ton livre. **Finissez** votre travail.*

■ L'impératif des verbes **manger** et **boire**

| Présent | Impératif | | Présent | Impératif | |
	Forme positive	Forme négative		Forme positive	Forme négative
Tu manges	Mange	Ne mange pas	Tu bois	Bois	Ne bois pas
Nous mangeons	Mangeons	Ne mangeons pas	Nous buvons	Buvons	Ne buvons pas
Vous mangez	Mangez	Ne mangez pas	Vous buvez	Buvez	Ne buvez pas

Attention : Le **s** de la deuxième personne du singulier disparaît pour les verbes en **er** et pour le verbe **aller** : **va, allons, allez**.

- On utilise l'impératif :
  - pour donner un conseil :

    Il neige beaucoup. Ne **conduis** pas, **prends** le bus !

  - pour donner un ordre :

    **Venez** dans une heure.

  - pour demander quelque chose :

    **Écoutez** bien, s'il vous plaît.

■ **L'impératif des verbes être, avoir, vouloir et savoir est irrégulier.**

Être	Avoir	Vouloir	Savoir
Sois	Aie	Veuille	Sache
Soyons	Ayons	Veuillons	Sachons
Soyez	Ayez	Veuillez	Sachez

**Sois** en bonne santé ! **Soyons** patients. **Aie** confiance. **Veuillez** patienter. **Sachez** répondre.

exercice écrit

7.1 Transformez les phrases à l'impératif.

1. Vous étudiez beaucoup.
2. Nous mangeons peu.
3. Nous buvons vite et nous allons étudier.
4. Tu es patient.
5. Vous savez travailler.
6. Vous ne regardez pas la télévision ce soir.
7. Nous partons en vacances demain.
8. Tu as du courage.

■ **L'impératif du verbe pronominal se reposer**

Forme positive	Forme négative
Repose-toi	Ne te repose pas
Reposons-nous	Ne nous reposons pas
Reposez-vous	Ne vous reposez pas

- Forme positive : Le pronom **te** devient **toi** et se place après le verbe.

  Tu es fatigué, couche-**toi** tôt ce soir.

- Forme négative : Le pronom se place devant le verbe.

  Tu as un examen demain, ne **te** fatigue pas.

exercices écrits

7.2 Donnez des conseils ou des ordres en utilisant le singulier.

Dites à quelqu'un de manger sainement.   _**Mange** sainement._

Dites à quelqu'un…

1. de faire de l'exercice.
2. de ne pas se promener dans le parc.
3. de cuisiner ce soir.
4. de ne pas se coucher tard.
5. de boire deux litres d'eau par jour.
6. de mélanger du lait, de la farine et des œufs pour faire des crêpes.

7.3 Mettez les conseils ou les ordres de l'exercice 7.2 au pluriel.

exercice écrit

7.4 Donnez l'ordre contraire.

Réveille-toi !   *Ne te réveille pas !*

1. Partons très tôt demain.
2. Ne te mets pas ici.
3. Laisse un message.
4. Lis ce livre.
5. Écoutons de la musique.
6. Téléphone-moi ce soir.
7. Ne te repose pas toute la journée.

exercice oral

7.5 Par groupes de deux, trouvez des solutions pour chacune des situations suivantes.

– *Je suis fatiguée.*   – *Va dormir ! Ne travaille pas trop !*

1. Je suis trop gourmand.
2. Il n'y a plus de fromage.
3. Nous travaillons trop devant l'ordinateur.
4. Je suis toujours en retard.
5. Nous sommes très stressés.
6. Vous n'allez jamais au cinéma.

8 LES PHRASES EN SI, EXPRESSION D'UNE CONDITION

• Quand on veut exprimer une vérité générale, on utilise **si + présent → présent**.
Si on travaille, on réussit.

• Quand on veut exprimer une recommandation, on utilise **si + présent → impératif**.
S'il pleut, restons à la maison.

> **Attention :** La proposition introduite par **si** peut se placer avant ou après la proposition principale.
> *S'il fait beau, mangeons à l'extérieur.*
> *Mangeons à l'extérieur s'il fait beau.*

exercices écrits

8.1 Faites des phrases en reliant les éléments des deux colonnes suivantes. Il y a plusieurs possibilités.

1. S'il fait beau,
2. Si tu n'arrives pas à 8 heures,
3. Ne viens pas,
4. Regarde le film à la télévision ce soir,
5. S'il fait froid,
6. Si on est végétarien,
7. Si on est sérieux,
8. Mange de la salade et des fruits,
9. Lis beaucoup,
10. Va à la bibliothèque,

a) si tu as le temps.
b) allons faire une promenade.
c) si tu as besoin d'un livre.
d) nous commençons à manger sans toi.
e) si tu es fatigué.
f) on reste à la maison.
g) on ne mange pas de viande.
h) on réussit.
i) si tu veux être en bonne santé.
j) si tu veux connaître des cultures différentes.

8.2 Conjuguez au présent les verbes entre parenthèses.

1. Si on mange trop, on (grossir) ✳.
2. Tu (arriver) ✳ à l'heure, si tu pars tôt.
3. Si tu ne mets pas le réveil, tu (ne pas se réveiller) ✳.
4. Si nous mangeons des repas équilibrés, nous (avoir) ✳ de l'énergie.
5. Si je suis fatiguée, je (se reposer) ✳.

APPRENEZ DE NOUVEAUX MOTS

〉 C'EST DANS LE DIALOGUE

 exercices écrits

1. Masculin ou féminin?

Relisez les dialogues des pages 104 et 105 et indiquez le genre des mots suivants.

1. frites
2. santé
3. poulet
4. talent

5. imagination
6. fruit
7. repas
8. exposition

9. salade
10. aliment

2. Transformez chaque verbe suivant en nom.

1. lire
2. arrêter

3. informer
4. réserver

5. exprimer
6. féliciter

3. Choisissez cinq mots des exercices 1 et 2 et faites une phrase avec chacun d'eux.

*Nous mangeons du **poulet** deux fois par semaine.*

〉 **1** LA NOURRITURE

Féculents et céréales	Fruits	Légumes	Produits laitiers	Protéines
une baguette	une banane	du brocoli	du beurre	de la dinde
des crêpes	une fraise	une carotte	du fromage	des haricots
des croissants	une framboise	du chou	une glace au chocolat	du jambon
un muffin	une orange	du concombre	du lait	du poisson
un gâteau	une pêche	une pomme de terre	un yaourt	du poulet
des pâtes	une pomme	un radis		du saucisson
du riz	un raisin	une tomate		de la viande (bœuf, agneau, veau, porc)

1.1 **Par groupes de deux, choisissez deux aliments de chaque catégorie pour composer un repas sain et naturel.**

1.2 **Que mangent Olivier, Louis et Sylvie au petit-déjeuner, au déjeuner et au dîner?**

Petit-déjeuner

Boisson : Du café, du thé (avec ou sans lait, avec ou sans sucre), du jus d'orange

Aliments : Des fruits, deux ou trois tranches de pain avec du beurre et de la confiture, des croissants, des céréales, des œufs et du bacon

Déjeuner et dîner

Entrée : Des salades, des œufs durs

Plat principal : Des légumes, des pâtes, de la viande, une pizza, un sandwich, des frites, du poisson

Dessert : Du chocolat, des gâteaux, de la glace*

Boisson : De l'eau, du vin, de la bière

*Au Québec, on dit crème glacée.

> Moi, je mange des pâtes, des pâtes et encore des pâtes. J'en mange tout le temps.

> Moi, je fais très attention. Je prends trois repas seulement.

> Moi, je choisis ce que je mange. La santé avant tout.

Louis

Olivier

Sylvie

1.3 **Faites des phrases en reliant les éléments des deux colonnes.**

1. Une cafétéria, c'est
2. Le pourboire, c'est
3. Il peut être rouge, blanc ou rosé :
4. Le contraire de « c'est délicieux » est
5. Quand je veux des provisions pour la semaine,
6. L'endroit où j'achète du pain est
7. L'eau, le soda sont
8. D'habitude, on le prend trois fois par jour :
9. En général, avant de manger, on dit :
10. L'addition est
11. L'épicerie
12. Je ne prends pas

a) je fais les courses.
b) la boulangerie.
c) des boissons.
d) le repas.
e) Bon appétit !
f) la somme d'argent qu'on laisse après un service.
g) c'est mauvais.
h) de bière.
i) le vin.
j) un restaurant rapide qui n'est pas cher.
k) est un petit supermarché.
l) le prix du repas.

1.4 **Composez le menu d'un sportif, d'un adulte ou d'une personne âgée.**
Écrivez la recette d'une entrée et d'un plat principal en employant les verbes suivants.

mélanger   cuire   couper   mettre au four   laver   éplucher

Entrée
Une salade verte
Une soupe aux légumes

Plat principal
Une omelette
Un steak avec des frites

PRONONCEZ

LES SONS

piste 41   **Le son** [ʀ]

Regarde Roland !
Répète la phrase.
Il est arrivé en retard à la gare.
rapide comme l'éclair
Il réclame du riz réchauffé.
la rue de Rivoli
Le beurre est cher.
La nourriture naturelle est la meilleure.
parfaitement clair
Il travaille trois jours par semaine.
Les touristes ont froid.
Pourtant le soleil brille.

piste 42   **Le son** [wɑ]

fois
noir
doigt
Tu bois quoi ?
On doit revoir la loi.
trois doigts de la main droite
Toi, tu crois parfois n'importe quoi.

piste 43   **Le son** [ʃ]

chez
le chiffre
la bouche
Je chante.
Je cherche.
Je suis chimiste.
Elle est architecte.
Tu choisis.
Vous choisissez.
On marche chaque jour.
Bonne chance !

ÉCOUTEZ ET ÉCHANGEZ

❯ ENTRAÎNEZ-VOUS À L'ÉCOUTE

piste 44   <u>**1. Écoutez et répondez aux questions.**</u>

     1. Trouvez trois avantages de la production bio.
     2. Quel est le contraire de la production bio ?
     3. Que pensez-vous des produits bio ?

piste 45   <u>**2. Complétez le dialogue suivant et répondez aux questions.**</u>

Émilie : Tu viens ? On s'installe ici ?
René : Ah non ! pas au milieu. Je préfère la petite table dans le coin.
Émilie : *
Le garçon : Bonjour monsieur, bonjour madame. Au menu, aujourd'hui, il y
       a *. Ça vous va ou vous voulez voir la carte ?
René : Pour moi, *.
Émilie : Je voudrais voir la carte. Hum, je vais prendre *.
Le garçon : D'accord. J'apporte tout de suite les boissons.
Émilie : * ?
René : Non, c'est la première fois. Ah, voilà notre commande. Le service est
       rapide.
Émilie : C'est bon, dis donc ! Tu prends un dessert ?
René : Non, pas de dessert pour moi, je n'ai pas le temps. *

Questions

     1. Où est la table d'Émilie et René ?
     2. Que mange René ?
     3. Quelle boisson prend Émilie ?
     4. Que veut dire l'**addition** ?
     5. Quels sont les plats dans un repas ?

❯ RENDEZ-VOUS AU COIN CAFÉ

café
COIN

Expliquer une recette
Mélanger les ingrédients, cuire le poulet, couper le pain, mettre le plat au four,
laver les fruits, éplucher les légumes

Parler de la nourriture
Manger du poisson, de la viande, des légumes
Consommer des aliments sains
Boire des jus de fruits, du café
Prendre un verre, le déjeuner

Commander un plat au restaurant
– Qu'est-ce que vous voulez comme entrée,   – Je voudrais un café, une salade,
   plat principal, dessert, boisson ?   un jus d'orange, s'il vous plaît.
– Garçon, l'addition s'il vous plaît !   – Oui, bien sûr.
– Qu'est-ce que vous me recommandez ?   – Ici, tout est bon.
– Quelle est la spécialité de la maison ?   – Le bœuf bourguignon.

Exprimer la quantité
– Tu prends du vin ?   – J'en prends un verre.
– Vous mangez des gâteaux ?   – J'en mange parfois.

Dire si on est en forme ou pas
– Est-ce que vous êtes en forme ?   – Ah oui, je suis en forme.
– Est-ce que vous êtes en bonne santé ?   – Oui, je suis en bonne santé.
– Tu fais un régime ?   – Oui, je dois perdre quelques kilos.
– Vos enfants font de la gymnastique ?   – Oui, ils en font à l'école.

1. En utilisant l'impératif, donnez des conseils pour :

Être en forme

Faire du sport

Bien dormir

Manger sainement

Boire du vin de temps en temps, mais pas trop

Être actif

Faire des promenades dans la nature

Bien cuisiner

Acheter des produits frais

Choisir de la viande de bonne qualité

Choisir des légumes bio

Ne pas prendre de boîtes de conserve

Éviter les plats surgelés

Planifier des repas équilibrés

2. Vous aidez un nouvel étudiant de votre université à s'adapter. Donnez-lui des conseils sur ce qu'il peut ou ne peut pas faire.

Ne pas s'absenter des cours

Remettre les travaux à temps

Participer à des activités sur le campus

Etc.

3. Vous êtes en période d'examen et un de vos amis est stressé. Donnez-lui des conseils pour se détendre.

Faire une promenade le soir, etc.

4. Répondez aux questions suivantes.

1. Mangez-vous des légumes verts? Beaucoup?
2. Préférez-vous les légumes verts ou les légumes rouges?
3. Combien de yaourts prenez-vous par jour?
4. Aimez-vous les produits laitiers?
5. Choisissez-vous du poisson ou de la viande?
6. Quelle quantité de bière ou de vin buvez-vous par jour? Par semaine?

5. Lisez le dialogue et posez les questions à votre voisin.

Jérémie : Dans ma famille, tout le monde adore cuisiner. Il y a toujours une quantité incroyable de nourriture.

Patrick : Chez nous, c'est tout le contraire. Toujours des plats surgelés, de la nourriture rapide. Tu cuisines, toi aussi?

Jérémie : Mais bien sûr, j'adore ça! C'est tellement créatif de mélanger quelques produits, de voir et de goûter le résultat. Mais viens ce soir, tu vas voir.

Patrick : Super, avec plaisir!

Questions

1. Qui fait la cuisine chez vous?
2. Décrivez le genre de repas que vous prenez dans votre famille.

⟩ JEUX DE RÔLES

1. Vous appelez votre ami pour lui indiquer l'itinéraire à suivre pour venir chez vous. Utilisez l'impératif.

Prendre l'autoroute 20.

Prendre la sortie « centre-ville ».

Continuer tout droit.

Tourner à droite au premier feu.

Traverser le petit pont.

Après le premier carrefour, entrer dans le stationnement de l'immeuble 78.

Se garer dans le stationnement réservé aux visiteurs.

Sonner à l'appartement 598.

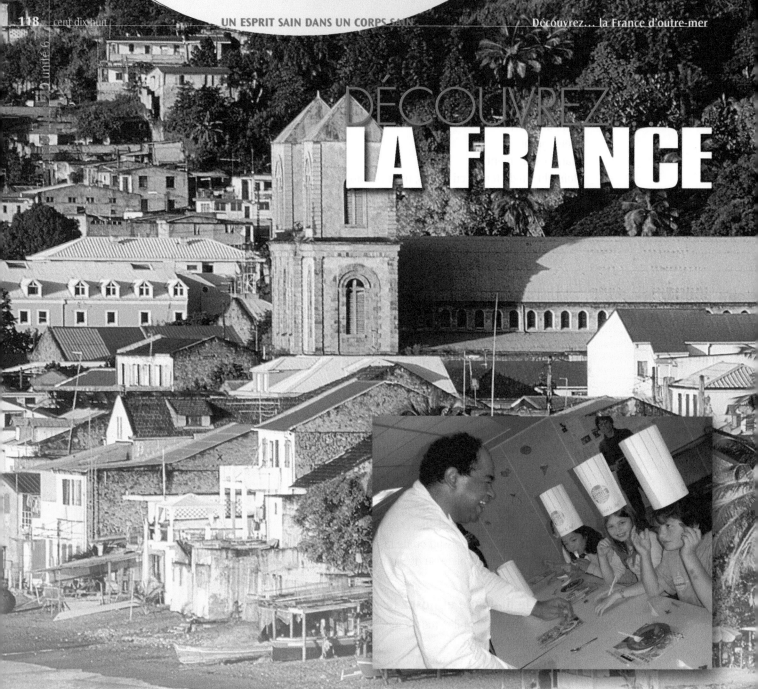

DÉCOUVREZ LA FRANCE

La Semaine du goût dans les écoles

On dit souvent de la France que c'est le royaume du «bien-manger». Depuis 1990, les Français, petits et grands, gourmands et gourmets, les chefs, les institutions se retrouvent à l'occasion de la Semaine du goût, qui a lieu au début du mois d'octobre. C'est Jean-Luc Petitrenaud et la Collective du Sucre qui sont à l'origine de cette initiative. L'objectif de la Semaine du goût est d'informer les consommateurs sur les aliments sûrs, d'étudier les comportements alimentaires et de retracer l'histoire des aliments. Les agriculteurs essaient d'informer et d'éduquer les consommateurs, de les encourager à mieux connaître la richesse des aliments, des produits et des recettes de leur patrimoine. Le ministère de l'Éducation nationale organise également des animations ludiques et pédagogiques. C'est l'occasion pour les enfants et les jeunes de découvrir ou redécouvrir le patrimoine culinaire français. On transmet ainsi les valeurs gastronomiques aux enfants. Le public découvre des produits, déguste, essaie de nouvelles recettes, apprend à connaître les traditions gastronomiques ou les savoir-faire des provinces ou régions. Diverses manifestations sont organisées dans les hôpitaux, les restaurants, les marchés et même au Sénat. La Semaine du goût est devenue un temps fort dans la vie des Français. On participe à cette semaine pour réfléchir au plaisir de bien manger, car le goût s'éduque et se cultive en tout temps.

D'OUTRE-MER

Le créole

Le créole français est parlé en Louisiane, en Haïti, à la Guadeloupe, à la Martinique, à la Dominique, à Sainte-Lucie, en Guyane, à La Réunion, à l'île Maurice, à l'île Rodrigues et aux Seychelles. Le terme «créole» provient du portugais *crioulo* ou *criolo* passé au français par l'intermédiaire de l'espagnol et est dérivé vraisemblablement du participe passé *criado* du verbe *criar* (latin *creare*) signifiant «élevé dans le foyer du maître, domestique». Dans les Amériques, ce terme prit d'abord le sens d'enfant né aux colonies de parents européens. Son sens s'élargit pour se référer : 1) aux Noirs nés dans les colonies américaines opposés à ceux qui étaient originaires de l'Afrique […], 2) à tout métis opposé aux purs Blancs ou Noirs. […] Il est important de noter que dans le contexte des colonies américaines (Antilles incluses), cette variété de langue était considérée comme un idiome assurant tous les besoins communicatifs et expressifs de ses locuteurs et non pas limité à certains emplois transitoires.

Source: VALDMAN, Albert. *Le créole, structure, statut et origine*, Paris, Éditions Klincksieck, 1978, p. 10-11.

Le créole haïtien est sans doute le créole le plus parlé puisqu'à la population de l'île s'ajoute une diaspora importante (près d'un million d'Haïtiens vivent hors d'Haïti). Même si le créole haïtien est reconnu comme langue nationale par la Constitution de 1983 et qu'il est la langue d'usage courant dans la totalité de la population, son statut demeure minoré face à celui du français, langue des classes supérieures.

Source: CHAUDENSON, Robert. *Les créoles*, coll. Que sais-je?, Paris, PUF, 1995, p. 96.

MARTINIQUE

GUADELOUPE

Fort Saint-Louis

D'ICI ET D'AILLEURS

Français de la Martinique et de la Guadeloupe	Français standard
pas ni problème (Martinique)	pas de problème
habiter contigu	avoir son logement à côté
une bête-longue	un serpent
maman d'l'eau	merveilleux

RÉDIGEZ...

... DES COMMENTAIRES SUR UN ARTICLE

Lisez l'article ci-dessous et répondez aux questions suivantes.

Comment manger?

«La diversité, la simplicité, l'authenticité»

La **diversité** compte pour beaucoup dans la qualité de l'alimentation. En mangeant varié, on a un maximum de chances de recevoir tous les nutriments importants pour le corps et de les utiliser dans les meilleures conditions.

La **simplicité** constitue aussi l'une des clés d'une alimentation réussie. Manger sain, c'est manger simple. On peut cuisiner savoureux mais léger, en limitant les graisses ajoutées et en adoptant des cuissons douces.

L'**authenticité** est essentielle. Préférez toujours des aliments peu transformés, ou élaborés à partir de matières premières bien identifiées. Résistez à la facilité et cherchez ce que vous voulez. C'est comme cela qu'on éduque son goût. Il n'est jamais trop tard pour apprendre à bien se nourrir.

Source: Santé magazine, septembre 2002, n° 309, p. 58.

Questions

1. Quels sont les trois impératifs d'une saine alimentation?
2. Faites une liste d'aliments ou de plats correspondant à chaque paragraphe de l'article.
3. Écrivez une lettre à l'auteur de cet article. Donnez votre opinion sur ses conseils et ajoutez vos conseils personnels. Utilisez l'impératif et le vocabulaire du Coin café: manger du poisson, être en forme, être en bonne santé, consommer des aliments sains, etc.

VOCABULAIRE DE L'UNITÉ 6

Noms

addition, f.	cuisine, f.	glaçon, m.	pois, m.	santé, f.
aliment, m.	diététique, f.	glucide, m.	poisson, m.	semoule, f.
baguette, f.	dinde, f.	haricot, m.	pomme, f.	soja, m.
banane, f.	eau minérale, f.	huile, f.	pomme de terre, f.	sucre, m.
beurre, m.	entrée, f.	lait, m.	poulet, m.	talent, m.
bière, f.	exposition, f.	lipide, m.	produit laitier, m.	tarte, f.
boisson, f.	farine, f.	nourriture, f.	protéine, f.	tomate, f.
boulangerie, f.	féculent, m.	pain, m.	quantité, f.	verre, m.
brocoli, m.	frite, f.	pâté, m.	recette, f.	viande, f.
chou, m.	fromage, m.	pâtes, f.	riz, m.	vin, m.
crème, f.	gâteau, m.	plat, m.	salade, f.	yaourt, m.

Verbes et locutions

arrêter	consommer	frire	mettre
avoir besoin de	couper	goûter	permettre
avoir envie de	créer	grossir	planifier
avoir l'air de	dire	lire	réfléchir
avoir le temps de	éplucher	maigrir	réserver
avoir peur de	éviter	manger	se préparer
commander	féliciter	mélanger	transmettre

Adjectifs

fort / forte
gazeux / gazeuse
plat / plate
sain / saine
tranquille

BILAN DU MODULE 2

Vanessa, mon amie belge, est vraiment sympa. Elle va organiser une fête pour mon anniversaire. Je vais avoir vingt-deux ans. Nous allons inviter tous nos amis de la fac et nous voulons préparer un vrai repas, pas les plats vite faits des soirées d'étudiants habituelles. Je vais faire de la mousse au chocolat. Je vais en préparer beaucoup. C'est très simple : je prends 150 grammes de chocolat et je les laisse fondre dans une casserole avec un peu d'eau. J'ajoute ensuite un sachet de sucre vanillé, puis quatre jaunes d'œuf et le blanc battu en neige. Je mets au frigo de six à huit heures. C'est très facile et c'est délicieux. Vanessa, sa spécialité, c'est le bœuf bourguignon. C'est de la viande de bœuf avec du vin rouge.

Anne : Tiens Carine !

Carine : Ça y est, j'ai apporté de la salade. J'ai préparé du riz et des légumes et j'ai acheté du vin. Et qui va t'aider pour arranger l'appart* ?

Anne : Antoine, voyons ! Le voilà. Bonjour, Antoine ! Tu peux m'aider ? Prends ces sacs et pose-les dans la cuisine. Ensuite, veux-tu sortir tous les meubles du salon ? Nous allons faire la fête !

Antoine : Où est Vanessa ?

Anne : Elle est partie en ville finir les courses. Nous voulons beaucoup de boissons : du rhum pour faire du punch, des jus de fruits et de la limonade.

Antoine : Eh bien, je vais l'aider à porter tout ça.

Anne : Bonne idée ! Tourne à droite dans la rue Saint-André et tu vas la retrouver à l'épicerie, en face de la banque.

Antoine : J'y vais ! À tout à l'heure.

Il est déjà 5 heures. Mes amis vont arriver dans deux heures. J'ai un peu de temps. Je vais finir de mettre la table plus tard.

J'adore ma vie d'étudiante. Mes amis sont sociables et je peux compter sur eux. Je n'aime pas trop le froid, mais je fais du ski et du patin à glace. On ne peut pas rester enfermés tout l'hiver, alors je sors et je prends des leçons : les leçons de ski, c'est Carine qui me les donne, et le patin, c'est Jean-Christophe. Mes cours à la fac sont très intéressants. J'étudie l'architecture, l'art, l'espagnol, la philosophie et la littérature canadienne. Je m'intéresse à la culture en général. L'année prochaine, je vais peut-être aller en Argentine étudier à l'Université de Buenos Aires. Si j'y vais, je vais suivre des cours de littérature espagnole.

Finis le ski et le patin. Je vais pouvoir reprendre la natation et les autres activités de l'été.

Bon, allez, il est déjà 7 heures. Voilà nos amis qui arrivent.

---

*Appart : diminutif de **appartement**.

COMPRÉHENSION DU TEXTE

1. Répondez aux questions suivantes.

a) À quelle heure la fête doit-elle commencer ?

b) Quel âge Anne a-t-elle ?

c) Quels sont les projets d'Anne pour l'année prochaine ?

d) Qu'est-ce qu'elle aime de sa vie d'étudiante à Québec ?

VOCABULAIRE

1. Faites des phrases en reliant les éléments des deux colonnes.

1. Pour faire des crêpes,	a) mettre la table maintenant.
2. Où est-ce que	b) créer un centre culturel pour les jeunes.
3. Où	c) il faut des œufs, du lait et de la farine.
4. Tu dois	d) vivre au Sénégal l'année prochaine.
5. Benoît va	e) tu habites ?
6. Nous allons	f) Révise bien tes leçons !
7. Tu veux avoir de bonnes notes ?	g) étudiez-vous ?

2. Donnez le contraire de chaque mot.

a) à droite

b) devant

c) en face de

d) sur

e) près de

3. Utilisez trois des prépositions de l'exercice 2 dans une phrase.

GRAMMAIRE

1. Relevez tous les verbes à l'impératif dans le texte de la page 121.

Singulier :

Pluriel :

2. Relevez tous les pronoms personnels y, l', la, les apparaissant dans le texte. Trouvez les mots qu'ils remplacent.

3. Remplacez les mots en caractères gras par des pronoms, puis mettez les phrases au passé composé.

a) Nous allons préparer **le repas d'anniversaire**.

b) Vanessa est **en ville**.

c) Elle fait **des courses**.

d) Je suivrai **des cours de littérature espagnole**.

e) J'étudie **la littérature canadienne**.

f) On va apporter **les boissons**.

4. Relevez les questions posées dans le texte. Formulez ces questions de deux autres manières.

5. Faites des phrases avec les éléments suivants.

a) au marché – on – œufs – du – poulet – des – et – vend

b) Anne – prend – des – ski – leçons – de

c) ils – patience – beaucoup – ont – de

d) nous – conférence – suivons – l'éducation – une – sur

e) peuvent – adolescents – le – jusqu'à – dimanche – dormir – midi – les

6. Transformez les phrases suivantes au futur avec **aller**.

a) Je partage un grand appartement avec Vanessa.

b) Nous invitons les amis de la fac.

c) Nous discutons de politique.

d) En février, on est dans la rue pour admirer le Carnaval de Québec.

e) Le soir, Anne et Vanessa vont chez « Flo ».

7. Relevez les verbes au futur avec **aller** dans le texte.

EXPRESSION ORALE

1. Par groupes de deux, parlez de sports, de loisirs ou d'activités que vous connaissez. Faites la liste des qualités nécessaires pour bien pratiquer ces sports.

Pour faire du hockey, il faut de la précision, de la technique, etc.

2. Parlez de votre expérience avec un colocataire : vos habitudes, les repas, etc.

EXPRESSION ÉCRITE

1. Sur le modèle du dialogue, parlez de votre dernier anniversaire. Utilisez le passé composé.

2. Vous organisez un pique-nique. Combien de personnes allez-vous inviter ? Qu'est-ce que vous préparez ? Faites le menu. Donnez la recette d'une de vos spécialités.

Hier, c'est du passé

Et la vie, ça va ?

Objectifs communicatifs

Exprimer son opinion

Exprimer son accord / son désaccord

Parler de ses activités

Exprimer la fréquence

Demander / Dire où on va

Demander / Donner la direction

Se situer et localiser un objet

Proposer / Prendre un rendez-vous

Parler au téléphone / Laisser un message

Sommaire

La
routine

piste 1   Tia et Mélanie sont à l'université. Mélanie est songeuse.

Tia: Salut Mélanie. Tu vas bien?

Mélanie: Non. Tu as lu les journaux? Le gouvernement a augmenté les frais de scolarité!

Tia: C'est pour ça que je ne lis pas les journaux.

Mélanie: Tu regardes au moins les infos à la télé?

Tia: La télé? Non, je n'ai pas le temps. Et je n'écoute pas non plus la radio. J'ai des cours tous les jours: du lundi au vendredi, de 8 heures et demie à 2 heures et demie. Et après, je reste à la bibliothèque jusqu'à 10 heures du soir. Je travaille sans arrêt.

Mélanie: Tu exagères! Tu n'es pas organisé, c'est tout.

Tia: C'est facile à dire...

Mélanie: Bon, changeons de sujet... Qu'est-ce que tu fais ce week-end?

Tia: Je ne sais pas. Pourquoi?

Mélanie: Tu veux sortir avec moi? Il y a une nouvelle discothèque.

Tia: Oui, allons danser. C'est une excellente idée! On prend ma voiture?

Mélanie: Oui, on peut la prendre. Mais seulement si on ne boit pas. (*Sonnerie de téléphone*) Attends! Je réponds, c'est Vincent! Allô, oui, il est là.

Pendant ce temps...

 Caroline et Patrick sont au bureau. Le téléphone sonne. Patrick répond.

Patrick :	Centre francophone, bonjour !
Christophe :	Bonjour Patrick. C'est Christophe à l'appareil. Est-ce que je peux parler à Caroline ?
Patrick :	Oui, un instant. Caroline, c'est pour vous. C'est votre mari.
Caroline :	Bonjour chéri, comment ça va ? Tu n'oublies pas d'aller chercher...

(*Le téléphone sonne de nouveau.*)

Patrick :	Centre francophone, bonjour !
Mᵐᵉ Delpêche :	Je voudrais parler à Mᵐᵉ Dupuis.
Patrick :	C'est de la part de qui ?
Mᵐᵉ Delpêche :	C'est Mᵐᵉ Delpêche, du ministère de la Culture.
Patrick :	Voulez-vous patienter un instant ? Elle est au téléphone. (*À Caroline*) Caroline, excusez-moi. C'est Mᵐᵉ Delpêche. Je vous prépare son dossier.
Caroline :	(*À Christophe*) Chéri, je dois te laisser. J'ai un appel important. (*À Mᵐᵉ Delpêche*) Bonjour Mᵐᵉ Delpêche. J'ai essayé de vous joindre tout à l'heure. Vous avez reçu mon message ?
Mᵐᵉ Delpêche :	Oui, oui. Nous devons nous rencontrer. Est-ce que vous êtes libre mercredi après-midi à 14 heures ? Le PDG de la Société Arts.com va venir lui aussi.
Caroline :	Mercredi, 14 heures, c'est parfait.
Mᵐᵉ Delpêche :	À mercredi, et n'oubliez pas le dossier. Au revoir.
Caroline :	Au revoir.

PDG : Président-directeur général

OBSERVEZ ET EMPLOYEZ LES STRUCTURES

1 LES TEMPS DES VERBES

Verbes	Présent (maintenant, aujourd'hui)	Passé composé (hier, le mois dernier)	Futur avec aller (demain)	Impératif
Être	Je suis	J'ai été	Je vais être	Sois, soyons, soyez
Avoir	J'ai	J'ai eu	Je vais avoir	Aie, ayons, ayez
Aimer (verbe en er)	J'aime	J'ai aimé	Je vais aimer	Aime, aimons, aimez
Aller	Je vais	Je suis allé / allée	Je vais aller	Va, allons, allez
Faire	Je fais	J'ai fait	Je vais faire	Fais, faisons, faites
Prendre	Je prends	J'ai pris	Je vais prendre	Prends, prenons, prenez
Venir	Je viens	Je suis venu / venue	Je vais venir	Viens, venons, venez

 exercices écrits

1.1 Complétez les questions avec les verbes être, avoir, aimer, s'appeler ou travailler, puis posez-les à un autre étudiant.

1. Comment tu *?
2. Tu * quel âge?
3. Quelle * ta profession?
4. Où *-tu?
5. Qu'est-ce que tu * faire pour tes loisirs?
6. Tu * combien de cours?
7. Est-ce que tu * le week-end?

1.2 Mettez les phrases de l'exercice 1.1 à la deuxième personne du pluriel.

2 exercice oral

1.3 Complétez les phrases avec les verbes avoir, être ou s'appeler au présent, puis jouez à deux.

– Comment tu *?
– Mon nom *.
– Quelle * ta nationalité?
– Je * belge.
– Tu * un frère ou une sœur?
– J'* une sœur.

– Elle * mariée?
– Non, elle * célibataire.
– Elle * quel âge?
– Elle * 25 ans.
– Vingt-cinq ans? Elle * un petit ami?

 exercice écrit

1.4 Répondez aux questions par la forme négative.

1. Est-ce que ton père travaille à l'hôpital?
2. Avez-vous un chien ou un chat?
3. Tu parles plusieurs langues?
4. Aimes-tu les gâteaux au chocolat?
5. Ton amie est gentille?

2 exercice oral

1.5 Complétez les questions avec les verbes appropriés, puis posez-les à un autre étudiant.

manger   aimer   habiter   parler   pratiquer   avoir

1. Est-ce que vous * plusieurs langues?
2. Tu * les animaux?

3. ✳-vous un sport? Quel sport?
4. Est-ce que vous ✳ dans un appartement?
5. Tu ✳ lire les journaux?
6. Il fait chaud. Tu n'✳ pas soif?
7. Vous ✳ de la salade?

1.6 Complétez les phrases avec les verbes appropriés.

écrire	pouvoir	lire	savoir	dormir	recevoir
prendre	devoir	vouloir	mettre	passer	envoyer

1. Est-ce que tu ✳ comment utiliser ce logiciel?
2. Vous ✳ votre petit-déjeuner à quelle heure?
3. Je ✳ une heure pour aller chez mes parents.
4. Elles aiment beaucoup les livres. Elles ✳ tous les soirs.
5. Madame, vous ne ✳ pas fumer ici.
6. Quand est-ce que vous ✳ partir? Samedi ou dimanche?
7. Demain, nous ✳ l'examen à 8 heures.
8. Le directeur ✳ un message urgent à ses collègues.
9. Nous ✳ une lettre de remerciements à notre professeur.
10. Chut! Le bébé ✳.
11. Attention, jeune homme, vous ✳ attacher votre ceinture de sécurité.
12. Il ✳ apprendre la conjugaison des verbes.

1.7 Mettez les verbes et leurs sujets au singulier.

1. Vous pouvez répéter s'il vous plaît?
2. Vous dormez sept heures ou six heures par nuit?
3. Elles lisent des romans de science-fiction?
4. Nous ne comprenons pas ces mots.
5. Nous voyons souvent nos amis.
6. Le matin, vous buvez du lait?
7. Nous achetons de la glace au chocolat.
8. Organisez-vous une fête à la fin de l'année?
9. Les professeurs reçoivent des courriels des étudiants.

▶ ② L'INTERROGATION

2.1 Posez les questions avec **est-ce que**, puis en faisant l'**inversion**, comme dans l'exemple.

Jouer au tennis   ***Est-ce que** vous jouez au tennis?*   ***Jouez-vous** au tennis?*

1. Travailler le week-end
2. Parler le chinois
3. Jouer du piano
4. Acheter des fleurs à tes parents
5. Avoir un chien

2.2 Complétez les questions avec **où, quand, comment, quel, quelle** ou **quelles**. Posez ensuite les questions à un autre étudiant et notez ses réponses.

1. ✳ est ta nationalité?
2. ✳ tu t'appelles?
3. ✳ âge as-tu?
4. ✳ habites-tu?
5. ✳ sont tes coordonnées?
6. ✳ heure est-il?
7. ✳ temps fait-il?
8. ✳ pars-tu en vacances?
9. ✳ est ton émission préférée?
10. ✳ vas-tu après le cours?

exercice écrit

2.3 Complétez les questions avec qu'est-ce que ou est-ce que.

1. ＊ tu vas faire demain?

2. ＊ vous utilisez l'ordinateur tous les jours?

3. ＊ tu aimes faire?

4. ＊ vous voulez faire plus tard?

5. ＊ vous buvez du vin?

6. ＊ c'est ça?

2.4 Associez chaque question à la bonne réponse.

1. Il vient d'où?

2. Quelle est sa profession?

3. Elles vont où?

4. Quel est votre numéro de téléphone?

5. Vous êtes étudiante en quoi?

6. Tu connais le nouveau stade?

7. Vous avez le temps pour un sondage?

8. Tu habites dans une grande ville?

9. Comment tu t'appelles?

10. Vous prenez le métro ou le bus?

a) C'est le 614 327-5814.

b) Louis Vermont

c) De France

d) Le métro

e) Il est architecte.

f) Au cinéma

g) Non, je ne le connais pas.

h) Non, j'habite dans une petite ville.

i) En chimie

j) Oui, j'ai cinq minutes.

2 exercice oral

2.5 Complétez les phrases avec les mots appropriés, puis jouez à deux.

lire   aller   faire   il y a   un mot interrogatif   une préposition   est-ce que   un article   où

– Qu'＊ tu fais ce week-end?

– Oh, je ＊ ＊ ＊ bibliothèque.

– Tu vas ＊?

– À la bibliothèque, j'aime beaucoup ＊ .

– Tu ne ＊ pas ＊ Mylène? ＊ une fête chez elle.

– Oh non, elle habite trop loin.

3 LES PRONOMS TONIQUES

exercice écrit

3.1 Complétez les phrases avec les pronoms toniques approprié (moi, toi, lui, elle, nous, vous, eux)

1. Allô! Bonjour Valérie, tu es où?   – Je suis en ville. Et ＊?

2. Nous, nous sommes très contents, mais ＊, ils sont tristes.

3. Lui, il est très paresseux, mais, ＊, elle est travailleuse.

4. Non, ＊, ils n'ont pas de voiture. Ils sont très écolos.

5. ＊, vous êtes toujours à l'heure.

4 LES VERBES RÉPÉTER, PRÉFÉRER, ETC.

exercice écrit

4.1 Complétez les phrases avec les verbes appropriés.

répéter   posséder   célébrer   préférer

1. Les enfants aiment la montagne, mais ils ＊ la mer.

2. Les Bouchard ＊ leur 25ᵉ anniversaire de mariage.

3. La Colombie ＊ des mines de charbon, d'or, d'argent, de fer, de platine et de sel.

4. Les enfants ＊ après le professeur.

5 HABITER EN/AU + PAYS

exercice écrit

5.1 Faites des phrases complètes comme dans l'exemple.

Piedro / Espagne / Madrid / sympa   *C'est **Piedro**. Il est **espagnol**. Il parle **espagnol**. Il habite en **Espagne**, à **Madrid**. C'est un garçon très **sympa**.*

1. Li / Chine / Beijing / sérieuse

2. Jennifer / États-Unis / Washington / sociable

3. Michel / Canada / Laval / paresseux

4. Vadym / Russie / Moscou / intelligent

5. Martha / Pologne / Varsovie / travailleuse

6. Onkar / Inde / Delhi / courageux

6 ALLER + À, AU, À LA, À L', AUX

exercice écrit   **6.1 Faites des phrases complètes comme dans l'exemple.**

*Elles * café.*   *Elles **vont au** café.*

1. Je * Montréal.
2. Julie et moi * banque.
3. Il * musée.
4. Nous * stade.

5. Tu * États-Unis.
6. Vous * hôtel.
7. Ils * Pays-Bas.

7 LES VERBES PRONOMINAUX

exercice écrit   **7.1 Complétez les questions avec les verbes appropriés, puis posez-les à un autre étudiant.**

> se doucher   se coucher   s'habiller   se lever
> se raser / se maquiller   se réveiller   se promener

1. À quelle heure vous * le soir ? Et à quelle heure vous * ?
2. Vous * le matin ou le soir ?
3. Vous * tous les jours ?
4. Vous * avant de prendre votre petit-déjeuner ?
5. Le week-end, vous * tôt ou tard ?
6. En général, vous * au bord du lac ou en ville ?

2 exercice oral   **7.2 Complétez les phrases avec les verbes appropriés, puis jouez à deux.**

> ne pas se raser   ne pas se brosser   se lever   se reposer
> ne pas s'habiller   ne pas se doucher

– Qu'est-ce que tu fais de ton temps libre?
– Rien. Je *. Je * à midi. Je *. En général, je * les dents. J'aime rester en pyjama, alors je *. Je ne *.
– Et tu ne manges pas non plus?
– Non, c'est le repos total.

8 LES VERBES SAVOIR ET CONNAÎTRE

exercice écrit   **8.1 Complétez les phrases avec les verbes savoir ou connaître.**

1. Est-ce que tu * où habite Vincent?
2. Je * les amis de Margot.
3. Vous * pourquoi elle n'est pas contente?
4. Tu * tes voisins?
5. Est-ce que tu * où est la gare?
6. C'est formidable! Maintenant, je * lire en français.
7. Est-ce que tu * mon adresse? Oui, je * où tu habites.

9 L'ACCORD DE L'ADJECTIF

exercice écrit   **9.1 Accordez les adjectifs. Attention à la place de certains adjectifs!**

1. Madame Dubois habite dans une maison (petit).
2. Ma sœur est toujours (heureux).
3. Cette fille est (sportif).
4. 39/100, c'est une note (mauvais).
5. Vanessa est vraiment (généreux).
6. Elles ont des amis (chinois).

7. Quelle journée (beau) !

8. Ces étudiants sont (chaleureux, sympathique et intelligent).

9. C'est l'histoire de deux actrices (brun), (grand) et (joli).

10. Ces histoires sont (amusant).

10 LES ADJECTIFS POSSESSIFS

exercice écrit **10.1 Lisez le texte, puis écrivez un autre texte sur le même modèle en changeant les adjectifs possessifs.**

L'homme bleu

Je m'appelle Lyon Bleu. J'ai les yeux bleus et j'aime la couleur bleue. Chez nous, tout est en bleu. Notre maison, notre sofa, nos chaises, notre table sont bleu foncé. Mon lit, mes draps, mes assiettes, mes tasses, mes verres sont bleu clair. Mon ordinateur, mon stylo, mon crayon et mon téléphone sont bleus. Dans mon armoire, tout est bleu aussi : mes chemises bleu ciel, mes pantalons bleu marine, ma cravate et mon chapeau bleu de roi. Ma montre est bleu foncé. Mon fromage préféré, c'est le bleu d'Auvergne. Mon histoire préférée, c'est l'histoire du Nil bleu. Tous les matins, j'admire la nature parce que le ciel, la mer, le jour et la nuit sont aussi bleus.

11 LES PARTITIFS

exercice écrit **11.1 Complétez les phrases avec du, de la, des, de l', le ou la.**

– Tu veux ✳ café ou ✳ thé?

– Du thé, s'il te plaît. Je n'aime pas ✳ café.

– C'est l'adresse ✳ médecin?

– Non, c'est l'adresse ✳ infirmière.

– Au petit-déjeuner, tu prends ✳ pain ou ✳ céréales?

– Il fait froid. Il y a ✳ neige partout.

– Ils boivent de ✳ bière, mais ils détestent ✳ vin.

12 L'IMPÉRATIF

exercice écrit **12.1 Transformez les phrases en utilisant le verbe à l'impératif.**

Tu dois répondre à la question. ***Réponds*** *à la question.*

1. Vous devez fermer la porte.

2. Tu dois finir tes devoirs.

3. Vous devez étudier le français tous les soirs.

4. Tu dois téléphoner à tes parents.

5. Nous devons partir tôt.

6. Vous devez manger des légumes.

7. Pierre, tu dois dire merci à la dame.

13 LES ADJECTIFS DÉMONSTRATIFS

exercice écrit **13.1 Complétez les phrases avec un adjectif démonstratif.**

1. Tu vois ✳ magasin, en face de la gare ?

2. ✳ après-midi, je vais au supermarché.

3. ✳ jeune fille est déjà prof à l'université.

4. Pardon, ✳ livres sont à toi ?

5. ✳ hôtel est magnifique.

6. C'est décidé. ✳ été, je pars en France.

🔢14 MOI AUSSI, MOI NON PLUS

14.1 Répondez aux questions en utilisant moi aussi ou moi non plus.

1. Je n'aime pas le tennis, et toi?
2. Je déteste la bière, et toi?
3. Elle n'est pas étudiante, et vous?
4. Je ne suis pas canadienne, et toi?
5. Je n'aime pas l'opéra, et toi?

🔢15 SI, NON

15.1 Répondez aux questions par non ou par si.

1. Vous n'êtes pas indien?
2. Tu n'as pas de dictionnaire anglais-français?
3. Vous ne parlez pas anglais?
4. Tu n'aimes pas le chocolat?
5. Vous n'avez pas de voiture?

🔢16 LE FUTUR AVEC ALLER + INFINITIF

16.1 Mettez le texte au futur en utilisant aller + infinitif.

Madame,

Merci de votre invitation. Nous venons chez vous en juillet. Nous fêtons l'anniversaire de notre fils avec vous. Il a un an. Nous apportons le gâteau et le champagne. Nous nous promenons dans la forêt. Nous pouvons respirer l'air pur.

Nous nageons aussi dans le lac. Nous apportons également des tentes. Les enfants dorment dans le jardin sous la tente. Nous restons chez vous seulement quatre jours. Voici notre nouveau numéro de téléphone : 614 683-5982.

Merci encore une fois de votre invitation.

🔢17 LE PASSÉ COMPOSÉ

17.1 Mettez le texte au passé composé.

Pour les vacances d'hiver, je vais à Miami. J'arrive à 9 heures du matin. Je prends une chambre dans un hôtel super au bord de la mer. Je prends un café et je sors pour visiter la ville. Je rencontre une amie par hasard. Nous nous promenons et nous allons au restaurant à midi. L'après-midi, je retourne à mon hôtel. Je lis un peu. Ensuite, je nage et je m'allonge au soleil. Le soir, je vais dans une discothèque.

17.2 Mettez les questions au passé composé, puis posez-les à un autre étudiant.

1. Est-ce que tu vas au théâtre?
2. Vous comprenez?
3. Tu ne fais pas le ménage?
4. Est-ce que vous arrivez en retard?
5. Tu ne réponds pas aux questions?

6. Tu ne viens pas au rendez-vous?
7. Est-ce que vous devez annuler vos vacances?
8. Tu sors à 19 h?

17.3 Répondez aux questions comme dans l'exemple.

Pourquoi tu n'as pas cherché de travail? Je n'ai pas cherché de travail parce que je ne veux pas travailler. Je veux partir en vacances.

1. Pourquoi vous n'avez pas téléphoné?
2. Pourquoi tu n'as pas pris le métro?
3. Pourquoi tu n'as pas fini tes devoirs?

4. Pourquoi vous avez acheté ce jean?
5. Pourquoi tu n'as pas révisé tes leçons?

18 LES PRONOMS COD : LE, LA, LES

18.1 Répondez aux questions en remplaçant les mots en caractères gras par le, la ou les.

1. Tu regardes **la télé** le matin ou le soir?
2. Vous prenez **le bus** tous les jours?
3. Tu révises **tes leçons** tous les soirs?
4. Vous avez invité **vos amis**?

5. Est-ce que tu acceptes **cette invitation**?
6. Tu trouves **ce film** intéressant?
7. Vous avez pris **votre petit-déjeuner**?

19 LES PRONOMS EN ET Y

19.1 Répondez aux questions en remplaçant les mots en caractères gras par en ou y.

1. Vous avez **des cours** tous les jours? Oui, *.
2. Tu vas souvent **au cinéma**? Oui, *.
3. Elles ont **des amies américaines**? Non, *.
4. Tu habites **à Genève**? Oui, *.
5. Tu as **un portable**? Oui, *.
6. Vous avez **des sœurs**? Non, *.
7. Ils vont **au bureau de poste**? Oui, *.
8. Vous voulez **du chocolat**? Non, *.

APPRENEZ DE NOUVEAUX MOTS

› C'EST DANS LE DIALOGUE

 exercices écrits

1. Masculin ou féminin?

Relisez les dialogues des pages 126 et 127 et indiquez le genre des mots suivants.

1. journal	5. idée	9. dossier
2. gouvernement	6. mari	10. appel
3. radio	7. ministère	11. message
4. cours	8. culture	12. PDG

2. Transformez les verbes en noms.

1. lire	3. sortir	5. boire
2. organiser	4. exagérer	6. rencontrer

3. Choisissez cinq mots des exercices 1 ou 2 et écrivez deux phrases comme dans l'exemple.

*Vous avez un **appel**. Nous **organisons** la réunion sur la **culture**.*

› **1** LE TRAVAIL

Noms	Profession et activités	Verbes
un clavier	l'assistant	analyser
un contrat	le chef du département	créer
un dossier	le commerce	diriger l'entreprise
un logiciel	le directeur	écrire un courriel
un marché	l'économie	étudier
un message	la finance	recevoir les clients
un ordinateur	le PDG	rechercher
une publicité	le représentant	répondre au téléphone

 exercices écrits

1.1 Associez les verbes aux bonnes professions. Il y a plusieurs possibilités.

1. diriger	a) le chercheur
2. vendre	b) le directeur
3. écrire un courriel	c) le représentant
4. créer	d) l'assistant
5. répondre au téléphone	e) le directeur artistique
6. rechercher	

1.2 Complétez le texte avec les mots appropriés.

> dossiers   représentants   réunion   entreprise   diriger   contrat   publicité   projet

Madame Bernard est très occupée aujourd'hui. Elle est arrivée au bureau à 8 heures pour préparer la ✳. Il faut aménager la salle de conférence et photocopier les ✳. C'est un jour très important pour l'✳, madame Bernard va rencontrer le directeur pour signer un nouveau ✳. Les assistants, les directeurs, les ✳, tout le monde a travaillé sur ce ✳. La ✳ est presque prête. Le PDG lui-même va ✳ la réunion.

module 3 · unité 7

1.3 **Trouvez les mots qui correspondent aux abréviations suivantes.**

1. prof
2. info
3. PDG
4. appart
5. télé
6. sympa

2 exercices oraux

1.4 **Complétez le dialogue avec les mots appropriés, puis jouez à deux.**

> représentant   bureau   s'en occuper   être   en retard   rendez-vous   pouvoir

– Bonjour Mathilde.

– Bonjour Roland. Tu es ✳.

– Justement, je ne ✳ pas venir aujourd'hui, je ✳ malade.

– Ah bon!

– Oui, une petite grippe. Peux-tu annuler mon ✳ avec le ✳ de Arts.com?

– À quelle heure est ton rendez-vous?

– Il est à 10 heures dans le ✳ de M. Hervé.

– Très bien, je ✳.

1.5 **Associez les phrases des deux colonnes.**

1. Monsieur Dupré s'il vous plaît?

2. Je voudrais parler à madame Martin.

3. C'est bien le 614 342-1854?

4. Je voudrais parler au directeur s'il vous plaît.

5. Bonjour. La bibliothèque s'il vous plaît.

a) Vous pouvez rappeler dans 15 minutes? Elle est en réunion.

b) Oui. C'est ça.

c) Il n'est pas là. Vous voulez laisser un message?

d) Un instant. Ne quittez pas. Je transmets votre appel.

e) C'est de la part de qui? Le directeur n'est pas dans son bureau.

PRONONCEZ

) LES SONS

■ La lettre h n'est jamais prononcée en français. Cependant, dans de nombreux mots, le h est aspiré : il n'est pas prononcé, mais il bloque la liaison.

- Quand il bloque la liaison, on dit qu'il est **aspiré**.
- Quand il ne bloque pas la liaison, on dit qu'il est **muet**.

■ Le h aspiré

piste 3

Avec le **h** aspiré, on ne fait pas de liaison.

huit	la Hollande	la Hongrie	les haricots verts
le hasard	le héros	la hausse des prix	

■ Le h muet

Avec le **h** muet, on fait une liaison.

un habit	les hommes	Ils habitent loin.
les hôpitaux	les heures de travail	Nous hésitons.

– Hé ! Hébert ! Le nouvel étudiant est hollandais ou hongrois ?
– Pourquoi ?
– Il a eu un accident. Il est à l'hôpital.
– Tu vas le voir ?
– Je ne sais pas. J'hésite parce que l'hôpital est loin.
– Ton héros est à l'hôpital et tu hésites à aller le voir ?

piste 4 ## Le son [gz]

C'est exact.
L'examen est facile.
Le directeur examine le projet.
Lisez l'exemple.
Il existe deux sociétés.
Son existence est en danger.
Tu exagères un peu.
C'est une exagération.

– Quelle est l'heure exacte de l'examen ?
– Tu veux savoir l'heure exacte de quel examen ?
– Mais de l'examen de chimie…
– De chimie ? Nous n'avons pas d'examen de chimie.
– Quelle chance !

ÉCOUTEZ ET ÉCHANGEZ

ENTRAÎNEZ-VOUS À L'ÉCOUTE

piste 5

1. Écoutez le dialogue et répondez aux questions suivantes.

1. Où travaille Antoine?
2. Quel est le plat du jour?
3. Qu'est-ce qu'il y a comme entrée?
4. Qu'est-ce que la cliente choisit? Et le client?
5. Que boivent-ils?

piste 6

2. Écoutez ces petites conversations et remplissez le tableau.

	Conversation 1	Conversation 2	Conversation 3
1. Qui téléphone?			
2. À qui?			
3. La personne est là?			
4. On laisse un message?			
5. Quel est le numéro?			

RENDEZ-VOUS AU COIN CAFÉ

Exprimer son opinion
– Alors, à votre avis, c'est intéressant?

– J'aime votre discours, il est original.
– C'est bon./Ce n'est pas bon./C'est extraordinaire…
– Je n'aime pas.

Exprimer son accord/son désaccord
Je suis d'accord./Je ne suis pas d'accord.

Parler de ses activités
– Qu'est-ce que tu fais ce week-end?
– À quelle heure sors-tu?
– Qu'est-ce que tu as fait pendant les vacances?

– Je vais me lever tard./Je fais du sport.

– Je suis allé à… J'ai travaillé…

Exprimer la fréquence
D'habitude, en général, rarement, souvent, parfois…
Une fois par jour/par semaine/par mois…

Demander/Dire où on va
– Où est-ce que tu vas?
– Tu vas où en été?

– Je vais au bureau de poste.
– Je vais en Tunisie.

Demander/Donner la direction
– Où est le bureau de poste, s'il vous plaît?

– Vous prenez la rue/Vous continuez/
Vous traversez/Vous suivez…

– Je cherche la banque, je suis là en touriste.

Se situer et localiser un objet
J'habite en face du parc/à côté de la banque/derrière l'université…
Le restaurant se trouve entre la bibliothèque et le musée.

Proposer/Prendre un rendez-vous
– Quand est-ce que vous êtes libre?
– Quand est-ce que vous pouvez venir?
– Mardi matin à 9 h, c'est bon?

– Nous devons partir.

– Je suis libre ce week-end.
– On peut se rencontrer demain.
– Non, le 25 à 9 h, je ne peux pas. Ce n'est pas possible.
– Ah, c'est dommage.

Parler au téléphone/Laisser un message
– Bonjour, je voudrais parler à…

– Un instant, je vous le passe.
– C'est de la part de qui?
– Il n'est pas là. Vous voulez laisser un message?

1. Mettez la conversation téléphonique dans l'ordre.

1. Il est sorti, vous pouvez rappeler dans quelques minutes?
2. Oui, bien sûr.
3. M. Legrand s'il vous plaît.
4. Oui, c'est Lebon, *L, E, B, O, N.*
5. C'est le 614 765-2378.
6. Au revoir, merci.
7. Un instant, monsieur. Vous pouvez me rappeler votre nom?

8. Est-ce que je peux laisser un message?
9. Très bien, M. Lebon et votre numéro de téléphone?
10. Parfait. Il va vous rappeler. Au revoir monsieur.
11. Je ne peux pas venir à notre rendez-vous, cet après-midi à 15 heures.

2. Complétez le dialogue.

A: Bonjour monsieur, je cherche une boulangerie.   B: ✳

A: Vous ne savez pas? Je voudrais acheter du pain, c'est tout.   B: ✳

A: Au supermarché? Ah non, je n'aime pas les supermarchés. Les produits ne sont pas naturels.   B: ✳

A: Non, pas un magasin bio… Une boulangerie!   B: ✳

A: Alors, je ne vais pas manger de pain!   B: ✳

3. Donnez votre opinion. Discutez.

1. Les cours sont intéressants.
2. La vie en résidence est difficile.
3. Nous mangeons en général trop et mal.
4. La télévision permet d'apprendre beaucoup de choses.
5. Les adolescents et les jeunes passent tout leur temps devant la télévision.
6. Nous n'avons pas assez de vacances.

4. À tour de rôle, posez les questions et répondez-y.

1. Tu suis combien de cours?
2. Est-ce que tu travailles? Combien d'heures par semaine?
3. Est-ce que tu aimes ton travail? Qu'est-ce que tu fais?
4. Quelles activités est-ce que tu préfères le soir?
5. Tu pratiques quels sports?
6. Combien de fois par semaine est-ce que tu fais du sport?

7. Tu aimes le cinéma? La musique? Le théâtre?
8. Tu joues d'un instrument?
9. Tu sors souvent?
10. Tu préfères aller où?
11. Qu'est-ce que tu vas faire ce week-end?
12. Qu'est-ce que tu as fait le week-end dernier?
13. Tu habites seul ou chez tes parents?
14. Qui fait le ménage chez toi?

⟩ JEUX DE RÔLES

Vous êtes musicien. Vous cherchez d'autres musiciens pour créer un groupe. Quel style de musique (jazz, classique, etc.) vous voulez jouer? De quels instruments avez-vous besoin?

Rappel: **Jouer de** + instrument de musique
*Je joue **du** piano / **de la** guitare / **de l'**accordéon.*

1. Par groupes de trois ou quatre, interviewez vos camarades.

1. Tu joues de quel instrument?
2. Quelle musique est-ce que tu préfères?
3. Tu pratiques combien d'heures par jour / par semaine?

Continuez.

DÉCOUVREZ…
LE QUÉBEC

JACQUES CARTIER

Les grands explorateurs de la Renaissance voulaient trouver une route maritime vers l'Asie. Ils voulaient aussi trouver de l'or.

Le Français Jacques Cartier (1491-1557) part le 20 avril 1534 de Saint-Malo, avec 2 navires et 60 hommes. Il navigue autour de Terre-Neuve, puis atteint les îles de la Madeleine et l'île du Prince-Édouard. Dans la baie de Gaspé, il établit des relations avec des Iroquois. Il rentre en France le 15 août.

Cartier repart un an après, le 19 mai 1535. Ce deuxième voyage va l'emmener beaucoup plus loin dans l'estuaire du Saint-Laurent : d'abord à Stadaconé (aujourd'hui Québec), puis à Hochelaga (aujourd'hui Montréal). Les Français découvrent la rigueur de l'hiver canadien et de nombreux hommes meurent du scorbut. Jacques Cartier rentre en France en juillet 1536, avec le chef iroquois Donnacona et une dizaine d'autres captifs. François Ier, le roi de France, est très satisfait.

Jacques Cartier fait son troisième voyage en 1541-1542, avec 5 navires et 1500 hommes. Il construit deux forts. Les Iroquois deviennent plus hostiles et 35 Français sont tués. Cartier croit qu'il rapporte en France de l'or et des diamants : ce ne sont que des métaux sans valeur.

Jacques Cartier meurt de la peste à Saint-Malo en 1557.

SAMUEL DE CHAMPLAIN

Né en 1570, Samuel de Champlain a 33 ans quand il fait son premier voyage en Nouvelle-France. De retour en France, il publie un livre sur les autochtones. Lors de son deuxième voyage, il établit la première colonie française en Acadie. Il va traverser 21 fois l'Atlantique. Il fonde Québec en 1608. Il rêve de réunir les Français et les autochtones en un peuple nouveau, mais sa tâche est difficile. Il doit se battre contre les Iroquois, puis contre les Anglais. Il doit aussi se battre contre le terrible hiver canadien. Pas facile, dans ces conditions, de persuader les Français de venir habiter en Nouvelle-France ! Champlain va pourtant réussir : quand il meurt à Québec, en 1635, la Nouvelle-France est une colonie fragile, mais elle existe. Champlain est donc bien le « père » du Québec et du Canada.

QUÉBEC

PERCÉ

D'ICI ET D'AILLEURS

Français au Québec	Français standard
une gomme	un chewing-gum
un toutou	un nounours
des mitaines	des moufles
magasiner	faire des achats
mouiller	pleuvoir

RÉDIGEZ...

... UNE PETITE ANNONCE

Lisez les petites annonces suivantes. En vous inspirant de ces deux modèles, écrivez une annonce.

Cherche serveur – restaurant japonais
Semaine – soir
Tél. : 614 221-4678

Deux étudiants cherchent colocataire organisé, sympa, sérieux, calme. Chambre meublée.
Centre-ville
Tél. : soir : 451 267-7782

... UN COURRIEL

Envoyez un courriel à un ami ou une amie pour lui parler de votre emploi du temps, de vos activités. Décrivez vos nouveaux amis, vos professeurs, l'université.

VOCABULAIRE DE L'UNITÉ 7

Noms

appel, m.	cours, m.	logiciel, m.	radio, f.
assistant/assistante	culture, f.	magasin, m.	représentant/
bibliothèque, f.	département, m.	marché, m.	représentante
bistro, m.	directeur/directrice	message, m.	réunion, f.
chercheur/	dossier, m.	ordinateur, m.	serveur/serveuse
chercheuse	droit, m.	portable, m.	sondage, m.
clavier, m.	entreprise, f.	poste, f.	sonnerie, f.
client/cliente	goût, m.	publicité, f.	
contrat, m.			

Verbes

admirer	envoyer	pouvoir	se coucher
analyser	être libre	préférer	se doucher
annuler	laisser	prendre	s'habiller
célébrer	lire	préparer	se lever
chercher	mettre	recevoir	se maquiller
créer	nommer	rencontrer	se promener
devoir	passer	répéter	se raser
diriger	patienter	répondre	se réveiller
dormir	poser	retourner	venir
écrire	posséder	savoir	vouloir

Adjectifs

calme	libre
chaleureux/	paresseux/
chaleureuse	paresseuse
facile	

Autres mots

au moins	en général	rarement
d'abord	parfois	souvent
d'habitude		

unité 8

Tous les chemins mènent à la mer

Sommaire

Le **travail**, c'est la **santé**

 7   Marion et Vincent cherchent un emploi.

Marion : Au fait, tu as envoyé ton CV ?

Vincent : Non, il est prêt, mais j'hésite. Est-ce que je l'envoie par courriel ou par la poste ?

Marion : Envoie-le par courriel en pièce jointe. C'est plus rapide et tu vas recevoir une confirmation.

Vincent : Et toi, tu as reçu une réponse du Cirque du Soleil ?

Marion : Non, pas encore, mais je ne m'inquiète pas. J'ai visité leur site et j'ai vu qu'ils avaient encore besoin d'étudiants.

Vincent : Ah oui ! J'ai pourtant cherché et je n'ai rien trouvé.

Marion : Place ta souris sur le haut de l'icône « Offres d'emploi » et clique deux fois. Tu veux un emploi au Cirque, toi aussi ?

Vincent : Oh peut-être, je ne sais pas encore. As-tu des nouvelles d'Amar ? Il a commencé à travailler, non ?

Marion : Je n'ai pas eu le temps de le voir. Il est parti à Québec pour le week-end.

Vincent : Quelle chance ! À tout à l'heure.

Pendant ce temps...

 Caroline appelle Sabine pour lui demander des renseignements sur la Guadeloupe.

Caroline : Allô, Sabine ? Comment ça va ?

Sabine : Ça va et toi ? Quoi de neuf ?

Caroline : Je t'appelle pour avoir des renseignements sur la Guadeloupe. On voudrait y aller.

Sabine : Quelle bonne idée ! Nous, l'année dernière, on a eu de la chance. On a trouvé un petit hôtel et un bon restaurant pas chers dans la vieille ville, juste en face de la mer. Le paysage, le ciel, la mer, les habitants : c'est le paradis.

Caroline : Comment est la plage ? Et la ville ? Qu'est-ce qu'il y a à voir ? Quelles sont les spécialités de la région ?

Sabine : Écoute, passez ce soir. On a pris des photos. On s'est promenés le long de la plage. On a rencontré des Guadeloupéens et on leur a rendu visite. On s'est bien amusés et on s'est reposés. Et les fruits de mer, on en a mangé tous les jours. Bref, on a passé d'excellentes vacances !

Caroline : J'ai hâte d'y aller. Sors les photos, on vient ce soir.

Sabine : Très bien, on vous attend. À ce soir.

OBSERVEZ ET EMPLOYEZ LES STRUCTURES

1 LE PASSÉ COMPOSÉ (suite)

On emploie le passé composé :

* pour parler d'une situation ou d'un événement qui a eu lieu dans un passé proche ou lointain.

   *Hier, il **a neigé** toute la journée.*
   *Mon père **est mort** le 28 septembre 2000.*
   *Ce matin, j'**ai reçu** un appel de Nice. (La journée n'est pas finie.)*

* pour parler d'un événement qui a des conséquences au moment où on parle.
   *J'**ai** bien **mangé**. (Je n'ai plus faim.)*
   *J'**ai** beaucoup **dormi**. (Je suis en forme.)*
   *Nous **avons marché** longtemps. (Nous sommes fatigués.)*

> **Rappel :** Le participe passé des verbes en **er** se termine par **é**.
> *aimer → aimé*
>
> Le participe passé des verbes en **ir** se termine le plus souvent par **i**.
> *sortir → sorti*
>
> Le participe passé de **avoir** est **eu** et le participe passé de **être** est **été**.
> *Quand j'ai vu le voleur, j'**ai eu** très peur.*   *Hier, elle **a été** malade.*
>
> Le participe passé de beaucoup de verbes du 3ᵉ groupe se termine en **u** :
> *lire → **lu**, tenir → **tenu**, répondre → **répondu**…*
>
> Voir aussi le tableau des participes passés à la page 94.

■ Les phrases interrogatives au passé composé

Dans les phrases interrogatives avec inversion du pronom sujet, le pronom se place après l'auxiliaire. On met un trait d'union entre le pronom et l'auxiliaire.

***As-tu** vu le dernier film de Besson ?*   ***Avez-vous** acheté du pain ?*

Dans les deux autres types de questions, on utilise la même structure qu'au présent :
***Tu as fini** tes devoirs de français ?*
*Où est-ce que **Vincent a travaillé** ?*
*Qu'est-ce que **vous avez dit** ?*

■ Les phrases négatives au passé composé

Dans les phrases négatives, **ne** se met devant l'auxiliaire et **pas** après l'auxiliaire.
*Il **n'a pas** travaillé la semaine dernière.*   *Nous **n'avons pas** reçu votre message.*

> **Rappel :** Quand le verbe est au passé composé, les expressions et mots suivants peuvent aller en début de phrase :
>
> hier (matin / soir)   avant-hier   la semaine dernière   le mois dernier
> l'année dernière   ce matin/cet après-midi (si l'action est passée)

exercice écrit

1.1 Trouvez l'infinitif des verbes au passé composé.

1. Dimanche dernier, nous avons joué au tennis.
2. Cet enfant a appris à lire avant cinq ans.
3. Le professeur a expliqué le passé composé.
4. La nuit dernière, les voisins ont fait beaucoup de bruit.
5. Vous n'avez pas répondu à ma question.
6. Ils ont dansé toute la nuit.
7. L'été dernier, je n'ai pas travaillé.

exercices écrits

1.2 Complétez les phrases avec les verbes appropriés au passé composé.

> goûter　avoir　commencer　lire　acheter　passer　voir　dormir　faire

1. Hier, je ✳ une bonne soirée.
2. Ouf! Heureusement, je ✳ de la chance.
3. Ce matin, je ne ✳ pas mes courriels.
4. Dimanche, tu ✳ jusqu'à midi.
5. Ils ✳ des plats de la région.
6. Ce matin, il ✳ les journaux pour voir le résultat du match de hockey.
7. Le président ✳ à écrire ses mémoires.
8. Qu'est-ce que vous ✳ hier soir?
9. Ce week-end, on ✳ *Les invasions barbares* pour la deuxième fois.

1.3 Mettez les phrases au passé composé.

1. Jacques Cartier découvre le Canada en 1534.
2. En 1867, Pasteur met au point la pasteurisation.
3. Pierre et Marie Curie reçoivent le prix Nobel de physique en 1903 (avec Henri Becquerel) et Marie Curie, le prix Nobel de chimie en 1911.
4. En 1942, Joseph-Armand Bombardier fonde l'Autoneige Bombardier limitée.
5. En 1901, Henri Dunant, le fondateur de la Croix-Rouge, reçoit le premier prix Nobel de la paix.

2 exercice oral

1.4 Complétez le dialogue avec les verbes appropriés au passé composé, puis jouez à deux.

> inviter　commander　faire　voir　manger

– Alors les copains, qu'est-ce que vous ✳ hier soir?
– Nous ✳ nos amis et nous ✳ un film.
– Quel film?
– *Un air de famille.* Agnès Jaoui et Catherine Frot sont superbes dans ce film.
– Où est-ce que vous ✳ ?
– Chez nous. Nous ✳ une pizza.
– Une pizza? Alors, j'ai bien fait de rester chez moi.

exercices écrits

1.5 Complétez les phrases en mettant les verbes au passé composé ou au futur avec **aller + infinitif**, comme dans le modèle.

*Aujourd'hui, nous prenons le métro, mais hier nous **avons pris** la voiture et demain nous **allons prendre** le métro.*

1. Aujourd'hui, je reste chez moi, mais hier je ✳ et demain je ✳.
2. Aujourd'hui, nous mangeons du riz et de la viande, mais hier nous ✳ et demain nous ✳.
3. Aujourd'hui, ils révisent leurs leçons de français, mais hier ils ✳ et demain ils ✳.

1.6 Formez la question correspondant aux mots en caractères gras, comme dans le modèle.

*Il est parti **aux États-Unis**.　　Où est-ce qu'il est parti?*

1. Ce chanteur a donné des concerts **en Europe**.
2. Nous avons fait **des courses**.
3. Il a eu **des problèmes**.
4. Elle a téléphoné **à ses parents**.
5. Georges a rencontré ses amis **au bar**.
6. Le réveil a sonné **à 6 heures**.

> **Rappel :** Les 14 verbes suivants (et leurs dérivés) se conjuguent avec l'auxiliaire **être** :
> entrer, sortir, aller, venir, arriver, partir, naître, mourir, monter, descendre, passer, rester, tomber, retourner.
> Descendre → *Anne **est descendue**.*
> Entrer → *Les étudiants **sont entrés** dans la classe.*

■ **Le participe passé employé avec l'auxiliaire être s'accorde en genre et en nombre avec le sujet du verbe.**

*Marie est parti**e** hier à midi, mais Vincent est rest**é**.*
féminin singulier   masculin singulier

*Vous n'êtes pas allé**s** au cours ?*   *Tu n'es pas all**é** au travail ?*
vous = plus d'une personne   masculin singulier

*Vous êtes rest**é** ?*   *Vous êtes rest**és** ?*
vous = une seule personne   vous = plus d'une personne

> **Attention :** Le participe passé employé avec **avoir** ne s'accorde pas avec le sujet.
> *Elles ont achet**é** des fleurs pour les élèves.*
> *Nous avons commenc**é** le cours à 9 heures.*

exercices écrits

1.7 **Mettez les verbes entre parenthèses au participe passé et faites l'accord avec le sujet.**

1. Nous sommes ✳ (arriver) vers 5 heures.
2. Mylène et Anne sont ✳ (partir) après minuit.
3. Hier, Jacques est ✳ (sortir) pour aller voir un film.
4. Comme d'habitude, elle est ✳ (arriver) en retard.
5. Alexander Graham Bell est ✳ (naître) à Édimbourg le 3 mars 1847.
6. Gilbert Trigano, le fondateur du Club Med, est ✳ (mourir) à l'âge de 80 ans.

1.8 **Mettez les verbes entre parenthèses au passé composé.**

1. Nous (adorer) ✳ ce spectacle.   4. Quand est-ce que vous (arriver) ✳ ?
2. Françoise (aller) ✳ en Suisse ?   5. Tu (visiter) ✳ tous ces musées en deux jours ?
3. Vous (jouer) ✳ aux cartes toute la journée ?   6. Ma sœur (naître) ✳ en 1988.

1.9 **Complétez les phrases avec les verbes appropriés au passé composé, puis jouez à deux.**

| oublier   ne pas venir   peut-être   oublier   recevoir   envoyer |

– Excuse-moi, je ✳ hier pour ton anniversaire.   – Je sais.
– J'✳ tout simplement.   – Ça arrive.
– Tu es fâché ?   – Ça arrive aussi.
– Tu ✳ mon cadeau ?   – Quel cadeau ?
– Le cadeau que je t'✳ par la poste.   – Tu ✳ de l'envoyer aussi.

■ **Les verbes pronominaux se conjuguent toujours avec l'auxiliaire être.**

Je	me **suis**	lavé(e)	Nous	nous **sommes**	levé(e)s
Tu	t'**es**	promené(e)	Vous	vous **êtes**	amusé(e)(s)
Il	s'**est**	ennuyé	Ils	se **sont**	couchés
Elle	s'**est**	ennuyée	Elles	se **sont**	rencontrées
On	s'**est**	reposé(e)(s)			

> **Attention :**   Dans une phrase négative, **ne** se met devant l'auxiliaire et **pas** après l'auxiliaire.
> *Elle **ne** s'est **pas** réveillée à 6 heures.*
> *Aujourd'hui, je **ne** me suis **pas** rasé.*

* L'interrogation avec un verbe pronominal :
  Avec **est-ce que** :

  ***Est-ce que** vous vous êtes couchée tard ?*   *Où **est-ce que** tu t'es promené ?*

  Avec **inversion du pronom sujet** :

  *Vous **êtes-vous** couchée tard ?*   *Où t'**es-tu** promené ?*

exercice écrit

1.10 Mettez le texte au passé composé.

Sylvie **se réveille** à 7 h. Elle **prépare** un café au lait et elle **s'installe** devant son ordinateur.
Elle **lit** ses courriels et elle **répond** à ses messages. Puis elle **se douche**, **se maquille** et **s'habille**.
Elle **réveille** Dominique et Didier, et elle **se dépêche** de préparer leur petit-déjeuner. Les enfants
se préparent. À 8 h 30, ils **quittent** la maison. Ils **se retrouvent** le soir.

2 LES PHRASES NÉGATIVES

Dans une phrase négative, il y a deux éléments qui forment la négation. Ces deux éléments sont souvent **ne… pas**, mais il y a d'autres possibilités :

* **ne… personne**
* **ne… rien**
* **ne… jamais**
* **ne… plus**

■ ne… personne (ou personne ne) se rapporte à une personne.

*Tu connais quelqu'un ici ? Non, je **ne** connais **personne**.*

quelqu'un (complément d'objet) → ne… personne

*Quelqu'un est là ? **Personne** n'est là.*

quelqu'un (sujet) → personne ne

■ ne… rien (ou rien ne) se rapporte à une chose.

*Vous voyez quelque chose sur le toit ? Non, je **ne** vois **rien**.*

quelque chose (complément d'objet) → ne… rien

*Quelque chose te dérange ? **Rien ne** me dérange.*

quelque chose (sujet) → rien ne

■ ne… jamais est une réponse possible à des questions avec souvent, quelquefois, déjà, toujours.

*Tu vas **souvent** au bar ? Non, je **n'**y vais **jamais**.*

*Est-ce qu'elle arrive **toujours** à l'heure ? Non, elle **n'**arrive **jamais** à l'heure.*

*Tu es **déjà** allé en France ? Non, je **n'**y suis **jamais** allé.*

■ ne… plus est une réponse possible à des questions avec encore ou toujours (dans le sens de encore).

*Nathalie habite **encore** à Paris ? Non, elle **n'**y habite **plus**.*

*Tu es **toujours** fâché ? Non, je **ne** suis **plus** fâché.*

Quelqu'un → ne… personne (ou : personne ne)	– Tu parles à **quelqu'un**? – Non, je **ne** parle à **personne**. – **Quelqu'un** a sonné? – Non, **personne** n'a sonné.
Quelque chose → ne… rien (ou : rien ne)	– Tu prends **quelque chose**? – Non, je **ne** prends **rien**. – **Quelque chose** te manque? – Non, **rien ne** me manque.
Souvent, quelquefois, déjà, toujours → ne… jamais	– Est-ce que tu arrives **souvent** à l'heure? – Non, je **n'**arrive **jamais** à l'heure.
Encore, toujours → ne… plus	– Tu veux **encore** ce livre? – Non, je **n'**en veux **plus**.

exercice écrit

2.1 Répondez aux questions en utilisant la forme négative.

1. Tu prends quelque chose?
2. Elle connaît quelqu'un ici?
3. Vous avez fait quelque chose hier soir?
4. Il y a quelqu'un à la porte?
5. Vous avez rencontré quelqu'un?
6. Elles ont prévu quelque chose pour demain?
7. Y a-t-il quelque chose dans cette boîte?
8. Vous comprenez quelque chose?

exercice oral

2.2 Complétez le dialogue avec **ne… jamais**, **ne… plus**, etc., puis jouez à deux.

– Tu ✳ pars ✳ en vacances?

– Non, ✳, j'aime mieux travailler.

– Tu sors quelquefois avec des amis?

– Je ✳ sors ✳, j'ai toujours du travail à finir.

– Tu vis avec quelqu'un?

– Mais non, il ✳ y a de place pour ✳ dans ma vie.

– Dis donc! C'est triste, ta vie!

– Non, je ✳ ai ✳ de temps à perdre, c'est tout.

exercice écrit

2.3 Patrice et Bernard sont deux frères, mais ils sont complètement différents. Bernard fait toujours le contraire de ce que fait son frère. Faites des phrases au passé composé à propos de Patrice et de Bernard.

*Patrice **a** souvent **voyagé**, mais Bernard n'**a** jamais **voyagé**.*

Patrice	Bernard
1. vouloir étudier	non
2. ne jamais faire de sport	toujours
3. être toujours en bonne santé	jamais
4. ne jamais aller au cinéma	souvent
5. avoir toujours beaucoup d'amis	jamais

❸ LES PRONOMS COMPLÉMENTS D'OBJET INDIRECTS (COI) : ME, TE, LUI, NOUS, VOUS, LEUR

Les pronoms COI remplacent un nom de personne précédé de la préposition **à**.

- **Lui** remplace la préposition **à** suivie d'un nom de personne au singulier.
- **Leur** remplace la préposition **à** suivie d'un nom de personne au pluriel.

*Est-ce que tu écris souvent **à Philippe**? Oui, je **lui** écris souvent.*

*Téléphones-tu **à tes parents**? Oui, je **leur** téléphone tous les week-ends.*

■ Les pronoms COI se placent devant le verbe.

Marion **m'**écrit.	à moi	Marion **nous** écrit.	à nous
Marion **t'**écrit.	à toi	Marion **vous** écrit.	à vous
Marion **lui** écrit.	à lui/à elle	Marion **leur** écrit.	à eux/à elles

Attention : Le pronom **leur** ne prend jamais de **s**. Il ne faut pas le confondre avec l'adjectif possessif.

*Les parents jouent avec **leurs** enfants.*
          adjectif possessif

*Tu **leur** téléphones souvent?*
   pronom COI

Rappel : Dans les phrases négatives, **ne** se place devant le pronom complément et **pas** après le verbe.

*Nous **ne** lui parlons **pas**.*   *Elles **ne** leur envoient **pas** de chocolats.*

Les verbes suivants commandent en général un complément d'objet indirect précédé de **à**.

téléphoner	répondre	parler	dire
envoyer	donner	écrire	demander

*Je parle à **Marie**.*   *Il **lui** demande **son avis**.*
          COI   COI   COD

 exercices écrits

3.1 Remplacez les mots en caractères gras par un pronom COI et récrivez les phrases.

Cécile est très gentille. Elle souhaite **à tous ses amis** un bon anniversaire. Elle offre une fleur **à Patricia** et elle donne un livre **à Olivier** et **à Benoît**. Elle téléphone **à Brigitte** parce qu'elle est malade et elle écrit **à ses grands-parents**. Elle répond tout de suite **à son correspondant** quand il lui envoie un courriel. Elle travaille dans une garderie et elle raconte **aux enfants** des histoires extraordinaires.

3.2 Mettez les phrases de l'exercice précédent à la forme négative.

exercice oral

3.3 Par groupes de deux, répondez aux questions en remplaçant les mots en caractères gras par un pronom COI.

1. Est-ce que tu téléphones souvent **à tes parents**?
2. Tu envoies des courriels ou des lettres **à tes amis**?
3. Est-ce que le professeur **vous** explique les devoirs?
4. Qu'est-ce que tu offres **à ton meilleur ami** pour son anniversaire?
5. Qu'est-ce que tu souhaites **à tes amis**?
6. Qu'est-ce que tu dis **au professeur** quand tu es en retard?

module 3 › unité 8

La place du pronom COI au passé composé

- Au passé composé, on place le pronom COI devant l'auxiliaire **avoir**.

  *Tu as écrit à Patrick ? Oui, je **lui** ai écrit.*
  *Vous nous avez apporté le dossier ? Oui, nous **vous** l'avons apporté.*

- Dans les phrases négatives, **ne** se place après le sujet et **pas** après l'auxiliaire.

  *Non, je **ne** lui ai **pas** écrit.*
  *Non, nous **ne** vous avons **pas** apporté le dossier.*

exercice écrit

3.4 Répondez aux questions par oui, puis par non en remplaçant les mots en caractères gras par un pronom COI.

1. Est-ce que tu as téléphoné **à tes parents** pour leur annoncer ton arrivée ?
2. Tu as montré ton nouveau pull **à ta mère** ?
3. Tu as demandé une explication **à ton professeur** ?
4. Tu as écrit **à tes amis** ?
5. Est-ce que tu as parlé **à tes voisins** ?

La place des pronoms en et y

(Voir l'unité 5 pour le pronom **y** et l'unité 6 pour le pronom **en**.)

Vous êtes déjà allé à Paris ?   – *Oui, j'y suis allé l'année dernière.*
    – *Non, je n'y suis jamais allé.*

Vous avez eu du soleil en Guadeloupe ?   – *Oui, nous en avons eu beaucoup.*
    – *Non, nous n'en avons pas eu.*

exercice écrit

3.5 Répondez aux questions en remplaçant les mots en caractères gras par les pronoms appropriés et en commençant votre phrase par oui.

1. Vous avez pris **des photos** ?
2. A-t-il participé **au concours de danse** ?
3. Veux-tu aller **sur la lune** ?
4. Les enfants reviennent **du cinéma** ?
5. As-tu vu **le dernier film de Denys Arcand** ?
6. Veulent-ils prendre **leurs vacances au mois de juin** ?
7. Tu as invité **tes amis** ?
8. Avez-vous pris **le document** ?

2 exercice oral

3.6 Par groupes de deux, trouvez ce que les pronoms en caractères gras remplacent.

1. Marion **y** travaille cet été.
2. Nous **en** buvons pendant la période d'examens.
3. Tu **lui** téléphones ?
4. Patricia **leur** envoie une carte postale.
5. Les enfants **leur** proposent de jouer.
6. La monitrice **l'**utilise pour préparer des activités.
7. Nous **y** allons souvent.

APPRENEZ DE NOUVEAUX MOTS

〉 C'EST DANS LE DIALOGUE

exercices écrits

1. Relevez les mots qui ont un rapport avec l'ordinateur dans le dialogue de la page 144.

2. Trouvez trois formes de questions dans le dialogue de la page 144.

3. Relevez le vocabulaire se rapportant aux vacances dans le dialogue de la page 145.

4. Relisez le dialogue de la page 145 et dites si les mots suivants sont au masculin ou au féminin.

1. paysage	3. mer	5. idée	7. photo
2. plage	4. région	6. ciel	8. année

5. Choisissez cinq mots dans les exercices 1, 3 ou 4 et écrivez une phrase comme dans le modèle.

*Quelle période de l'**année** préfères-tu ?*
*Y a-t-il une **vieille ville** à Montréal ?*

〉 **1** L'ORDINATEUR

Verbes	Noms	
cliquer	un clavier	une lettre
connecter (se)	un courriel	un logiciel
découvrir	un document	un ordinateur
envoyer	un dossier	une pièce jointe
graver	un écran	un programme
imprimer	un fichier	un site
naviguer	une imprimante	une souris
sauvegarder		
taper		
télécharger		
valider		

imprimante —

— écran

— clavier

souris —

exercices écrits

1.1 **Vous devez rendre un devoir. Votre ordinateur ne fonctionne pas. Vous n'avez pas pu imprimer votre devoir. Écrivez un dialogue dans lequel vous expliquez le problème à votre professeur.**

Utilisez les mots **sauvegarder**, **pièce jointe**, **document**, **imprimante** et **taper**.

1.2 **Complétez les phrases avec les mots appropriés.**

écran   cliquer   imprimante   sauvegarder   souris   courriels   disquette

1. Mon document a disparu, je ne l'✳ pas ✳.
2. J'ai répondu à mes ✳.
3. Ma ✳ ne fonctionne pas. Je ne peux pas ✳.
4. J'ai une nouvelle ✳. Je peux enfin rendre des travaux parfaits.
5. J'ai perdu ma ✳. Quelle catastrophe !
6. Les enfants aiment beaucoup avoir un ✳ devant eux : télévision, ordinateur, jeux électroniques.

② LES VACANCES

Verbes et expressions

faire de la randonnée	aller au restaurant
faire des rencontres	bronzer sur la plage
faire du camping	envoyer des cartes postales
faire du ski	louer une voiture
faire / prendre des photos	passer quelques semaines
faire ses bagages	réserver une chambre d'hôtel
faire un voyage	visiter des monuments historiques

Noms

une carte	un séjour
une excursion	une vague
un plan	

exercices écrits

2.1 Vous travaillez dans une agence de publicité. Écrivez une publicité pour une ville, un village ou la campagne. Utilisez le vocabulaire se rapportant aux vacances.

2.2 Chassez l'intrus.

1. fameux, charmant, joli, superbe
2. attendre, visiter, voir, regarder
3. excursion, mer, promenade, visite
4. le ciel, le sable, la plage, la bicyclette
5. une tente, un camping, un hôtel, un gymnase

2.3 Associez chaque expression à son contraire. Il y a plusieurs possibilités.

1. C'est merveilleux.
2. C'est génial.
3. C'est pittoresque.
4. C'est splendide.
5. C'est très beau.
6. C'est animé.

a) C'est banal.
b) C'est horrible.
c) C'est laid.
d) C'est ennuyeux.
e) C'est nul.
f) C'est affreux.

2.4 Associez chaque phrase à la bonne exclamation.

1. Nous partons en vacances.   a) À tes souhaits !
2. Vous mangez avec un ami au restaurant.   b) Santé !
3. Je passe mon examen.   c) Bonne année !
4. Elle se marie.   d) Bonne route !
5. Nous allons boire du vin.   e) Félicitations !
6. C'est mon anniversaire.   f) Bon anniversaire !
7. Atchoum ! Atchoum !   g) Bon appétit !
8. C'est le Nouvel An.   h) Bonne chance !
9. Je vais aller de Montréal à Québec.   i) Bonnes vacances !

2 exercice oral

2.5 Par groupes de deux, répondez aux questions.

1. Qu'est-ce que le mot « vacances » évoque pour vous ?
   Découvrir un autre pays, faire du camping, visiter des amis…

2. Quand vous partez en vacances, qu'est-ce que vous emportez dans vos bagages ?

PRONONCEZ

LES LIAISONS

piste 9

La liaison [z]

On vous attend.

Ce semestre, j'ai deux examens.   Ils attendent le bus depuis une demi-heure.

Il n'a pas encore fini son petit-déjeuner.   Il a dix ans.

Ils habitent à Paris.   Ils y vont demain à 8 h.

Elles arrivent en train.   Il habite aux États-Unis.

C'est plus important.   Ils aiment la natation.

Le dimanche, elle aime bien rester chez elle. Vas-y.

Je vous en prie.

Nous avons deux chiens et un chat.

La liaison [n]

On a eu de la chance.   Tu as son adresse ?

On est arrivés en retard.   Ils habitent en Italie.

Vous avez des enfants ? Oui, on en a deux.   Cet enfant a appris à nager en un jour.

En hiver, on reste au Canada.   Il habite en Allemagne.

On s'est bien amusés.

La liaison [t]

C'est une idée intéressante.   C'est amusant.

Où habitent-ils, vos amis ?   Quand elle rit, on l'entend de loin.

Il est ici ?   Quand on veut, on peut.

Mon ami est australien.   C'est écrit dans les journaux.

Cet enfant a huit ans.   Quand est-ce qu'ils sont partis ?

module 3 \ unité 8

ÉCOUTEZ ET ÉCHANGEZ

ENTRAÎNEZ-VOUS À L'ÉCOUTE

 piste 10   **1. Écoutez le dialogue et répondez aux questions.**

1. Qu'est-ce que Fabrice a fait hier ?   3. Pour qui ?
2. Qu'est-ce qu'il a acheté ?   4. Que pense Lucien du cadeau ?

piste 11   **2. Le journaliste d'*Infomatin* interviewe Roger Mallet qui vient de publier ses mémoires.**

Répondez aux questions.

1. Est-ce que M. Mallet est déjà venu à cette station de radio ?
2. Pourquoi ?
3. Quelle est la première question du journaliste ?
4. Donnez l'infinitif des verbes employés au passé composé.

RENDEZ-VOUS AU COIN CAFÉ

Raconter un fait au passé

— Comment ça s'est passé ?   — Ça s'est bien passé.
— Qu'est-ce que tu as fait hier ?   — Rien de spécial. Je suis resté chez moi.
— Tu as raconté cette histoire à tes parents ?   — Non, ils ne vont pas apprécier.
— Où est-ce que tu as fait tes études primaires et secondaires ?   — J'ai commencé l'école primaire dans une petite ville. Puis, nous avons déménagé.

Faire une recherche d'emploi

— Vous cherchez un travail d'été ?   — Oui, c'est ça. Je suis étudiant en première année.
— Vous avez déjà travaillé dans une banque ?   — Pas dans une banque, mais j'ai travaillé à la poste.
— Vous avez envoyé votre CV ?   — Non, pas encore. Je dois l'imprimer.
— Vous avez de l'expérience ?   — Malheureusement, non, mais j'apprends vite, monsieur.
— Tu es libre à partir de quand ?   — Je suis libre à partir de juin.

Parler de ses vacances

— Où est-ce que vous êtes allés ?   — Nous sommes allés à Cuba.
— Tu as passé de bonnes vacances ?   — Oui, j'ai passé de bonnes vacances.
— Tu as visité tout le pays ?   — Oui, j'ai vu…
— Est-ce qu'il a fait beau ?   — Oui et non.
— Tu as pris des photos ?   — Oui, bien sûr.

1. Répondez aux questions par une phrase complète.

1. Tu n'as pas encore lu ce livre ? (Si)   6. Tu as encore ton vieil ordinateur ? (Non)
2. Tu n'as pas encore pris l'avion ? (Non)   7. Avez-vous déjà fait un voyage organisé ? (Non)
3. Vous avez déjà fini votre travail ? (Non)
4. Elle a déjà fait du camping ? (Oui)   8. Tu es déjà passé à la télé ? (Oui)
5. Tu as déjà joué dans un film ? (Non)

2. Complétez les phrases comme dans le modèle.

*D'habitude, **je bois du café**, mais ce matin **j'ai bu du thé**.*

1. D'habitude, ✳, mais hier ✳.   4. D'habitude, ✳, mais hier soir ✳.
2. En général, ✳, mais l'année dernière ✳.   5. En général, ✳, mais cet après-midi ✳.
3. Normalement, ✳, mais ce matin ✳.

3. Lisez le CV de Marion et répondez aux questions.

CURRICULUM VITAE

Nom : Marion Leblanc

Date de naissance : 15 novembre 1984

Formation :
2002 – 2004 : Département de l'Environnement
Université canadienne
Diplôme d'études secondaires à Bruxelles
2002 :
1995 – 2002 : Lycée Beauregard

Expérience professionnelle :
Juillet 2003 : Adjointe administrative au Cirque du Soleil
Chargée de coordonner les réservations
et la vente des billets

Juillet 2002 : Monitrice au camp de vacances « Le soleil
et l'art »
Responsable de l'atelier de sculpture qui per-
mettait aux enfants de s'exprimer librement
tout en s'initiant à la sculpture sur bois
Organisatrice de l'exposition finale

Compétences diverses :
Monitrice pour les enfants de 8 à 14 ans
Cours de sculpture à l'École des arts plastiques

Langues :
Français et anglais parlés couramment
Bonne connaissance de l'espagnol

Questions

1. Quand Marion est-elle née ?
2. Où a-t-elle travaillé en juillet 2003 ?
3. Qu'est-ce qu'elle a fait au camp de vacances ?
4. Quand Marion a-t-elle fini ses études secondaires ?

❭ JEUX DE RÔLES

1. En vacances

Jouez le dialogue.

A demande à **B** ce qu'il a fait pendant les vacances.
B répond qu'il est allé en Europe.
A demande à **B** ce qu'il a vu en Europe.
B donne des détails sur ses vacances.
A demande à **B** s'il a fait des rencontres intéressantes.

B répond qu'il a rencontré beaucoup d'amis.
A demande à **B** s'il va retourner vivre en Europe.
B répond qu'il va y déménager l'année prochaine.

2. Expression libre

Votre ami cherche du travail. Il a déjà envoyé son CV, mais il n'a pas reçu de réponse. Imaginez la situation et jouez le dialogue.

DÉCOUVREZ...
L'ACADIE

Le tintamarre, Festival acadien de Caraquet

NOUVEAU-BRUNSWICK

L'Acadie a 400 ans

Avant l'arrivée des Européens, l'Acadie était habitée par trois peuples amérindiens de langue algonquine : les Micmacs (Nouvelle-Écosse, Île-du-Cap-Breton, Île-du-Prince-Édouard, côte est du Nouveau-Brunswick), les Malécites (vallée de la rivière Saint-Jean au Nouveau-Brunswick) et les Abénaquis (côte sud du Nouveau-Brunswick et du Maine).

« Selon les connaissances actuelles, le terme Acadie est employé pour la première fois en 1524 par l'explorateur Verrazano lors d'une expédition en Amérique du Nord. La première colonisation officielle de l'Acadie date de 1604 et c'est vers la fin des années 1680 que la colonie devient autonome tant économiquement qu'au point de vue démographique. [...] Les frontières se précisent en 1713 avec la signature du traité d'Utrecht alors que l'Acadie — La Nouvelle-Écosse péninsulaire — est cédée à l'Angleterre[1]. »

Aujourd'hui, les Acadiens habitent au Nouveau-Brunswick, dans le nord et le long de la côte est, en Nouvelle-Écosse et à l'Île-du-Prince-Édouard. On y compte plus de 300 000 francophones. En 1994, le 1er Congrès mondial acadien s'est tenu au Nouveau-Brunswick et a attiré des milliers d'Acadiens des quatre coins de la planète.

En 1999, l'Acadie a accueilli le 8e Sommet de la francophonie qui a eu lieu à Moncton, au Nouveau-Brunswick. La même année, les Cajuns de la Louisiane ont accueilli les Acadiens lors du 2e Congrès mondial acadien. Plus récemment, en 2004, on a célébré le 400e anniversaire de la fondation de l'Acadie.

---

1. LANDRY, Nicolas et Nicole LANG. *Histoire de l'Acadie*, Sillery (Québec), Les éditions du Septentrion, 2001.

module 3 | unité 8

Louis-Joseph Robichaud

Louis-Joseph Robichaud, ancien premier ministre du Nouveau-Brunswick et sénateur, est né le 21 octobre 1925 à Saint-Antoine, au Nouveau-Brunswick. Il obtient un baccalauréat ès arts à l'Université Sacré-Cœur, puis il étudie les sciences politiques à l'Université Laval de Québec. Il entre en politique à l'âge de 27 ans. En 1960, il devient le premier Acadien à être élu premier ministre du Nouveau-Brunswick. Il lance son programme «Chances égales pour tous». Il a profondément marqué l'histoire politique de la province et celle du Canada. Il est mort le 6 janvier 2005.

En tant que premier ministre, il est associé à des projets de réforme sociale par lesquels il a voulu donner les mêmes avantages économiques et sociaux à tous ses concitoyens, particulièrement en ce qui concerne les droits des Acadiens et les possibilités qui leur étaient offertes. Il a également présenté le projet de loi sur les langues officielles qui a fait du Nouveau-Brunswick la première province officiellement bilingue.

Sa carrière publique s'est poursuivie sur la scène canadienne à titre de sénateur, où il a continué de jouer un rôle actif.

Durant toute sa carrière, il a incarné les valeurs canadiennes, en amenuisant les différences entre les riches et les pauvres, entre les anglophones et les francophones, et en appliquant les grands principes d'égalité et de respect des différences auxquels il croyait.

D'ICI ET D'AILLEURS

Français de l'Acadie*	Français standard
un boiveux	un ivrogne
bonnement	tout simplement
un conteux	un raconteur d'histoires
forçant	pénible

* PROTEAU, Lorenzo. *La parlure acadienne*, Boucherville (Québec), Les Éditions des Amitiés franco-québécoises, 1998.

Port de Nouvelle-Écosse

RÉDIGEZ…

… LE CV D'ANTOINE

Antoine ne sait pas comment écrire son CV. Aidez-le.

Antoine est né à Trois-Rivières en 1980. Il est canadien et il étudie l'économie à l'Université internationale. Il parle anglais et français. Antoine a terminé ses études collégiales en 1998 et il a commencé à étudier la littérature anglaise à l'Université Laval en 1998. En juillet 1999, il est parti à Berlin et il a étudié l'allemand à l'Institut Goethe pendant six mois. Il a ensuite suivi des cours d'art dramatique dans un centre culturel près de Berlin. Il a travaillé dans un restaurant français à Marseille de juillet 2000 à juillet 2001. Il est arrivé à l'Université internationale en septembre 2001. Il a étudié la sociologie pendant un an et, en 2002, il a commencé des études en économie.

VOCABULAIRE DE L'UNITÉ 8

Noms

carte, f.	icône, f.	promenade, f.
confirmation, f.	imprimante, f.	randonnée, f.
courriel, m.	logiciel, m.	région, f.
curriculum vitæ, m.	mer, f.	réponse, f.
détail, m.	monitrice, f.	sable, m.
diplôme, m.	offre d'emploi, f.	séjour, m.
disquette, f.	ordinateur, m.	site, m.
dossier, m.	paysage, m.	souris, f.
écran, m.	photo, f.	tente, f.
emploi, m.	pièce jointe, f.	toit, m.
excursion, f.	plage, f.	vacances, f. p.
fichier, m.	plan, m.	vague, f.
gymnase, m.	programme, m.	

Verbes

arriver	faire du camping/	réserver
augmenter	une randonnée	sauvegarder
avoir hâte de	graver	se dépêcher
bronzer	hésiter	s'installer
cliquer	imprimer	taper
découvrir	louer	télécharger
envoyer	recevoir	visiter
éternuer	rendre visite	voir

Adjectifs

affreux / affreuse
fameux / fameuse
rapide

Autres mots

déjà	ne… plus	souvent
encore	ne… rien	toujours
ne… jamais	quelqu'un	
ne… personne	quelque chose	

Des goûts et des couleurs

Objectifs communicatifs

S'exprimer au passé

Exprimer son appréciation

Comparer et choisir

Sommaire

Révélation

piste 12   Marion et Amar se rencontrent au resto U. Amar a assisté à une conférence sur l'architecture et il est enthousiaste. Il fait part de ses impressions à Marion.

Marion: Tu étais à la conférence sur l'architecture?

Amar: Oui, j'y étais. Eh bien, cela a été une révélation pour moi! J'ai compris beaucoup de choses.

Marion: Raconte-moi!

Amar: Figure-toi qu'un architecte, c'est à la fois un artiste et un technicien. Il doit être capable de travailler en équipe avec des ingénieurs, des architectes d'intérieur et d'autres spécialistes.

Marion: Je vois que cette conférence t'a fait réfléchir.

Amar: Tout à fait! En plus, l'architecture comporte des dimensions économiques et politiques.

Marion: N'oublie pas l'esthétique!

Amar: Je n'oublie pas. D'ailleurs, tu vois, j'ai emprunté ce livre à la bibliothèque. J'ai l'intention de le lire ce week-end.

Marion: Je me suis toujours intéressée à l'architecture. Tu pourras me le prêter?

Pendant ce temps...

piste 13   Bruno et Sabine déménagent. Caroline et Christophe viennent leur rendre visite le soir de leur déménagement. Leur nouvelle maison est grande, mais il reste encore beaucoup à faire.

Caroline : C'est bien, vous avez déjà vidé pas mal de boîtes.

Sabine : Ne m'en parle pas. Nous en avons vidé une trentaine, mais il en reste encore tellement. J'en suis malade.

Christophe : Allez, faisons le tour de la maison.

Bruno : La maison a deux étages. Bon, ici, c'est l'entrée. À gauche, c'est la cuisine, spacieuse et bien aménagée, et à droite, c'est le salon et la salle à manger. Vous voyez, il y a de la place pour les grands repas en famille ou avec des amis.

Caroline : Où est-ce que vous allez mettre la belle bibliothèque des grands-parents ?

Sabine : Venez, je vais vous montrer. On l'a mise là. Le canapé, le fauteuil et le tapis vont dans la salle de séjour. Les commodes, les lits et la télé vont au premier étage. Les enfants ont chacun une chambre et ils se partagent cette salle de bain. Il y a aussi une salle de bain dans notre chambre. C'est très pratique.

Caroline : Ah, c'est en effet très joli ! Tout est tellement beau et neuf, et c'est très bien éclairé. Et puis, il y a plus de place que dans votre ancien appartement. Vous avez un jardin ?

Bruno : Évidemment. Pourquoi l'avons-nous achetée, cette maison, tu crois ? Pour le jardin. Le paysage est superbe, surtout au coucher du soleil.

OBSERVEZ ET EMPLOYEZ LES STRUCTURES

1 LE VERBE OFFRIR AU PRÉSENT ET AU PASSÉ COMPOSÉ

Présent	À l'oral	Passé composé	Participe passé
J'offre		J'ai offert	offert / offerte
Tu offres	[ɔfʀ]	Tu as offert	
Il / Elle / On offre		Il / Elle / On a offert	
Nous offrons	[ɔfʀɔ̃]	Nous avons offert	
Vous offrez	[ɔfʀe]	Vous avez offert	
Ils / Elles offrent	[ɔfʀ]	Ils / Elles ont offert	

Les verbes **souffrir**, **ouvrir**, **couvrir** et **découvrir** se conjuguent comme **offrir**.

exercices
écrits

1.1 Complétez les phrases avec les verbes appropriés au présent.

offrir   souffrir   ouvrir   couvrir   découvrir

1. Christophe Colomb * l'Amérique en 1492.
2. Je suis très malade, je * beaucoup.
3. Sophie * la porte de sa nouvelle maison.
4. Ce livre * la période de 1900 à 1945.
5. Pour son anniversaire, vous lui * des livres ou des CD?

1.2 Complétez les phrases avec les verbes appropriés au passé composé.

offrir   souffrir   ouvrir   couvrir   découvrir

1. Pour la fête des Pères, les enfants lui * un joli livre.
2. Nous * un nouveau magasin.
3. Elle a eu un grave accident; elle * beaucoup *.
4. Le test de la semaine dernière * les trois derniers chapitres.
5. Le médecin Luc Montagnier * le virus du sida.

2 exercice
oral

1.3 Complétez le dialogue avec les verbes offrir, ouvrir ou découvrir. Utilisez le temps et le pronom personnel qui conviennent, puis jouez à deux.

– Qu'est-ce que tu * à Mathilde pour son anniversaire?
– J'* un joli magasin d'antiquités et je * ai acheté une boîte à bijoux.
– Une boîte à bijoux? On peut l'* ?
– Bien sûr, quand on * ouvre, on * au fond un petit tiroir secret et dedans, il y a une surprise.
– Quelle surprise?
– Patience…

2 L'ACCORD DES PARTICIPES PASSÉS

Le participe passé conjugué avec **avoir** s'accorde avec le COD (complément d'objet direct) quand il est placé devant le verbe.

*Avez-vous lu **les livres**? Oui, nous **les** avons lus.*
                       COD

*Ont-ils fait **les courses**? Oui, ils **les** ont faites.*
                      COD

Rappel: Le participe passé conjugué avec **avoir** ne s'accorde pas avec le sujet.
*Nous avons achet**é** une maison.*
*Elle a déménag**é** la semaine dernière.*

module 3 \ unité 9

Rappel: Le participe passé conjugué avec **être** s'accorde avec le sujet.

Nous sommes sortis hier soir.

Elles sont allées dîner avec leurs amis.

---

 exercice écrit

2.1 Accordez les participes passés des phrases quand c'est nécessaire.

1. Nous avons **regardé** des films à la télévision.
2. Ces films, elle les a **trouvé** très intéressants.
3. Sophie a **mis** la télévision au premier étage.
4. Elle l'a **mis** dans un coin du bureau.
5. Vous leur avez **écrit** récemment?
6. Elles sont belles! Où les as-tu **acheté**?

exercice oral

2.2 Accordez les participes passés du dialogue, puis jouez à deux.

– Ah! Elles sont belles tes photos. Où est-ce que tu les as **pris** ?

– Je les ai **pris** pendant mes dernières vacances, en Tunisie.

– Et quand est-ce que tu les as **fait** développer ?

– Je les ai **fait** moi-même.

– Tu veux dire que tu les as **développé** toi-même.

En français, on dit «développer une pellicule, un film, des photos».

■ La négation avec le passé composé et le pronom personnel

Dans une phrase à la forme négative, le **ne** se place devant le pronom complément et le **pas** après l'auxiliaire.

*Nous **ne** t'avons **pas** téléphoné.*

*Le professeur **ne** nous a **pas** encore donné la date du test.*

exercice oral

2.3 Complétez le dialogue, puis jouez à deux.

– Tu m'as appelée hier soir?   – Non *

– Alors, tu m'as écrit?   – Non *

– Tu m'as acheté quelque chose?   – Non *

– Bon, tu as pensé à moi?   – Non *

– Pourquoi tu me dis toujours que tu m'aimes?

---

❸ LA PLACE DES PRONOMS COMPLÉMENTS

Quand il y a plusieurs pronoms compléments dans une phrase, on les place dans l'ordre suivant:

1	2	3	4	5
me	le	lui	y	en
te	la	leur		
se	l'			
nous	les			
vous				

*Vous achetez **les livres à la librairie**.*   *Vous **les y** achetez.*

*Elle parle **à Patrick de la conférence**.*   *Elle **lui en** parle.*

*Nous écrivons **le courriel à Amar**.*   *Nous **le lui** écrivons.*

exercice écrit

3.1 Remplacez les mots en caractères gras par les pronoms appropriés.

1. Marianne envoie **des fleurs à ses parents**.
2. Nous mettons **le livre sur la table**.
3. Tu donnes **de l'argent à Philippe**?
4. Delphine pose **trois assiettes sur la table**.
5. Vous envoyez **cette lettre à Sarah**?

LES PRONOMS : TABLEAU SYNTHÈSE

Pronoms sujets	je, tu, il, elle, on, nous, vous, ils, elles	**Je** suis parti. **Vous** préférez le sport.
Pronoms toniques	moi, toi, lui, elle, nous, vous, eux, elles	**Moi**, je suis fatiguée. **Elles**, elles sont étudiantes.
Pronoms réfléchis	me, te, se, nous, vous	Je **me** souviens. Elles **se** maquillent.
Pronoms compléments d'objet directs (COD)	me, te, se, le, la, l', nous, vous, les	Il **le** connaît. Oui, madame, on **vous** écoute. Nous **les** regardons.
Pronoms compléments d'objet indirects (COI)	me, te, lui, nous, vous, leur	Je **lui** écris souvent. Tu **me** téléphones, n'est-ce pas ? Nous **leur** envoyons des fleurs.
Pronoms compléments de lieu (à un endroit, d'un endroit)	y, en	Nous **y** allons la semaine prochaine. Tu **en** viens.
Pronoms compléments de propos (à quelque chose, de quelque chose)	y, en	J'**y** réfléchis souvent. Ils **en** parlent.
Pronom complément de quantité	en	Elles **en** prennent deux.

 exercices écrits

3.2 Remplacez les mots en caractères gras par les pronoms appropriés et faites l'accord du participe passé quand c'est nécessaire.

1. J'ai découvert **l'architecture** dans cette conférence.
2. Margot a offert **un livre** à Amar.
3. Les étudiants ont fait **leur recherche** sur Internet.
4. Nous avons oublié **le rendez-vous de 16 heures**.
5. Vous avez pris **les couvertures** ?

3.3 Remplacez les mots en caractères gras par les pronoms appropriés et mettez les phrases à la forme négative.

*Elles ont pris **la route** très tard.*
*Elles **l'ont prise** très tard. / Elles **ne l'ont pas prise** très tard.*

1. Christophe a écrit **la lettre**.
2. Nous avons offert des fleurs **à Christiane** pour son anniversaire.
3. Vous avez acheté **des meubles très élégants**.
4. Patricia et Solange sont parties **à New York**.
5. Tu as choisi **le livre**.

4 LES ADVERBES

L'adverbe accompagne en général le verbe. Il se place **après** le verbe. Il est invariable.
*Tu comprends **bien** ? Non ? Alors, je vais parler **lentement**.*

Voici quelques adverbes : **vite, mal, bien, beaucoup, tôt, tard, très**.

> **Attention :** L'adverbe **très** ne modifie jamais un verbe. Il précède toujours un adjectif ou un autre adverbe. Il ne s'utilise jamais avec **beaucoup**.
> *Il est **très** fatigué. Il apprend **très** vite.*

◼ La formation des adverbes

- Généralement, pour former un adverbe, on ajoute **-ment** à l'adjectif au féminin singulier.

  douce → *douce**ment***   *dure* → *dure**ment***
  heureuse → *heureuse**ment***   *grande* → *grande**ment***

- On ajoute **-ment** à l'adjectif au masculin quand il se termine par une voyelle autre que le **e** muet.

  joli → *joli**ment***   *vrai* → *vrai**ment***

- Quand l'adjectif au masculin se termine par **-ent**, on remplace cette terminaison par **-emment**.

  *prud**ent*** → *prud**emment***   *fréqu**ent*** → *fréqu**emment***

- Quand l'adjectif au masculin se termine par **-ant**, on remplace cette terminaison par **-amment**.

  *puiss**ant*** → *puiss**amment***   *suffis**ant*** → *suffis**amment***

> **Attention :** Il y a des exceptions :
> *précis* → *précis**é**ment*   *profond* → *profond**é**ment*
> *gentil* → *genti**ment***

Adjectif invariable en genre	Adjectif au féminin	Adjectif au masculin se terminant par une voyelle	Adjectif au masculin se terminant par -ant	Adjectif au masculin se terminant par -ent	Adverbe
triste facile					tristement facilement
	douce heureuse				doucement heureusement
		joli vrai			joliment vraiment
			puissant suffisant		puissamment suffisamment
				prudent fréquent	prudemment fréquemment

◼ La place de l'adverbe

La place de l'adverbe est variable.

- Quand il modifie un adjectif, l'adverbe est placé **devant** l'adjectif.

  *Cette voiture est **trop** rapide.*

- Quand il modifie un verbe au présent, il se place **après** le verbe.

  *Nous aimons **beaucoup** votre tableau.*
  *Zut ! je fais **souvent** les mêmes fautes.*

- Au passé composé, l'adverbe se place en général entre l'auxiliaire et le participe passé. C'est le cas de **bien**, **mal**, **beaucoup**, **peu**, **déjà**, **toujours**, **souvent**, **rarement**, **vite**, **vraiment**.

  *Elles ont **bien** travaillé.*
  *Tu as **déjà** fini ton travail ? Bravo !*

- Au passé composé, certains adverbes se placent après le participe passé. C'est le cas de **lentement**, **facilement**, **ici**, **tôt**, **tard**.

  *Hier, je me suis couché **tôt**.*

4.1 Trouvez les adverbes correspondant aux adjectifs suivants.

1. bruyant   3. gentil   5. égoïste   7. vrai
2. patient   4. sérieux   6. léger   8. rapide

4.2 Formez des adverbes à partir des adjectifs suivants, puis complétez les phrases.

> facile   élégant   patient   prudent   courant

1. Je parle ✳ anglais.
2. Cette fille est douée, elle apprend ✳ les langues.
3. Nous attendons ✳ le bus.
4. Il faut marcher ✳ sur le verglas.
5. Sophie s'habille toujours ✳.

4.3 Par groupes de deux, posez-vous les questions suivantes à tour de rôle. Attention à la place de l'adverbe dans vos réponses !

1. Est-ce que tu as déjà joué dans une pièce de théâtre ?
2. Est-ce que tu as déjà gagné à un jeu ?
3. Est-ce que tu vas souvent au cinéma ?
4. Hier, tu es parti de la maison tôt ?
5. Tu marches vite ?

5 LES COMPARATIFS

Le comparatif avec un adjectif ou un adverbe

Pour comparer des choses, des personnes, on utilise **plus**, **moins** ou **aussi** devant l'adjectif ou l'adverbe et **que** après l'adjectif ou l'adverbe.

*La maison de Sabine est **plus** jolie **que** son ancien appartement.*
*Les examens de français sont **aussi** difficiles **que** les examens d'italien.*
*Les coureurs sont **moins** rapides **que** les cyclistes.*

> **Rappel : Que** devient **qu'** devant une voyelle.
>   *Il court **moins** vite **qu'**elle.*

- Le comparatif de l'adjectif **bon** est **meilleur** (et non ~~plus bon~~).
  *Tes résultats sont **meilleurs que** ceux de Vincent.*
  *Les pommes sont **meilleures que** les bananes.*

- Le comparatif de l'adjectif **mauvais** est **plus mauvais** ou **pire**.
  *Ce film est **pire/plus mauvais que** le film que j'ai loué hier.*

- Le comparatif de l'adverbe **bien** est **mieux** (et non ~~plus bien~~).
  *Tu joues **bien** aux échecs, mais mon frère joue **mieux que** toi.*

- Le comparatif de l'adverbe **mal** est **plus mal**.
  *Cet étudiant travaille **plus mal que** les autres.*

Adjectifs	Adverbes
bon →	meilleur
mauvais →	pire
bien →	mieux
mal →	plus mal

exercices écrits

5.1 Ajoutez un comparatif à l'adjectif, comme dans le modèle.

Patricia est une excellente étudiante, mais Frédéric (+ bon, elle).
*Patricia est une excellente étudiante, mais Frédéric est **meilleur qu'elle**.*

1. L'appartement de Caroline est grand, mais (la maison de Sabine + grand).
2. L'hiver en Martinique est (– froid, l'hiver au Canada).
3. Le ski est (= difficile, le patin à glace).
4. L'air en Alaska est (– pollué, l'air de New York).

5.2 Ajoutez un comparatif à l'adverbe, comme dans le modèle.

Les enfants s'adaptent aux changements (+ rapidement, les adultes).
*Les enfants s'adaptent **plus rapidement** aux changements **que les adultes**.*

1. J'aime les restaurants italiens (+ bien, les restaurants chinois).
2. Nous allons à la montagne (– souvent, la mer).
3. Richard court (= vite, Sandrine).
4. Les enfants regardent la télévision (+ longtemps, leurs parents).
5. Elles skient vite mais (– vite, nous).

5.3 Complétez les phrases avec **meilleur** ou **mieux**.

1. J'aime ✳ l'été que l'hiver.
2. À mon avis, le vin rouge est ✳ que le vin blanc.
3. L'année dernière, nous avons ✳ skié que cette année.
4. Les oranges espagnoles sont ✳ que les oranges marocaines.
5. Nous avons ✳ profité de nos vacances cette année.

2 *exercice oral*

5.4 Par groupes de deux, comparez ces éléments en utilisant **plus… que, moins… que** et **aussi… que** suivis d'un des adjectifs.

> rapide   pratique   personnel   direct   sain   bon   informatif   ennuyeux

1. La voiture et le cheval
2. L'ordinateur et la machine à écrire
3. Le téléphone et le courrier
4. La télévision et la radio
5. Les plats faits maison et les plats surgelés

▦ Le comparatif avec un verbe

Quand la comparaison porte sur un **verbe**, on utilise **plus**, **autant** ou **moins** suivi de **que**.
*Il mange **autant que** son frère.*
*Nos amis travaillent **moins que** nous.*

▦ Le comparatif avec un nom

Quand la comparaison porte sur un **nom**, on utilise **plus de**, **autant de** ou **moins de** suivi de **que**.
*Avez-vous **autant de** meubles **qu'avant**?*
*Porte-t-elle **moins de** bijoux **que** Martine?*

module 3 ‹ unité 9

LES COMPARATIFS : TABLEAU SYNTHÈSE

	Avec un adjectif ou un adverbe	Avec un verbe	Avec un nom
Supériorité	plus… que *Elle est **plus** grande **que** lui.* *Elle court **plus** vite **que** lui.*	plus que *Elle travaille **plus que** lui.*	plus de… que *Je bois **plus de** café **que** lui.*
Égalité	aussi… que *Elle est **aussi** grande **que** lui.* *Elle court **aussi** vite **que** lui.*	autant que *Elle travaille **autant que** lui.*	autant de… que *Je bois **autant de** café **que** lui.*
Infériorité	moins… que *Elle est **moins** grande **que** lui.* *Elle court **moins** vite **que** lui.*	moins que *Elle travaille **moins que** lui.*	moins de… que *Je bois **moins de** café **que** lui.*

exercices écrits

5.5 Entourez le comparatif approprié.

1. Vous étudiez (autant que / autant de / autant) Martin.

2. Christophe a (moins que / moins de / moins) cours que Geneviève.

3. Nous mangeons (plus de / plus que / plus) plats surgelés que de légumes frais.

4. Les enfants jouent (moins de / moins que / moins) dehors qu'avant.

5. Stéphane travaille (plus de / plus que / plus) Sacha.

5.6 Complétez les phrases avec **aussi** ou **autant**.

1. Elle est ✳ fatiguée qu'hier.

2. Il parle ✳ que sa sœur.

3. Mireille parle ✳ vite en anglais qu'en français.

4. Les étudiants boivent ✳ de café en période d'examen que d'habitude.

5. Éric et Monique voyagent ✳ souvent qu'il y a 20 ans.

5.7 Complétez les phrases avec **bon, bien, meilleur** ou **mieux**. Faites les accords nécessaires.

1. J'ai vu un ✳ film cette semaine que la semaine dernière.

2. Nous aimons ✳ le chocolat suisse que le chocolat belge.

3. C'est un ✳ architecte. Il dessine bien.

4. Mylène chante très ✳. Un jour, elle va devenir une ✳ chanteuse d'opéra.

5. Bruno et Alain sont de ✳ cuisiniers que moi.

exercice oral 2

5.8 Complétez le dialogue avec les comparatifs appropriés, puis jouez à deux.

> plus, moins, aussi… que　　　plus, moins, autant… que
> plus de, moins de, autant de… que　　　meilleur ou mieux

– J'ai travaillé ✳ heures ✳ lui et pourtant il a ✳ réussi. Ce n'est pas juste.

– Tu es peut-être ✳ efficace ✳ lui.

– Je suis tellement déçu ! J'aurais aimé avoir un ✳ bon résultat ✳ lui.

– Oublie ça ! La prochaine fois, tu réussiras ✳.

⑥ L'IMPARFAIT

L'imparfait sert :

- à décrire une action en cours dans le passé. On ne sait pas quand elle a pris fin.

  *Je **marchais** sans but, depuis très longtemps.*

- à décrire des situations.

  *Je me souviens de ce matin-là, il **faisait** très froid, la neige **commençait** à tomber.*

- à décrire des habitudes dans le passé.

  *Quand j'**habitais** en Suisse, je **faisais** du ski tous les dimanches.*

- à exprimer des sentiments, des états d'âme dans le passé.

  *Amar **était** triste à cause du départ de son ami.*

La formation de l'imparfait

Pour former l'imparfait, on prend le radical du verbe conjugué à la première personne du pluriel du présent et on ajoute les terminaisons de l'imparfait :

travailler → présent : nous **travaill**ons
               imparfait : travaill + **ais, ais, ait, ions, iez, aient**

faire →   présent : nous **fais**ons
               imparfait : fais + **ais, ais, ait, ions, iez, aient**

finir →   présent : nous **finiss**ons
               imparfait : finiss + **ais, ais, ait, ions, iez, aient**

Prendre	À l'oral
Je pren**ais**	
Tu pren**ais**	[pʀənɛ]
Il/Elle/On pren**ait**	
Nous pren**ions**	[pʀənjɔ̃]
Vous pren**iez**	[pʀənje]
Ils/Elles pren**aient**	[pʀənɛ]

Être	À l'oral
J'ét**ais**	
Tu ét**ais**	[etɛ]
Il/Elle/On ét**ait**	
Nous ét**ions**	[etjɔ̃]
Vous ét**iez**	[etje]
Ils/Elles ét**aient**	[etɛ]

Attention : L'imparfait du verbe **être** est irrégulier : ét + **ais, ais, ait, ions, iez, aient**.

Les expressions généralement suivies de l'imparfait

À cette époque-là, avant, tous les matins/soirs/jours, chaque année/jour, d'habitude, autrefois

***Avant**, elle était charmante et douce, maintenant elle est insupportable.*
***Tous les matins**, elle se levait à 5 heures, elle prenait un bon petit-déjeuner et elle commençait à travailler.*

exercice écrit

6.1 Mettez les phrases suivantes à l'imparfait.

1. Je me lève tous les matins à 7 heures.
2. Nous regardons souvent la télévision.
3. Margot adore les excursions en montagne.
4. Patrick met beaucoup de sucre dans son café.
5. Le lac est très pollué.
6. L'éducation est bien meilleure.
7. Tu es très décontracté.
8. Aline travaille au centre-ville.

2 exercices oraux

6.2 Par groupes de deux, répondez aux questions suivantes.

1. Comment vous étiez quand vous étiez adolescent?
2. Est-ce que vous sortiez avec vos amis?
3. Est-ce que vous suiviez les conseils de vos parents?
4. Passiez-vous beaucoup de temps au téléphone?
5. Aimiez-vous le rock?
6. Aviez-vous une idole?
7. Lisiez-vous des bandes dessinées?
8. Alliez-vous au cinéma?

6.3 Complétez le dialogue avec les verbes appropriés, puis jouez à deux.

> exister   s'ennuyer   se promener   faire   discuter
> profiter   être   avoir   rencontrer   jouer

Rachel: Dis grand-père, qu'est-ce que tu ✳ quand tu avais mon âge?

Grand-père: Oh, tu sais, la télévision n'✳ pas encore, alors je ✳ mes amis, nous ✳ à des jeux de société, nous ✳ beaucoup et la vie ✳ très calme.

Rachel: Tu ne t'✳ pas sans ordinateur et sans Internet?

Grand-père: Oh là là! Non. J'✳ le temps de lire. Je ✳ beaucoup et je ✳ de mon temps libre.

APPRENEZ DE NOUVEAUX MOTS

❭ C'EST DANS LE DIALOGUE

exercices écrits

1. Féminin ou masculin?

Relisez les dialogues des pages 162 et 163 et indiquez le genre des mots suivants.

1. cuisine	5. fauteuil	9. boîte	13. entrée
2. maison	6. chambre	10. bibliothèque	14. salle de séjour
3. étage	7. appartement	11. salle de bain	15. conférence
4. jardin	8. paysage	12. salle à manger	16. révélation

2. Mettez les adjectifs des dialogues au féminin.

1. neuf	3. ancien	5. éclairé
2. beau	4. spacieux	6. aménagé

3. Choisissez cinq mots des exercices 1 et 2, et faites des phrases avec chacun d'eux comme dans le modèle.

*Mes voisins ont une **cuisine** bien **éclairée**.*
*Je rêve d'avoir un **appartement** avec une grande **chambre**.*

4. Trouvez les verbes qui peuvent être associés aux noms suivants. Il y a parfois plusieurs possibilités.

boîte → vider

1. la cuisine	3. la cave à vin	5. le salon
2. la salle de bain	4. la chambre	6. le bureau

5. Trouvez le contraire des adjectifs suivants.

1. spacieuse	3. ancien	5. beau
2. neuf	4. éclairée	6. propre

❭ **1** LES MEUBLES

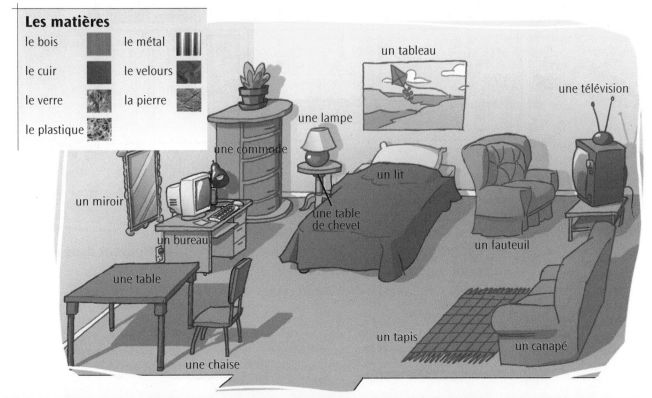

Les matières

le bois

le cuir

le verre

le plastique

le métal

le velours

la pierre

un tableau

une télévision

une lampe

une commode

un lit

un miroir

une table de chevet

un bureau

un fauteuil

une table

un tapis

un canapé

une chaise

exercice écrit

1.1 **Associez des mots du vocabulaire de l'ameublement et faites des phrases comme dans le modèle.**

*J'ai acheté une table **en bois**.*   *J'aime les canapés **en cuir**.*

Continuez.

〉 **2 LA DESCRIPTION D'UNE MAISON**

le grenier

la salle de bain

premier étage

la chambre à coucher

le balcon

le salon

le couloir   la cuisine   le bureau

la terrasse

la salle à manger

le jardin

le sous-sol

la cave

exercice oral

2.1 **Par groupes de deux, énumérez les meubles qui se trouvent dans les différentes pièces d'une maison.**

*Dans la salle à manger, il y a une **table**, six **chaises**, un **buffet**, un **tapis** et un **tableau**.*

1. Dans la cuisine, ✳.

2. Dans le bureau, ✳.

3. Dans la chambre à coucher, ✳.

PRONONCEZ

piste 14

LES SONS

Le son [wɛ̃]

coin   soin   pointer
point   besoin   lointain
loin

Si vous avez besoin de shampooing, allez au magasin au coin de la rue Gouin. C'est un peu loin, mais au moins, vous y trouverez tout, même des trousses de premiers soins.

LES GROUPES RYTHMIQUES

En français, le rythme, l'intonation et l'accent tonique ont des règles particulières.

1. Écoutez et répétez les phrases suivantes en faisant attention au rythme, à l'intonation montante ou descendante et à l'accent tonique.

piste 15

C'est agréable. ↓   C'est spacieux. ↓   C'est éclairé. ↓

Eh bien, ↑ c'est pas mal. ↓

Venez, ↑ montez au premier étage. ↓

Les Lévesque ↑ ont acheté une maison. ↓

Les enfants ↑ ont chacun une chambre. ↓

La maison a deux étages ↑ et une cave. ↓

Nous en avons vidé ↑ une trentaine. ↓

On va déménager ↑ le mois prochain. ↓

piste 16

2. Écoutez et répétez.

Je le vois.
Je les vois.

Vous le videz.
Vous les videz.

Tu le prends.
Tu les prends.

Il l'offre.
Il les offre.

Nous le mangeons.
Nous les mangeons.

Elles le découvrent.
Elles les découvrent.

ÉCOUTEZ ET ÉCHANGEZ

❯ ENTRAÎNEZ-VOUS À L'ÉCOUTE

piste 17   **1.** Écoutez la description de l'ancien appartement de Bruno et Sabine. Faites un plan des pièces.

❯ RENDEZ-VOUS AU COIN CAFÉ

S'exprimer au passé

À cette époque-là…

Avant…

Tous les matins/soirs/jours…

Chaque année/jour…

D'habitude…

Autrefois…

Raconte-moi comment était ton séjour aux Antilles.

Évidemment, il a encore raté l'autobus.

Ah, il a fait exprès ou quoi?

Et puis, on est rentré à l'hôtel à pied.

Exprimer son appréciation

– Ce coucher de soleil est magnifique.   – Tout à fait !

– Eh bien, c'était formidable.

– Je trouve qu'il a raison.

Comparer et choisir

– Cette maison est plus jolie que l'autre.

– J'ai autant d'amis que lui.

– Ce restaurant est meilleur que la cafétéria.

1. Comparez ces deux maisons en utilisant les mots suivants.

Des comparatifs : plus… que, moins… que, aussi… que…

Des adjectifs : confortable, spacieux, facile, pratique…

Des adverbes : bien, facilement, difficilement…

*La maison du XVIIIᵉ siècle est **plus ancienne que** celle du XXIᵉ. La cuisine…*

2. Décrivez cet homme avant et après son programme de mise en forme. Utilisez l'imparfait.

AVANT

- Avoir des kilos en trop.
- Ne pas avoir d'énergie, être déprimé.
- Être toujours fatigué.
- Manquer d'estime de soi.
- Avant, il était…

APRÈS

- Être mince.
- Se sentir plein d'énergie.
- Être en bonne forme.
- Regagner de l'estime de soi.
- Maintenant, il est…

3. Mettez ces répliques dans l'ordre et imaginez de quoi ces personnes parlent. Il y a plusieurs possibilités.

– Oui. Il n'y a pas d'autre moyen que les petites annonces.
– Elle est vraiment très jolie. Comment l'avez-vous trouvée?
– Quand l'avez-vous achetée?
– La semaine dernière.
– Et bien, profitez-en!
– Je l'ai trouvée dans les petites annonces.
– Dans les journaux?

〉 JEUX DE RÔLES

1. A et B cherchent une maison.

A et B téléphonent à C (agent immobilier). C demande où A et B habitent maintenant : dans un appartement ou une maison? Et combien de pièces ont-ils?

A répond.
C demande pourquoi ils veulent déménager.
B répond qu'ils veulent quelque chose de plus grand.
C demande s'ils cherchent quelque chose dans le même quartier.
A répond.

2. Caroline et Christophe font des commentaires sur la maison de leurs amis.

Caroline aime la maison. Elle voudrait bien déménager. Christophe n'est pas du tout d'accord. Leur maison est la plus agréable possible.

Jouez ce dialogue en utilisant des comparatifs.

DÉCOUVREZ...
LE LIBAN ET

Le Liban

Le Liban tire son nom de l'arabe *lubnan* qui signifie «blanc».

C'est un pays mythique, au carrefour de la Méditerranée et de l'Orient arabe. Un pays d'exception, où cohabitent 17 communautés.
Un pays fragile aussi, meurtri par la guerre civile (1975-1991) et prisonnier des enjeux régionaux.

Ce pays n'est guère plus grand que la Corse. Pourtant, le Liban, avec sa côte fertile, ses montagnes enneigées, ses plaines et son désert, offre des paysages incroyablement divers. Son territoire s'étend sur une étroite bande située entre la Syrie (300 kilomètres de frontières) et Israël (80 kilomètres de frontières) et bordée par la Méditerranée sur 240 kilomètres de côtes.

Source: *Géo*, n° 300, février 2004, p. 38, 41 et 48.

D'ICI ET D'AILLEURS

Français au Liban	Français standard
un chalumeau	une paille
Il est long.	Il est grand.
monter à la montagne	aller à la montagne
l'avant-midi	la matinée
demoiselle	mademoiselle

Amin Maalouf

Amin Maalouf est né à Beyrouth, au Liban, en 1949. Après avoir étudié la sociologie et l'économie, il devient journaliste. Il voyage en Inde, au Bangladesh, en Éthiopie, en Somalie, au Yémen, en Algérie et il fait de nombreux reportages de guerre. En 1976, alors que la guerre civile fait rage au Liban, il immigre en France avec sa femme et ses trois enfants. Il y vit encore. De langue maternelle arabe mais de culture française, il écrit en français. Ses livres sont traduits dans 20 langues et il a reçu le prix Goncourt en 1993 pour *Le rocher de Tanios*. Autres écrits: *Samarcande* (1988), *Les jardins de lumière* (1991), *Les échelles du Levant* (1996).

module 3 | unité 9

LA TUNISIE

Le cinéma tunisien

Le cinéma tunisien, bien que relativement jeune, constitue une riche forme d'expression artistique. La production cinématographique couvre plusieurs genres : films d'action, de critique sociale, d'art... Des films tunisiens tels que *Halfaouine, l'enfant des terrasses* (1990) et *Un été à la Goulette* (1995) de Férid Boughédir, *Les silences du palais* (1993) de Moufida Tlatli ou *Essaïda* (1996) de Mohamed Zran ont remporté de nombreux prix et trophées internationaux.

Les Journées cinématographiques de Carthage, créées en 1966, sont organisées une fois tous les deux ans.

C'est également en Tunisie qu'est née la Fédération des réalisateurs africains.

RÉDIGEZ…

… UN TEXTE SUR UN PAYS FRANCOPHONE

Faites une recherche sur Internet ou trouvez d'autres sources d'information. Choisissez une personnalité importante de ce pays et écrivez un paragraphe. Présentez votre recherche à votre classe.

VOCABULAIRE DE L'UNITÉ 9

Noms

appartement, m.	couloir, m.	pierre, f.
architecture, f.	cuir, m.	plastique, m.
balcon, m.	cuisine, f.	révélation, f.
bois, m.	entrée, f.	salle à manger, f.
boîte, f.	esthétique, f.	salle de bain, f.
buffet, m.	étage, m.	salle de séjour, f.
canapé, m.	fauteuil, m.	sous-sol, m.
cave, f.	grenier, m.	table de chevet, f.
chaise, f.	jardin, m.	tableau, m.
chambre, f.	maison, f.	tapis, m.
chambre à coucher, f.	métal, m.	technicien, m.
commode, f.	meuble, m.	terrasse, f.
conférence, f.	miroir, m.	velours, m.
coucher de soleil, m.	paysage, m.	verre, m.

Verbes

comparer	emménager	ouvrir	tirer
couvrir	emprunter	partager	vider
décorer	entourer	prêter	
découvrir	être situé	rénover	
déménager	offrir	souffrir	

Adjectifs

ancien/ancienne	meilleur/meilleure	pire
brillant/brillante	mince	sale
éclairé/éclairée	moderne	spacieux/spacieuse
élégant/élégante	nerveux/nerveuse	
étroit/étroite	obscur/obscure	

Autres mots

à cette époque-là	avant	mal	tard
aménagé	beaucoup	mieux	tôt
aussi	bien	moins	très
autant de	chaque	plus	vite
autrefois	fréquemment	suffisamment	vraiment

BILAN DU MODULE 3

Vous vous souvenez de mon amie Anne ? Nous nous sommes rencontrées à l'université, au début de notre première année d'études. Nous devions Àpartager un appartement et nous sommes devenues de très bonnes amies depuis ce jour.

Heureusement qu'elle était là. J'étais triste de quitter ma famille et mes amis, et au début, je me sentais très seule. Elle m'a offert son amitié et m'a beaucoup aidée dans les premières semaines de mon adaptation à Québec.

Tout était nouveau dans cette ville. Le froid tout d'abord, la nourriture et même la langue. Le français parlé en Belgique est différent du français parlé à Québec. J'ai découvert les expressions qu'utilisent les Québécois. Par exemple, « bienvenue » pour dire « je vous en prie », « la lumière » pour le « feu de circulation ». Au début, tout m'était difficile : trouver un appartement, me faire des amis, comprendre la culture, la manière de vivre. Comme je suis très timide, je restais des heures dans notre appartement sous prétexte d'étudier. Anne m'a fait découvrir la ville et j'ai rencontré ses amis. Grâce à une autre amie, j'ai réussi à trouver un petit boulot. J'ai travaillé comme voiturière dans le parking du meilleur hôtel de la ville afin de payer mon loyer. C'était un travail très simple : les voitures s'arrêtaient devant l'hôtel, le conducteur ou la conductrice sortait, je lui donnais un ticket de stationnement, je montais dans la voiture et j'allais la garer au sous-sol. Les conducteurs étaient très généreux, ils me laissaient toujours des pourboires. J'ai eu le plaisir de conduire toutes sortes de voitures et aussi de rencontrer des gens célèbres. Je travaillais le soir après mes cours et le week-end. Mon salaire et les pourboires me permettaient de payer mon loyer et, de temps en temps, d'inviter mes amis à prendre un verre.

À l'arrivée du grand froid, Anne m'a appris à skier et à patiner alors qu'en réalité je ne suis pas très sportive. J'ai découvert les grands espaces et les activités propres à chaque saison. La période qui m'a le plus impressionnée était le mois de février, car j'ai assisté au plus grand carnaval de l'hiver. J'ai pu voir un véritable palais de glace et je me suis amusée à participer à toutes les activités offertes à ce moment-là. Les artistes doivent travailler à une température inférieure à zéro et faire bien attention à ne pas faire fondre la glace. Mais quand j'ai pensé au destin de ces sculptures, cela m'a fait de la peine. Et les touristes ! Il y en avait partout, venus de tous les coins du monde.

Eh bien maintenant, je suis plus à l'aise à Québec qu'à Bruxelles. J'ai autant d'amis ici que chez moi et j'aime mieux le rythme de vie que j'ai ici. Pendant les mois passés à Québec, j'ai pu rencontrer des gens très sympas et j'ai été impressionnée par leur gentillesse et leur générosité. Beaucoup sont devenus mes amis. Je terminerai mes études l'année prochaine et je devrai alors décider de l'étape suivante de ma vie.

COMPRÉHENSION DU TEXTE

1. Où est-ce que Vanessa et Anne se sont rencontrées?
2. Vanessa a-t-elle trouvé la vie facile à son arrivée à Québec?
3. Qui a pu faire découvrir à Vanessa la ville de Québec?
4. Comment Vanessa a-t-elle trouvé un travail?
5. Pourquoi aimait-elle son travail?
6. Qu'est-ce que Vanessa pense de Québec?

VOCABULAIRE

1. Trouvez le contraire des mots suivants. Choisissez ensuite cinq mots et écrivez une phrase.

a) le début
b) le froid
c) la gentillesse
d) toujours
e) beaucoup
f) sortait
g) termine
h) première
i) montais
j) triste

2. Que signifient les expressions suivantes?

a) avoir de la peine
b) être à l'aise
c) prendre un verre

3. Que signifient les mots suivants?

a) garer
b) un pourboire
c) un boulot

4. Transformez les noms en verbes et les verbes en noms.

a) découvrir
b) l'adaptation
c) le conducteur
d) patiner
e) rencontrer
f) comprendre
g) le stationnement
h) le sculpteur
i) skier
j) partager

GRAMMAIRE

1. Quels sont les temps des verbes du texte de la page précédente? Donnez deux exemples de chaque temps.

2. Relevez quatre participes passés. Dites avec quel mot chacun s'accorde ou écrivez «pas d'accord» s'il ne s'accorde avec aucun mot.

3. Écrivez les verbes **finir** et **devoir** à l'imparfait, à la troisième personne du pluriel.

4. Relevez cinq mots ou expressions du temps. À l'aide de ces mots ou expressions, construisez des phrases.

5. Mettez les expressions suivantes au singulier.

a) de bonnes amies
b) les premières semaines

6. Pourquoi Vanessa utilise-t-elle l'imparfait quand elle parle de son travail?

EXPRESSION ORALE

Discutez en petits groupes.

1. Est-ce que vous vous souvenez de la rentrée à l'université (ou à l'école secondaire)? Racontez cette journée très particulière. Parlez des étudiants, des profs, des classes. Étiez-vous enthousiaste, déçu?

2. Le _____ (jour, mois, année), j'étais…

Racontez un événement qui vous a marqué. Décrivez bien cet événement et les circonstances.

EXPRESSION ÉCRITE

Présentez votre meilleur(e) ami(e).

Où est-ce que vous vous êtes rencontrés la première fois? Utilisez les temps présent, passé composé et imparfait.

Qui vivra verra

4 module

« Miroir, dis-moi… »

Objectifs communicatifs

Se situer dans le temps

Raconter un événement au passé

Parler de sa santé

Décrire une personne

Exprimer son mécontentement

Sommaire

La santé, un bien précieux

Il fait froid et il n'y a personne dans la rue. Marion n'a plus de patience. Elle attend Amar depuis 15 minutes. Amar arrive enfin et s'explique.

Marion : Ça fait 15 minutes que je t'attends. Où étais-tu ?

Amar : Je suis allé voir Vincent à l'hôpital.

Marion : À l'hôpital ? Il est malade ?

Amar : Hier, comme il faisait beau, il est allé faire du ski.

Marion : Ah, j'ai compris. Il voulait impressionner une fille et il est tombé.

Amar : Tu es déjà au courant ?

Marion : Quand il était adolescent, il était le meilleur skieur de son village. Mais il est déjà tombé l'année dernière et il avait de la difficulté à marcher. Est-ce qu'il s'est fait mal ?

Amar : Il a des douleurs partout. Il s'est cassé la jambe droite. Son bras gauche est dans le plâtre. Il a mal au dos, quelques blessures à la tête et un bleu sur la joue.

Marion : Qu'est-ce que le médecin lui a dit ?

Amar : Il doit rester une semaine au lit, sans bouger, et il va marcher avec des béquilles pendant six mois.

Marion : Son amour pour le ski va le perdre.

Amar : Ne lui fais pas la morale, il est déjà déprimé.

Pendant ce temps...

piste 19   Caroline et Sabine parlent de leur passé. Elles comparent leur vie avant et après leur mariage. Caroline pense que Sabine est devenue paresseuse parce qu'elle ne lit plus. Sabine n'apprécie pas les critiques de Caroline.

Prix Goncourt : Prix littéraire français accordé tous les ans au meilleur roman de l'année.

Caroline : Tu as lu le dernier prix Goncourt ?

Sabine : Ça fait des mois que je ne lis plus.

Caroline : Pourtant, avant tu lisais beaucoup. Tu étais la plus grande lectrice de notre groupe. Tu te rappelles, on se rencontrait souvent au café.

Sabine : Les choses ont changé. Avant, je lisais et j'étais au courant des événements littéraires. J'allais au cinéma, je sortais avec mes amis. Maintenant, avec le travail et la famille, je n'ai plus le temps.

Caroline : C'était le bon vieux temps : on s'amusait, on parlait de politique, de science, on rêvait de changer le monde. Maintenant, les choses ont bien changé... Et toi aussi.

Sabine : Oui, avant, j'avais les cheveux longs et j'étais plutôt mince...

Caroline : Écoute, ne prends pas mes remarques au sérieux. On se connaît depuis la maternelle. On peut plaisanter de temps en temps. Ne te mets pas en colère pour ça.

OBSERVEZ ET EMPLOYEZ LES STRUCTURES

〉 **1** LES INDICATEURS TEMPORELS

Pour parler d'une situation qui a commencé dans le passé et qui continue au moment où l'on parle, on emploie **depuis...**, **il y a... que** ou **ça fait... que**.

■ **Depuis + indication de temps indique le début de la durée. Le verbe est au présent.**

*Je connais Éric **depuis** 1990.*

■ **Depuis + durée (nombre d'heures, de jours, de mois, d'années) indique le temps écoulé. Le verbe est au présent.**

*J'apprends le français **depuis** <u>trois ans</u>.*
                                    |
                              temps écoulé

*Je suis là **depuis** <u>huit heures</u>.*
                       |
                  temps écoulé

> **Attention :** Avec **depuis** dans une phrase négative au présent, on utilise **ne plus** (et non **ne... pas**).
>
> *Je **ne** fume **plus** depuis quelques semaines.*

■ **Il y a + durée + que et ça fait + durée + que indiquent également le temps écoulé, mais se placent au début de la phrase. Le verbe est au présent.**

__Il y a__ 15 minutes __que__ je vous attends.
__Ça fait__ 15 minutes __que__ je vous attends.

> **Attention : Ça fait + durée + que** s'emploie surtout à l'oral.

exercice écrit

1.1 Complétez les phrases avec **depuis**, **ça fait** ou **il y a.**

*Nous habitons ici **depuis** le mois dernier.*

1. Ma mère travaille dans cette compagnie ✳ 20 ans.
2. ✳ une heure qu'il est sorti.
3. Il est au téléphone ✳ une heure.
4. Elle est malade ✳ trois jours.
5. ✳ 20 minutes que je vous attends.
6. ✳ un mois, ils sont sans nouvelles de leur fils.
7. ✳ 10 minutes que le bébé pleure.
8. Vincent ne fait plus de ski ✳ des années.

■ **Depuis, il y a... que et ça fait... que dans une phrase négative**

- Le verbe est au passé composé et la phrase indique que l'événement ou la situation continue à ne pas exister.
  ne/n'... pas + depuis

  *Je **n'**ai **pas** vu mon grand-père **depuis** un an.*

  Il y a... /ça fait... que + ne/n'... pas

  *__Il y a/Ça fait__ un mois __que__ je **n'**ai **pas** reçu de nouvelles de mes grands-parents.*

exercice écrit

1.2　Mettez les phrases à la forme négative.

N'oubliez pas de mettre les verbes au passé composé.

1. Il fume depuis deux ans.
2. Ça fait trois ans que je joue du piano.
3. Je dors depuis deux jours.
4. Ça fait un an que je fais du sport.
5. Elle prend des cours de piano depuis six mois.
6. Je lis des journaux français depuis le mois dernier.

■ **Depuis quand** (quel jour, quel mois, quelle année) indique quand a commencé une activité ou une situation qui continue.

– *Depuis quand vous vivez ici ?*　　– *Je vis ici depuis septembre.*

■ **Depuis combien de temps** indique la durée de l'activité ou de la situation.

– *Depuis combien de temps habitez-vous avec votre ami ?*
– *J'habite avec mon ami depuis quatre mois.*

■ **Il y a + durée** et **ça fait + durée** au passé composé (sans le que) indiquent combien de temps s'est écoulé entre l'événement et le moment présent. On emploie il y a avec un temps passé.

– *Quand est-ce qu'il est arrivé ?*　　– *Il est arrivé il y a 15 minutes.*

Attention : Il ne faut pas confondre il y a indicateur temporel avec il y a qui indique l'existence de quelqu'un ou de quelque chose.
Dans notre quartier, il y a un café portugais.

exercice écrit

1.3　Complétez les phrases avec **depuis** ou **il y a.**

1. Les Dubois vivent en Italie ✳ cinq ans.
2. Vous avez commencé votre cours de français ✳ trois semaines.
3. Nous sommes allés au cinéma ✳ deux jours.
4. Mon père travaille chez Ford ✳ 25 ans.
5. Carmen Rodriguez est arrivée au Canada ✳ trois ans.
6. Ils se sont séparés ✳ un an.
7. Anne a téléphoné ✳ cinq minutes.
8. J'étudie dans cette université ✳ septembre, donc ça fait six mois que j'y suis.

1.4 Complétez le dialogue avec la semaine dernière, il y a, juste avant ou il y a longtemps, puis jouez à deux.

– * trois mois que je ne suis pas allé au cinéma. Tu es libre ce soir?
– Il n'y a pas de film intéressant.
– Mais si, *, il y avait *Les Parrains*.
– Encore *Le Parrain*?
– Non, pas *Le Parrain*, *Les Parrains*. *Le Parrain*, c'était *. C'était avec Marlon Brando. *Les Parrains*, c'est un film français avec Jacques Villeret. Il vient de sortir.
– Jacques Villeret… il est mort, non?
– Oui, mais ils ont fait le film * sa mort.
– Ah! c'est triste. Alors on y va pour lui rendre hommage.

■ **Pendant indique la durée d'un événement au passé, au présent ou au futur.**

Vincent est resté à l'hôpital pendant une semaine.
Esther ne travaille jamais pendant l'été.
Il va rester chez nous pendant deux jours.

LES INDICATEURS TEMPORELS

Questions

– **Depuis quand / combien de temps** attendez-vous le bus?
– **Depuis combien de temps** êtes-vous ici?
– **Depuis quand** tu n'es pas venu chez nous?
– **Quand** est-ce qu'il est parti?
– **Pendant combien de temps** es-tu resté à Paris?

Réponses

– Nous attendons le bus **depuis** 15 minutes.
– Je suis ici **depuis** trois jours.
– Je ne suis pas venu **depuis** l'année dernière.
– Il est parti **il y a** deux jours.
– J'y suis resté **pendant** trois semaines.

1.5 Posez les questions appropriées pour obtenir les réponses suivantes.

1. Les enseignants sont en grève **depuis trois jours**. Ils exigent une augmentation de salaire.
2. Les fonctionnaires ont préparé cette conférence **pendant plusieurs mois**.
3. **Il y a trois jours** que les syndicats veulent négocier un autre contrat.
4. Ils vont rester à la bibliothèque **pendant quatre heures**.
5. Les ministres ont discuté avec les représentants des étudiants **pendant deux heures**.
6. Je suis allée à cette école **pendant quatre ans**.

 1.6 Complétez le dialogue avec depuis quand, ça fait ou il y a, puis jouez à deux.

– Vous attendez le bus qui va rue Saint-Denis, monsieur?
– Oui.
– * vous l'attendez?
– * 10 minutes.
– Et le bus pour Saint-Laurent? Vous l'avez vu passer?
– Oui, * deux minutes.

LE PASSÉ COMPOSÉ OU L'IMPARFAIT ?

■ Le passé composé

- Le passé composé exprime une action qui s'est produite dans le passé, qui a eu un début et une fin, et qui est finie au moment où l'on parle.

  *Hier, le premier ministre du Canada **est parti** en visite officielle aux États-Unis.*
  *En 2001, nous **avons déménagé** et nous nous **sommes installés** à Montréal.*

- Le passé composé est souvent employé pour raconter une série d'actions qui se sont succédé.

  *J'**ai acheté** des aspirines. Je **suis rentrée** dans un bar, j'**ai commandé** une bouteille d'eau et j'**ai avalé** deux cachets.*

■ L'imparfait

- Le mot **imparfait** signifie **inaccompli**. Il peut donc exprimer une situation inachevée à une certaine époque du passé.

  *On **était** jeunes. On n'**avait** peur de rien. On **voulait** changer le monde.*

- L'imparfait est principalement le temps de la description et de l'explication. Il sert à dire comment étaient les choses sans préciser la durée.

  *Quand il **était** petit, il **était** champion de ski.*
  *Il **faisait** beau. Il y **avait** beaucoup de gens à la piscine.*

- L'imparfait sert souvent à exprimer une action habituelle ou répétitive située dans le passé : c'est l'imparfait d'habitude. Il est souvent accompagné d'expressions comme **chaque**, **quand**, **tous les**, **souvent**, **fréquemment**.

  ***Tous les** étés, ils **allaient** passer les vacances chez leurs grands-parents.*

Passé composé	Imparfait
• Exprime l'action principale. On raconte ce qui s'est passé.	• Donne le cadre du récit, le décor ou l'arrière-plan. C'est le temps de la description.
*Je **suis allé** voir le dernier film de Jean-Pierre Jeunet.* → ***As**-tu **vu** Audrey Tautou ?* →	*Il y **avait** beaucoup de monde dans la salle. Le metteur en scène **était** là.* *Oui, elle **était** superbe. Elle **portait** une robe de Chanel.*
	• Exprime la cause de l'action principale. C'est le temps de l'explication.
*Nous nous **sommes promenés**…* *Je ne **suis** pas **resté** jusqu'à la fin…*	*… parce qu'il **faisait** très beau.* *… parce qu'il y **avait** trop de monde.*

▶ **2** L'EXPRESSION DU TEMPS ET DE LA CAUSE

■ L'expression du temps avec quand

- **Quand** est utilisé pour situer un événement qui est arrivé alors qu'une situation était en cours. La situation est décrite par un **verbe à l'imparfait**, l'événement par un **verbe au passé composé**.

  *Vincent **était** déjà à l'hôpital **quand** il m'**a appelé**.*
  　　imparfait　　　　　　　　　　passé composé

  *J'**étais** sous la douche **quand** tu m'**as téléphoné**.* (Le téléphone a sonné alors que j'étais sous la douche.)
  　imparfait　　　　　　　　　passé composé

Attention : Notez le contraste entre l'imparfait, qui exprime une situation habituelle, et le passé composé, qui raconte ce qui s'est passé un jour.

*Je la **voyais** à la bibliothèque tous les jours et à la même heure. Un jour, elle m'**a souri** et elle **est sortie**. J'**ai compris**.*

module 4 › unité 10

• **Quand** est aussi utilisé pour raconter deux événements simultanés. Les verbes sont alors au même temps. Dans l'exemple suivant, les deux verbes sont au **passé composé**.

*Quand j'**ai commencé** à conduire, j'**ai eu** peur.* (Les deux événements se sont produits en même temps.)

passé composé   passé composé

• **Quand** est également utilisé pour marquer la répétition ou l'habitude. Les deux verbes sont alors à **l'imparfait**.

*Quand j'**étais** petite, je **passais** toutes mes vacances au bord de la mer.*

imparfait   imparfait

 exercice écrit **2.1 Complétez les phrases en utilisant des verbes à l'imparfait.**

*Quand nous sommes sorties, il **pleuvait**.*

1. Quand Mélanie est arrivée chez nous, ✳.
2. Quand tu m'as appelé, ✳.
3. Quand elle a appris la mauvaise nouvelle, ✳.
4. Quand Sophie a ouvert la porte, ✳.
5. Quand j'ai passé mon permis de conduire, ✳.
6. Quand nous sommes arrivés chez elle, ✳.
7. Quand le chanteur est entré sur scène, ✳.

▮ D'autres mots de liaison

Tout à coup, **soudain** et **brusquement** permettent d'exprimer la rupture d'une situation.

Imparfait (arrière-plan, décor)	Mots qui expriment la rupture d'une situation	Passé composé (action principale ou événement soudain)
Nous **marchions** dans la rue.	**Tout à coup,**	nous **avons entendu** un grand bruit.
Il **était** 8 heures du soir. Je **faisais** mes devoirs.	**Soudain,**	il y **a eu** une panne d'électricité.
Il **faisait** beau. Le soleil **brillait**.	**Brusquement,**	la pluie **a commencé** à tomber.

 exercice écrit **2.2 Ajoutez une phrase commençant par tout à coup, soudain ou brusquement.**

1. On se promenait dans la rue. ✳
2. Il faisait beau. J'étais à la terrasse d'un café. Je lisais mon journal. ✳
3. Il était 8 heures du matin. Il se préparait à aller travailler. ✳
4. La mer était calme. ✳
5. Je descendais la rue tranquillement. ✳

2.3 **Mettez les verbes entre parenthèses au passé composé ou à l'imparfait.**

1. Hier, on (rencontrer) ✳ Vincent au Café des fleurs. Il (être) ✳ avec sa petite amie.
2. Quand elle (recevoir) ✳ le cadeau, elle (pleurer) ✳ d'émotion.
3. Quand ma grand-mère (avoir) ✳ son premier enfant, elle (avoir) ✳ 19 ans.
4. Hier soir, je t'(appeler) ✳, mais tu n'(être) ✳ pas chez toi.
5. Je (dormir) ✳ quand soudain le téléphone (sonner) ✳.
6. Je (rouler) ✳ à 120 km/h quand la police m'(arrêter) ✳.

2.4 **Complétez le dialogue en mettant les verbes suivants au passé composé ou à l'imparfait, puis jouez à deux.**

rentrer   se passer   être   rester   voir   être   aller   faire   avoir

– Tu ✳ déjà ✳ de vacances? Comment ça ✳?
– C'✳ superbe. Nous ✳ trois semaines au Sénégal.
– Au Sénégal? Qu'est-ce que vous ✳ de spécial?
– Eh bien, beaucoup de choses. Dakar est une ville agréable à voir et surtout cette célèbre île de Gorée…
– C'✳ plutôt une visite historique alors?
– Oui, mais nous ✳ aussi ✳ à la plage. Il ✳ très beau.
– Il y ✳ beaucoup de touristes?
– Malheureusement oui.
– Pourquoi malheureusement?
– Bof, faire des kilomètres pour voir des touristes…

■ L'expression de la cause avec parce que

On utilise **parce que** en réponse à **pourquoi**. On donne la cause d'un événement.

Pourquoi tu n'es pas venu à mon anniversaire? Je ne suis pas venu parce que je ne me sentais pas bien.

2.5 **Répondez aux questions en utilisant parce que et l'une des raisons suivantes. Il y a plusieurs possibilités.**

l'ordinateur ne fonctionne pas   être malade   partenaire absent
ne pas être au courant   être très occupé   ne pas avoir le temps

Pourquoi vous êtes arrivé en retard? Je suis arrivé en retard parce qu'il n'y avait pas de bus ce matin.

1. Pourquoi tu n'as pas fait tes travaux?
2. Pourquoi tu n'as pas fini ta dissertation?
3. Pourquoi n'êtes-vous pas venu hier?
4. Pourquoi n'avez-vous pas préparé votre exposé?
5. Pourquoi tu n'as pas répondu à mon courriel?
6. Pourquoi n'avez-vous pas lu ce chapitre?

⟩ **3 CHAQUE ET TOUT**

On utilise **chaque** et **tout** pour indiquer des événements répétés ou habituels.
Chaque soir, il regarde le téléjournal.

▨ **Chaque s'emploie toujours au singulier, immédiatement devant le nom.**

Chaque année, nous visitons le musée du Louvre.

▨ **Tout, adjectif, s'accorde avec le nom qui suit et ce nom est précédé d'un article défini.**

Tous les ans, on allait au Portugal pour voir nos grands-parents.

Hier, j'ai étudié toute la soirée.

	Singulier	Pluriel
Masculin	**Tout le** temps	**Tous les** jours
Féminin	**Toute la** soirée	**Toutes les** semaines

exercice écrit

3.1 Complétez les phrases avec tout, toute, tous, toutes ou chaque.

1. Pour aller au travail, il prend le métro ＊ les jours.
2. Nous sommes allés en France et nous avons visité ＊ les régions.
3. ＊ dimanche, nous allions à la messe.
4. Quand Pauline avait 10 ans, elle aimait ＊ les fromages, mais maintenant elle refuse d'en manger.
5. Je vérifie mes courriels ＊ matin.
6. Nous avons passé ＊ la soirée à regarder ses photos de voyage.
7. Quand nous habitions à la campagne, nous rendions visite à mes grands-parents ＊ les week-ends.
8. Nous nous réveillions ＊ les matins de bonne heure.

⟩ **4 LES SUPERLATIFS**

▨ **Le superlatif de l'adjectif**

• Le superlatif de supériorité se forme avec **le / la / les plus**, et le superlatif d'infériorité avec **le / la / les moins**. On met ensuite l'adjectif, qui s'accorde en genre et en nombre avec le nom.

*Ces professeurs sont **les plus** exigeants.*
*Ces exercices sont **les moins** difficiles.*

• Parfois, on ajoute un complément introduit par **de**.
*Amar est **le plus** courageux **de** mes amis.*
*Marion est **la plus** courageuse **de** mes amies.*

```
le ⎤
la ⎥ + plus/moins + adjectif
les⎦           + adjectif + de + complément
```

- Certains adjectifs peuvent se mettre devant le nom : par exemple, **petit**, **joli** ou **beau**. Lorsque ces adjectifs sont mis au superlatif, ils peuvent précéder ou suivre le nom.
  *C'est **la plus haute** montagne (du monde).*
  *C'est la montagne **la plus haute** (du monde).*

- L'adjectif **bon**/**bonne** a un superlatif de supériorité et un comparatif de supériorité irréguliers.
  *C'est une **bonne** suggestion. En effet, c'est **la meilleure**.*
  *Goûte ce fromage ! C'est **le meilleur**.*

Adjectif	Superlatif	Comparatif
bon	le meilleur	meilleur que
bonne	la meilleure	meilleure que
bons	les meilleurs	meilleurs que
bonnes	les meilleures	meilleures que

Attention : Parfois, l'adjectif **mauvais** a un comparatif et un superlatif irréguliers.
    *Ce fromage est **plus mauvais** que l'autre.*   ou   *Ce fromage est **pire** que l'autre.*
    *Cette solution est **la plus mauvaise** de toutes.*   ou   *Cette solution est **la pire** de toutes.*

■ Le superlatif de l'adverbe

- Le superlatif de l'adverbe se forme toujours avec l'article défini **le**. Il est invariable.

```
le + plus/moins + adverbe
```

*Je me réveille **le plus souvent** à 7 heures.*
*Chérie, n'oublie pas de rentrer **le plus tôt possible** !*
*C'est lui qui danse **le moins bien**.*

- L'adjectif **bien** a un superlatif de supériorité et un comparatif de supériorité irréguliers.

*Parmi tous ces musiciens, c'est Julien qui joue **le mieux**.*
*J'aime **bien** le café. C'est le café que j'aime **le mieux**.*

Adverbe (invariable)	Superlatif	Comparatif
bien	le mieux	mieux que

exercices écrits

4.1 Complétez les phrases avec un superlatif de supériorité (**le/la/les plus**) ou un superlatif d'infériorité (**le/la/les moins**).

1. Février est le mois ✳ froid de l'année au Canada.
2. C'est moi ✳ grande de la famille.
3. Elle reste ✳ tard possible.
4. Tu es en bonne santé, c'est ✳ important.
5. Le Château Frontenac est ✳ bel hôtel du Canada.
6. J'ai deux sœurs. Anne, c'est ✳ jeune.
7. Je vais t'appeler ✳ souvent possible.
8. La rue Yonge, c'est ✳ longue rue du monde.
9. Je ne veux pas y aller parce que c'est le quartier ✳ isolé de la ville.
10. La France est le pays ✳ visité au monde.

4.2 Complétez les phrases avec **le meilleur, la meilleure, les meilleurs, les meilleures** ou **le mieux**.

1. Voici ✳ restaurant de la ville.
2. C'est ici qu'on mange ✳.
3. Aline est ✳ étudiante de notre classe.
4. C'est elle qui travaille ✳.
5. Monsieur et Madame Blanc sont ✳ avocats de la ville.
6. Audrey Tautou est ✳ actrice de l'année.
7. C'est elle qui joue ✳.

4.3 Complétez les phrases avec un comparatif ou un superlatif.

1. Ce vin est bon, il est ✳ que l'autre.
2. Cette pâtisserie est bonne, c'est ✳ de la ville.
3. Il y a des villes très tranquilles, mais en général, la campagne est ✳ que la ville.
4. Février au Québec! C'est ✳ mois pour faire du ski.
5. Cette piste est très longue, mais l'autre, là-bas, est ✳ de la station.
6. Regarde comme ces roses rouges sont belles! Ce sont ✳ de mon jardin.

APPRENEZ DE NOUVEAUX MOTS

〉C'EST DANS LE DIALOGUE

exercices écrits

1. Masculin ou féminin?

Relisez les dialogues des pages 186 et 187 et indiquez le genre des mots suivants.

1. jambe	4. blessure	7. joue	9. béquille
2. bras	5. dos	8. douleur	10. hôpital
3. tête	6. plâtre		

2. Trouvez le verbe qui correspond à chaque nom.

1. une critique	5. une blessure	9. une comparaison
2. une marche	6. une appréciation	10. une rencontre
3. une impression	7. une déprime	
4. une perte	8. une sortie	

3. Choisissez cinq verbes de l'exercice 2 et faites des phrases comme dans le modèle.

*J'**ai rencontré** une ancienne amie de l'école primaire.*

4. Associez les phrases qui ont le même sens.

1. Elle n'était pas au courant.	a) Il n'a pas utilisé ses skis.
2. Je sortais avec mes amis.	b) Il s'est blessé.
3. Tu étais la plus brillante.	c) Il n'est plus en bonne santé.
4. Il n'a pas touché à ses skis depuis 10 ans.	d) Tu étais la plus intelligente.
5. Il s'est fait mal.	e) Elle ne savait pas.
6. Il est malade.	f) J'étais sociable.

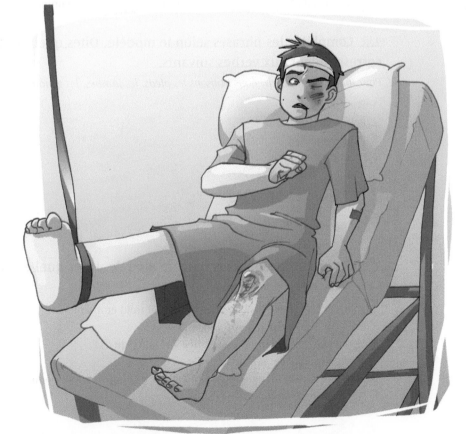

1 LA SANTÉ

aller chez le médecin / le dentiste…
appeler ou consulter le médecin / le dentiste…
attraper froid, un rhume, une grippe
ausculter un malade
avaler un comprimé
avoir l'air en forme
avoir la grippe
avoir la nausée
avoir mal à la gorge
avoir mal à la tête
avoir mal aux dents
avoir un rhume / être enrhumé
avoir une maladie
éternuer
être en bonne santé
être en forme

être en pleine forme
être enrhumé
être malade
faire une opération / opérer
guérir
mesurer
prendre des médicaments
prendre la température, la tension, le pouls
respirer
se blesser
se porter bien ou mal
soigner
se sentir bien ou mal
tousser

exercices écrits

1.1 Complétez les phrases avec les verbes appropriés à la forme qui convient. Utilisez le vocabulaire ci-dessus.

1. J'ai mal aux yeux, je vais * mon optométriste.
2. Les ligaments de votre genou sont déchirés. Je dois vous *.
3. J'ai * cette grippe la semaine dernière.
4. Restez au lit! Il faut * votre rhume pendant quelques jours.
5. Le médecin a d'abord * ma température.
6. Je vais vous *. Depuis quand vous avez cette grippe?
7. Docteur, je ne * pas bien du tout. Faites quelque chose !
8. J'avais très mal au dos, je suis allé chez le chiropraticien. Maintenant, je me * mieux.

1.2 Complétez les phrases selon le modèle. Dites quelles parties du corps correspondent aux verbes suivants.

*Pour **marcher** ou **courir**, nous utilisons les **pieds**, les **jambes**, les **genoux**.*

1. Pour parler, *.
2. Pour sentir, *.
3. Pour manger ou avaler, *.
4. Pour jouer du piano, *.
5. Pour téléphoner, *.
6. Pour regarder, pour lire, pour voir, *.
7. Pour respirer, *.
8. Pour écrire, gesticuler, *.

1.3 Complétez les phrases selon le modèle. Dites quel est le problème.

*J'ai **le nez bouché**, j'ai **la grippe**.*

1. Je me suis promené sans manteau, il faisait froid et maintenant, *.
2. Il a glissé sur une plaque de verglas, *.
3. Le professeur ne peut pas parler très fort parce qu'il *.
4. Aujourd'hui, je n'ai pas pris de café, *.
5. Hier, nous avons mangé trop de gâteaux et de chocolats, maintenant *.
6. J'ai révisé toute la nuit, *.

2 LA DESCRIPTION PHYSIQUE

Cheveux : Elle a les cheveux noirs / gris / blonds / roux / auburn / châtain / blancs / raides / frisés.
Visage : Elle a un visage carré / rond / long / ovale.
Yeux : Elle a les yeux noirs / marron / bleus / verts / gris.
Taille : Elle est petite / grande / de taille moyenne. Elle mesure 1,68 m.
Corpulence : Elle est maigre / mince / forte / grosse.

On dit : *J'ai **les** cheveux blonds, roux, bruns, noirs, châtain, gris, etc.*
mais : *Je **suis** blond / blonde, je **suis** roux / rousse.*

> **Attention :** Pour décrire une personne, on dit : **ressembler à quelqu'un.**
> *Je **ressemble à** mon père.*
> *J'ai les mêmes yeux que mon père.*
> *Tu **ressembles à** ton père ou **à** ta mère ?*

 exercices écrits

2.1 Complétez les phrases avec **le, la, les, à la, à l', au, aux** ou **chez.**

1. Vincent a mal ✳ dos et ✳ tête.
2. Je ne me sens pas bien. J'ai un peu mal ✳ estomac.
3. Hier, elle est allée ✳ le dentiste parce qu'elle avait très mal ✳ dents.
4. Les enfants ont souvent mal ✳ ventre.
5. Ah, qu'elle est jolie ! Elle a ✳ yeux bleus.
6. Est-ce que ta mère a ✳ cheveux longs ou courts ?
7. Il a mal ✳ pieds parce qu'il est tombé de bicyclette.
8. Combien de fois allez-vous ✳ votre coiffeur ? Est-ce qu'il coupe bien ✳ cheveux ?
9. J'ai toujours ✳ mains froides, et toi ?
10. Il est très enrhumé. Il a ✳ nez bouché.

2.2 Lisez le texte, puis faites le portrait de votre meilleur(e) ami(e) ou de vos parents.

Mon grand-père a 67 ans. Je le trouve très beau. Il mesure 1,75 m. Il a de grands yeux marron, une petite bouche et un grand nez. Il a les cheveux gris et toujours très courts. Il va souvent chez le coiffeur. Il est très sportif, il est en bonne santé. Il a le dos toujours très droit et des doigts très fins. Sa peau est très douce. Il a un regard joyeux, jamais triste. Il est toujours habillé à la mode. Il fait plus jeune que son âge. Je l'aime beaucoup parce que c'est mon grand-père et surtout parce qu'il me fait rire. Il a beaucoup d'humour, il est généreux, chaleureux et très sociable.

Prononcez

Les sons [e] et [ɛ]

piste 20 **1. Dites si vous entendez [e] ou [ɛ].**

piste 21 **2. Écoutez et écrivez les verbes qui sont à l'imparfait.**

3. Lisez à haute voix ce texte tiré de *L'homme qui plantait des arbres* de Jean Giono.

Il y a environ une quarantaine d'années, je faisais une longue course à pied, sur des hauteurs absolument inconnues des touristes, dans cette très vieille région des Alpes qui pénètre en Provence. [...] Je traversais ce pays dans sa plus grande largeur et, après trois jours de marche, je me trouvais dans une désolation sans exemple. Je campais à côté d'un squelette de village abandonné. Je n'avais plus d'eau depuis la veille et il me fallait en trouver.

Source : GIONO, Jean. *L'homme qui plantait des arbres,* © Éditions Gallimard.

ÉCOUTEZ ET ÉCHANGEZ

〉 ENTRAÎNEZ-VOUS À L'ÉCOUTE

piste 22   Écoutez et relevez les parties du corps qui sont mentionnées.

〉 RENDEZ-VOUS AU COIN CAFÉ

Se situer dans le temps
– Nous étudions le français depuis six mois.
– Ça fait cinq ans que je suis à l'université.
– Je suis arrivé il y a cinq minutes.

Raconter un événement au passé
– Je suis sorti quand il est arrivé.
– Je marchais dans la rue quand soudain la police est arrivée.
– J'avais 15 ans quand mes parents ont décidé d'émigrer.

Parler de sa santé
Se porter bien / mal
Se sentir bien / mal
Être en forme / en bonne santé ; être malade / enrhumé
Avoir une maladie
Avoir mal à la tête / aux dents / au ventre
Avoir l'air en forme / malade

Décrire une personne
Cheveux : Elle a les cheveux noirs / gris / blonds / roux / auburn / châtain / blancs / raides / frisés.
Visage : Elle a un visage carré / rond / long / ovale.
Yeux : Elle a les yeux noirs / marron / bleus / verts / gris.
Taille : Elle est petite / grande / de taille moyenne. Elle mesure 1,68 m.
Corpulence : Elle est maigre / mince / forte / grosse.

Exprimer son mécontentement
– Pourquoi tu t'es mis en colère ? / Pourquoi tu te fâches ?   – Parce qu'il est arrivé en retard.

– Le matin, tu es toujours de bonne / de mauvaise humeur ?   – Je suis toujours de bonne humeur.

– En avez-vous assez ? / En avez-vous marre ? / En avez-vous ras le bol ?   – Oui, j'en ai assez. Ça suffit !

– Vous vous êtes disputés sérieusement ?   – Non, pas du tout !

   – Oui, mais nous nous sommes réconciliés.

1. Par groupes de deux ou trois, dites comment vous réagissez à ces situations.

1. Vous rentrez de vacances et votre voisine a oublié d'arroser vos fleurs.
2. Vous faites la queue pour voir un film. Un adolescent se place devant vous.
3. Vous avez un travail important à terminer. Votre frère joue de la guitare.
4. Votre petit frère a pris votre dictionnaire pour le donner à son ami.

2. Par groupes de deux, répondez aux questions.

1. Quel est le pays le plus peuplé du monde?
2. Quel est le plus vaste désert?
3. Quelle est la fête la plus célébrée dans ton pays?
4. Quels sont les problèmes les plus graves de notre planète?
5. Quelle est la langue la plus musicale?
6. Quelle est la ville la plus cosmopolite de ton pays?
7. Quel est le mois le plus froid ou chaud dans ton pays?
8. Quel est l'objet le plus important que tu possèdes?
9. Quelle est la personne que tu admires le plus?

3. Lisez le texte, puis dites à qui vous ressemblez.

La famille de ma mère pense que je ressemble beaucoup à ma mère. Et la famille de mon père pense que je ressemble à mon père. C'est vrai que j'ai un petit nez comme mon père et des yeux bleus comme ma mère. J'ai les cheveux blonds comme mon père et les joues rondes comme ma mère. Mon père est très grand, je suis petit. Ma mère est brune, je suis blond.

4. Lisez le texte, puis racontez une maladie qui vous a obligé(e) à garder le lit : un rhume, une grippe, etc.

Dimanche, vers 10 heures du soir, il ne se sentait pas bien, il avait un peu mal à la tête. Je lui ai donné deux comprimés d'aspirine et j'ai vérifié sa température. Il avait un peu de fièvre. Il toussait. Son visage était tout rouge. Il avait le nez bouché. Je lui ai préparé un jus d'orange. Il ne voulait rien boire. Il avait la nausée. Je l'ai emmené chez le médecin. Il a dit que ce n'était pas grave et qu'il lui fallait du repos.

JEUX DE RÔLES

1. Vous travaillez dans une agence de publicité. On vous présente un nouveau collègue. Il était mannequin et il se croit très beau. Vos collègues parlent de lui, mais vous ne le trouvez pas si joli. Vous faites un petit sondage.

Comment tu trouves le nouveau collègue ? etc.

2. Avec un camarade, vous comparez les grandes transformations de notre siècle.

A admire la technologie.
B est d'accord et parle du temps où Internet n'existait pas.
A apprécie cette invention, mais regrette l'utilisation excessive du portable.
B parle surtout des avantages du portable.

Continuez.

DÉCOUVREZ...
L'AFRIQUE FRANCOPHONE

BURKINA FASO

Des peintures murales

Avec son premier film *Traces, empreintes de femmes* tourné au Burkina Faso, la journaliste Katy léna Ndiaye a reçu le Prix du jury de la 24e édition du Festival international des films sur l'art, qui a eu lieu à Montréal en mars 2006. Ce film montre la richesse de cet art ancestral exclusivement féminin que sont les peintures murales sur les habitations des Kassenas.

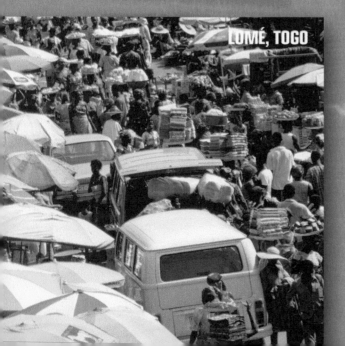

LOMÉ, TOGO

Le septième art en Afrique

Les Américains ont leur Hollywood, les Indiens leur Bollywood, les Européens ont Cannes. Et les Africains?

Le Festival Panafricain du Cinéma et de la Télévision de Ouagadougou (FESPACO) a été créé en 1969. Toutes les catégories de films, courts métrages, documentaires ou longs métrages, sont présentées en compétition. La meilleure œuvre cinématographique est récompensée par un prestigieux trophée de l'Étalon de Yennenga. Environ 7000 réalisateurs, producteurs, critiques, journalistes y participent tous les ans. Ce festival permet également de créer des contacts et des échanges entre les professionnels du septième art, de diffuser des films à but non lucratif, de contribuer au développement du cinéma africain, de sauvegarder des archives de films, de faire la promotion des films dans les festivals internationaux. Parmi les lauréats de l'Étalon, on retrouve de célèbres réalisateurs africains comme Kramao Lanciné Fadika de Côte-d'Ivoire, Cheick Oumar Sissoko du Mali, Nabil Avouch du Maroc et Abderrahmane Sissako de la Mauritanie. La programmation du Festival démontre, par ses réalisations, qu'il existe un regard «africain».

Les quelques festivals du cinéma africain, tels le Festival des cinémas d'Afrique du pays d'Apt à Vaucluse en France, le Festival du cinéma africain à Milan en Italie et le festival Vues d'Afrique à Montréal au Québec, montrent également que le public est de plus en plus intéressé par ce cinéma.

DAKAR, SÉNÉGAL

L'Union africaine

L'Union africaine (UA) a remplacé en 2002 l'Organisation de l'unité africaine (OUA), créée, elle, en 1963. C'est en 1999 que les chefs d'État et de gouvernement de l'Organisation de l'unité africaine ont adopté une déclaration demandant la création de l'Union africaine en vue, entre autres, d'accélérer le processus d'intégration sur le continent afin de permettre à l'Afrique de jouer le rôle politique et économique qui lui revient dans le monde. L'UA comprend actuellement 53 États. Son siège est à Addis-Abeba, la capitale de l'Éthiopie.

Source : NJIKÉ, Jackson. *Francophonies du Sud*, n° 10, p. 2.

D'ICI ET D'AILLEURS

Français d'Afrique*	Français standard
bisser (Burkina Faso)	faire une action pour la deuxième fois
un entrer-coucher (Bénin)	un studio
un causeur (Sénégal)	un conférencier
un campusard (Zaïre)	un étudiant qui habite le campus universitaire
un / une tamateur / euse (Sénégal)	un / une joueur / euse de tam-tam
une mamas-Benz (Côte-d'Ivoire)	une riche vendeuse de tissus
prendre le train onze (Niger)	marcher à pied
siester (Burkina Faso)	faire la sieste
un stratif (Togo)	un fonctionnaire
voyoucratie (Tchad)	être voyou et faire régner sa loi

* DEPECKER, Loïc. *Les mots de la francophonie*, Paris, Éditions Belin, 1990.

RÉDIGEZ...

... UN RAPPORT D'ENQUÊTE

Lisez le texte, puis menez votre enquête.

Comme il faisait beau, j'ai passé une bonne partie de la matinée à travailler dans notre jardin. J'ai planté quelques fleurs. Tout était tranquille. Il n'y avait pas un chat. Tout à coup, l'alarme a sonné. Le rideau du salon était fermé, je ne pouvais donc pas voir de l'extérieur. En général, quand il n'y a personne dans la maison, je mets le système d'alarme par mesure de sécurité. Mon mari était au marché, donc j'étais seule. J'ai appelé mes voisins et ils sont venus très vite. Nous avons vu un voleur qui mettait tous mes livres dans une grande valise noire. Il était grand et mince, il portait un pantalon gris et un pull gris aussi. Je lui ai donné entre 30 et 35 ans. Quand il nous a vus, il a couru par la porte de derrière. Dans notre bibliothèque, on a des manuscrits très rares. Mon mari les collectionne. Par mesure de sécurité, nous fermons toujours la bibliothèque à clé et nous avons installé une alarme électrique. Quand le voleur a cassé la vitre, l'alarme s'est déclenchée. Il a pris un maximum de livres avant de s'enfuir. Je me suis rendu compte de la disparition d'un livre très rare.

1. Vous travaillez au commissariat de police et vous posez 10 questions dans le cadre de l'enquête.

2. Vous êtes le voisin de la victime. Vous étiez aussi dans le jardin et vous avez tout vu. Par solidarité, vous voulez témoigner et vous allez au poste de police.

3. Imaginez le portrait du voleur.

VOCABULAIRE DE L'UNITÉ 10

Noms

accident, m.	dent, f.	genou, m.	main, f.	oreille, f.
béquille, f.	déprime, f.	gorge, f.	malade, m./f.	orteil, m.
blessure, f.	discussion, f.	grippe, f.	marche, f.	plâtre, m.
bouche, f.	doigt, m.	hanche, f.	médecin, m./f.	poignet, m.
bras, m.	dos, m.	hôpital, m.	médicament, m.	rhume, m.
cheveu, m.	douleur, f.	humeur, f.	menton, m.	sang, m.
cheville, f.	estomac, m.	impression, f.	nausée, f.	santé, f.
cœur, m.	événement, m.	jambe, f.	nez, m.	température, f.
corpulence, f.	fesse, f.	joue, f.	œil, m.	tête, f.
coude, m.	fièvre, f.	lèvre, f.	opération, f.	visage, m.

Verbes

attraper froid	consulter	mesurer	ressembler à	soigner
ausculter	guérir	respirer	se blesser	tousser

Adjectifs

auburn	gris/grise
blanc/blanche	gros/grosse
blond/blonde	maigre
châtain/châtaine	mince
carré/carrée	noir/noire
court/courte	ovale
fort/forte	petit/petite
frisé/frisée	raide
grand/grande	roux/rousse

Autres mots

autrefois	le/la pire
avant	le/la plus
brusquement	parce que
ça fait... que	pendant que
depuis	quand
il y a... que	soudain
le/la meilleur/e	tout
le/la mieux	tout à coup
le/la moins	

Parlons d'avenir

Objectifs communicatifs

Parler de l'éducation

Parler de ses projets d'avenir

Parler du temps

Sommaire

Pénibles, ces
stéréotypes

piste 23   C'est bientôt le printemps. Il fait beau et le soleil brille. Amar et Marion sont dans le petit jardin de l'université.

Amar: Tiens, Marion. Rappelle-moi le prénom de la fille qui était assise à côté de toi.

Marion: Elle s'appelle Martine, elle est suisse. Elle est venue assister au congrès que la Croix-Rouge a organisé.

Amar: Je pensais qu'elle était venue assister au congrès de la Banque…

Marion: Arrête de nous sortir les clichés habituels sur la Suisse! En Suisse, il y a la Croix-Rouge et les Nations Unies. Tiens, voilà Martine qui arrive.

Martine: Bonjour Marion.

Marion: Salut, tu arrives pile à l'heure.

Amar: Elle est suisse, c'est normal.

Marion: Peux-tu arrêter de lancer tes stéréotypes? Il y a bien des Suisses qui arrivent en retard.

Amar: Alors, les filles, je vous invite à prendre un verre? Où est Vincent?

Marion: Je ne sais pas où il est. Pourtant, nous devions nous retrouver ici à 5h et il est maintenant 5h10.

Amar: C'est quand l'anniversaire de Vincent? Je lui offrirai une montre suisse. Après, il ne sera plus en retard.

Marion: Tu es vraiment pénible!

Pendant ce temps...

piste 24   Patrick et Caroline sont à l'UNESCO, à Paris, pour assister à un congrès sur l'enseignement et la nouvelle technologie.

Patrick : Pourquoi on n'associe l'éducation qu'aux jeunes ? Il y a beaucoup d'adultes analphabètes dans le monde.

Caroline : On verra ça dans quelques secondes. Le secrétaire général des Nations Unies va bientôt prononcer son discours.

Patrick : Notre planète a mal partout. Les documentaires que nous avons vus tout à l'heure sur les matières enseignées dans les écoles m'inquiètent un peu. Nos jeunes ne savent plus écrire.

Caroline : Je suis d'accord avec vous. Les matières comme la lecture, l'écriture, la grammaire et les maths sont la base de toute éducation.

Patrick : Il faut être optimiste. En 2050, il n'y aura plus d'analphabètes sur notre planète. Et nos enfants sauront écrire comme Molière.

Caroline : Changeons de sujet. Qu'est-ce que vous faites ce week-end ? Mon ami que vous avez rencontré dans l'avion a un chalet à Lausanne. Il nous a invités à passer le week-end là-bas. On mangera de la raclette.

Patrick : Mais Lausanne, ce n'est pas la porte à côté.

TGV : Train à grande vitesse.

Caroline : Et le TGV, à votre avis, ça sert à quoi ?

Patrick : Ah oui, vous avez raison.

Caroline : Alors, c'est décidé. Je fais la réservation.

Patrick : Allons-y. Après tout, pourquoi pas ?

OBSERVEZ ET EMPLOYEZ LES STRUCTURES

⟩ **1 LE FUTUR SIMPLE**

■ La formation du futur

Pour former le futur simple, on ajoute à l'infinitif du verbe les terminaisons **ai**, **as**, **a**, **ons**, **ez**, **ont**.

*Je parler**ai***
|
infinitif + terminaison

Travailler	Finir	Prendre
Je travaille**rai**	Je fini**rai**	Je prend**rai**
Tu travaille**ras**	Tu fini**ras**	Tu prend**ras**
Il / Elle / On travaille**ra**	Il / Elle / On fini**ra**	Il / Elle / On prend**ra**
Nous travaille**rons**	Nous fini**rons**	Nous prend**rons**
Vous travaille**rez**	Vous fini**rez**	Vous prend**rez**
Ils / Elles travaille**ront**	Ils / Elles fini**ront**	Ils / Elles prend**ront**

Pour les verbes en **re**, on supprime le **e, prendr~~e~~, connaîtr~~e~~, vendr~~e~~,** et on ajoute les terminaisons du futur.

■ Certains verbes irréguliers

aller – j'irai	être – je serai	savoir – je saurai
avoir – j'aurai	faire – je ferai	venir – je viendrai
devoir – je devrai	pouvoir – je pourrai	voir – je verrai
envoyer – j'enverrai	recevoir – je recevrai	vouloir – je voudrai

Rappel : Les verbes suivants n'existent qu'à la 3e personne du singulier.

       il y a – il y **aura**   il faut – il **faudra**   il pleut – il **pleuvra**

■ Les particularités de certains verbes

* Le verbe **appeler** double la consonne **l** : j'**appellerai**.
* Les verbes comme **geler** et **acheter** prennent un accent grave : je **gèlerai**, j'**achèterai**.
* Les verbes comme **préférer** et **espérer** gardent l'accent aigu : je **préférerai**, j'**espérerai**.
* Les verbes comme **employer** et **s'ennuyer** changent la lettre **y** pour **i** : j'**emploierai**, je m'**ennuierai**.
* Le verbe **payer** a deux futurs : je **paierai** ou je **payerai**.

COMMENT PARLER D'UN AVENIR PLUS OU MOINS PROCHE

Il y a trois temps verbaux qui permettent de parler d'un événement situé dans l'avenir :

* le futur simple (futur en **r**) : *Je chanterai à l'Olympia dans un an* ;
* le futur avec **aller** + **infinitif** (futur proche) : *Je vais chanter* ;
* le présent (à valeur de futur) : *Demain, je chante à l'Olympia.*

Dans certains cas, si l'événement est programmé, on peut employer n'importe lequel des trois temps.

*Demain, nous **fêterons** l'anniversaire de Patricia.*
             futur simple

*Demain, nous **allons fêter** l'anniversaire de Patricia.*
        futur avec **aller** + **infinitif**

*Demain, nous **fêtons** l'anniversaire de Patricia.*
          présent

■ L'emploi du futur simple (futur en r)

- Pour parler d'un événement situé dans un avenir plus ou moins lointain.

  *Nous **arriverons** vers midi.*
  *Demain, il **pleuvra** toute la journée.*
  *Dans 50 ans, les hommes **prendront** leurs vacances sur la Lune.*

- Pour parler d'un événement qui n'est pas certain.

  *S'il fait beau demain, on **ira** à la plage.*
  *Peut-être que ton frère **arrivera** la semaine prochaine.*
  *La météo annonce qu'il **fera** beau demain.*

- Pour donner un ordre atténué.

  *Tu **fermeras** bien la porte à clé avant de sortir.*
  *Vous **réviserez** les 12 chapitres pour l'examen final.*
  *Il est l'heure de partir. Vous **finirez** l'exercice chez vous.*

- Pour faire des promesses.

  *Je t'**achèterai** un cadeau si tu réussis bien à l'école.*

- Après quand.

  *Je vous écrirai quand j'**arriverai**.*

> **Attention :** Lorsqu'on parle d'un événement à venir, le futur simple est obligatoire après quand.

■ L'emploi du futur avec aller + infinitif (futur proche)

- Pour parler d'un événement situé dans un avenir immédiat.

  *Fermez les portières, le train **va partir**.*
  *(À la radio) Vous **allez** maintenant **entendre** la* Symphonie en ré mineur *de Schumann.*

- Pour parler d'un événement qui résulte de la situation présente.

  *(Corinne est enceinte.) Elle **va avoir** un enfant.*
  *(Il y a des nuages dans le ciel.) Il **va pleuvoir**.*

> **Attention :** Pour parler de quelque chose qu'on a l'intention de faire ou de ne pas faire, on peut employer le futur avec aller + infinitif ou le futur simple.
>
> *Quand je serai grande, je **vais être** actrice de théâtre.*   *Ça, je ne **vais** pas te le **dire**.*
> *Quand je serai grande, je **serai** actrice de théâtre.*   *Ça, je ne te le **dirai** pas.*

■ L'emploi du présent (à valeur de futur)

- Avec tout de suite, immédiatement, à l'instant.

  *J'**arrive** tout de suite.*

- Quand tout de suite est implicite.

  – Le dîner est prêt.   *– J'**arrive** !*

exercice écrit

1.1 Mettez les verbes entre parenthèses au futur simple.

1. Notre planète (être) ✳ irrespirable si nous ne prenons pas de précaution.
2. Je ne (dire) ✳ rien du tout.
3. Vous (recevoir) ✳ une lettre de confirmation.
4. Tu (voir) ✳, je réussirai ce concours.
5. Tu (rester) ✳ sage pendant la fête.
6. Le colloque sur l'éducation (avoir) ✳ lieu la semaine prochaine.
7. Je te promets que je (passer) ✳ te voir.
8. Quand j'(avoir) ✳ de l'argent, je t'achèterai une nouvelle bicyclette.

module 4 › unité 11

exercice
écrit

1.2 Écrivez l'infinitif du verbe, puis mettez chaque phrase au futur avec aller + infinitif ou au futur simple.

À quelle heure est-ce qu'ils arrivent ?   *Verbe : **arriver** – À quelle heure est-ce qu'ils **arriveront** ?*

1. Tu finis ces exercices chez toi.
2. Le mois prochain, nous partons en Floride.
3. Nous faisons du ski au Mont-Tremblant au mois de février.
4. Ce week-end, il n'y a pas de soleil.
5. Toute la semaine, il pleut à Ottawa.
6. Avant de tourner, tu t'assures d'avoir la priorité.

❷ LE FUTUR ET L'HYPOTHÈSE AVEC SI

- On emploie **si + présent, proposition principale au futur** quand on veut exprimer une hypothèse qui peut être réalisée.

  Si j'ai le temps demain, je **passerai** te voir.   S'il **fait** beau, nous **irons** au bois.
    si + présent   proposition principale au futur   si + présent   proposition principale au futur

- La proposition introduite par **si** peut se placer avant ou après la proposition principale.

  S'il pleut, tu ne pourras pas jouer à l'extérieur.
  *Nous irons faire du ski, **s'il ne fait pas trop froid**.*

Attention : Le verbe employé après **si** ne peut pas se mettre au futur.

Rappel : La proposition introduite par **si** exprime une **hypothèse** ou une **condition**.

        Hypothèse :   *S'il **fait** beau le dimanche, nous **mangeons** dans le jardin.*
                       présent   présent

        Condition :   *Si tu **aimes** le soleil, **va** en Afrique !*
                       présent   impératif

exercices
écrits

2.1 Mettez les verbes entre parenthèses au futur simple.

1. S'ils sont libres dimanche, je les (inviter) ✳ au concert de Henri Salvador.
2. S'il n'y a plus de tickets pour voir ce film, nous (aller) ✳ en voir un autre.
3. Si vous voyez Marie, vous lui (dire) ✳ bonjour de ma part.
4. S'il continue à neiger, l'avion ne (décoller) ✳ pas.
5. Si vous n'aimez pas ce modèle, vous (venir) ✳ en choisir un autre.

2.2 Mettez les verbes entre parenthèses au temps qui convient.

1. Si tu (avoir) ✳ le temps, (venir) ✳ me voir !
2. S'il (gagner) ✳ au loto, il (acheter) ✳ une maison au bord de la mer.
3. Vous (réussir) ✳ si vous (apprendre) ✳ bien vos leçons.
4. S'il (neiger) ✳, les enfants (faire) ✳ un bonhomme de neige.
5. Si tu (lire) ✳ ce livre en entier, tu (comprendre) ✳ l'histoire.
6. Si vous (ne pas se sentir) ✳ bien, (aller) ✳ chez votre médecin !
7. S'il (pleuvoir) ✳, on (aller) ✳ au cinéma.

2.3 Complétez le dialogue avec les verbes appropriés au temps qui convient, puis jouez à deux.

> partir   réviser   donner   avoir   faire   pouvoir

– Si nous ✳ le temps, nous ✳ les leçons 8 et 9.

– Mais madame, nous ✳ le test la semaine dernière.

– Ah bon! Déjà! On peut donc…

– On ✳ ✳ madame?

– Dans ce cas, je vous ✳ des devoirs supplémentaires.

– Ah non madame! On reste alors.

3 L'EXPRESSION DU TEMPS AVEC DANS ET EN

La préposition dans

On emploie **dans** pour indiquer la durée entre le moment présent et une situation ou un événement situé dans l'avenir. La préposition **dans + indication de temps** s'emploie en général avec le futur simple.

*Nous partirons **dans** trois jours.*

> **Attention :** Il ne faut pas confondre **dans** préposition de lieu et **dans** préposition de temps.
>
> *Nous habitons <u>**dans** la grande maison</u> là-bas.*
>   ⊥
>   lieu
>
> *Je reviendrai <u>**dans** une demi-heure</u>.*
>   ⊥
>   temps

3.1 Mettez les phrases au futur simple et remplacez il y a par dans.

*Il a fini son dîner **il y a** une demi-heure. Il finira son dîner **dans** une demi-heure.*

1. Ma grand-mère est venue nous voir il y a un mois.

2. Ils se sont mariés il y a un an.

3. Le film s'est terminé il y a un quart d'heure.

4. J'ai vu Claire il y a 10 minutes.

5. Il a téléphoné il y a cinq minutes.

6. La réunion a commencé il y a une heure.

La préposition en

On emploie **en** pour indiquer le temps mis pour accomplir une action. La préposition **en + indication de temps** peut s'employer avec tous les temps.

*J'ai fait le ménage **en** une heure.*
*D'habitude, je cours le 100 mètres **en** 13 secondes.*
*Nous ferons les travaux **en** deux jours.*

> **Attention :** Il ne faut pas confondre **en** préposition de temps, **en** préposition de lieu et **en** pronom.
>
> *Nous sommes <u>**en** été</u>.*
>   ⊥
>   préposition de temps (saison)
>
> *Ils ont repeint la maison <u>**en** deux week-ends</u>.*
>   ⊥
>   préposition de temps (durée)
>
> *Je vais <u>**en** France</u>.*
>   ⊥
> préposition de lieu
>
> *Et du **sport**, tu <u>**en**</u> fais régulièrement ?*
>   ⊥
>   pronom

3.2 Complétez les phrases avec **en** ou **dans**.

1. Avec ma nouvelle BMW, j'ai fait ce voyage ✳ deux heures.
2. Je t'appellerai ✳ quelques jours.
3. Le médecin a examiné le patient ✳ 10 minutes.
4. Attends-moi, j'arrive ✳ cinq minutes.
5. Le concert va commencer ✳ une heure.

■ L'interrogation avec **en** et **dans**

Pour poser une question avec **en** ou **dans**, on commence la phrase par :
- **En combien de** + temps/jours/minutes/etc. ?
- **Dans combien de** + temps/jours/minutes/etc. ?

En combien de temps as-tu appris à nager ? J'ai appris à nager en un mois.
Dans combien de temps seras-tu grand-mère ? Je serai grand-mère dans 30 ans.

3.3 Posez des questions selon le modèle.

a) Lire un livre : *En combien de temps tu as lu ce livre ?*

1. lire un roman de 300 pages
2. préparer le dîner
3. se préparer le matin
4. se doucher
5. se maquiller ou se raser

b) Partir en Italie : *Dans combien de jours vous partez en Italie ?*

1. passer l'examen final
2. faire son lit
3. finir votre travail
4. faire le ménage
5. déménager

3.4 Par groupes de deux, répondez aux questions de l'exercice précédent.

a) Lire un livre : *Je l'ai lu en trois heures.*
b) Partir en Italie : *Je partirai en Italie dans six jours.*

❹ LES PRONOMS RELATIFS QUI, QUE, OÙ

Lorsque deux propositions, A et B, parlent de la même chose ou de la même personne, on insère B dans A pour former une seule phrase. On utilise alors un **pronom relatif** en début de B. Ce pronom peut être **qui**, **que** ou **où**.

■ Qui

Proposition A : *J'aime les livres.*

Proposition B : *Les livres racontent des événements historiques.*

Dans la proposition B, **les livres** est le **sujet** du verbe **racontent**. On va donc joindre les deux propositions en remplaçant **les livres** par le pronom relatif **qui**.

Phrase : *J'aime les livres qui racontent des événements historiques.*

Après le **qui**, on ne peut pas employer un pronom, comme **je**, **tu**, **il(s)**, **elle(s)**, **on**, etc., ou un nom ayant la fonction de sujet.

■ Que

Proposition A : *J'aime **les livres**.*

Proposition B : *Nathalie écrit **les livres**.*

Dans la proposition B, **les livres** est le **complément d'objet direct (COD)** du verbe **écrit**. On va donc joindre les deux propositions en remplaçant **les livres** par le pronom relatif **que**.

Phrase : *J'aime les livres **que** Nathalie écrit.*

Après le **que**, il y a toujours un pronom ou un nom ayant la fonction de sujet.

> **Attention :** Le pronom relatif est toujours situé au **début** de la proposition B.

■ Où

Proposition A : *Connaissez-vous **la ville**?*

Proposition B : *Le Festival de jazz va avoir lieu **dans la ville**.*

Dans la proposition B, **dans la ville** est **complément de lieu**. On va donc joindre les deux propositions en remplaçant **dans la ville** par le pronom relatif **où**.

Phrase : *Connaissez-vous la ville **où** le Festival de jazz va avoir lieu?*

exercices écrits

4.1　Reliez les phrases avec le pronom relatif **qui**.

1. J'ai une sœur. Ma sœur étudie l'économie.
2. Il y a au centre-ville une statue. La statue symbolise l'unité nationale.
3. Nous allons lire un livre de Flaubert. Le livre de Flaubert est un classique de la littérature française.
4. Ce film raconte l'histoire d'un orphelin. L'orphelin est très brillant.
5. J'aime les villes. Les villes ont du charme.
6. Tu portes un parfum. Le parfum sent très bon.

4.2　Reliez les phrases avec le pronom relatif **que**.

1. Je n'oublierai jamais le film. J'ai vu le film dimanche.
2. Où est le dictionnaire? Je t'ai prêté le dictionnaire.
3. Nous allons rencontrer l'acteur. Nous avons vu l'acteur dimanche à la télé.
4. Carole Laure est une actrice. J'aime beaucoup l'actrice.
5. Tu m'as donné un livre. J'ai déjà lu le livre.

4.3　Reliez les phrases avec le pronom relatif **où**.

1. Il faisait très froid dans la salle. Nous avons passé l'examen final dans la salle.
2. Je vais bientôt au Vietnam. Ma meilleure amie habite au Vietnam.
3. Je souhaite habiter dans un pays. Il n'y a pas de pollution dans le pays.
4. Lyon est une très belle ville. Il y a beaucoup de restaurants dans la ville.
5. J'habite dans un immeuble de retraités. Dans l'immeuble, les chiens sont interdits.

4.4 Reliez les phrases avec le pronom relatif approprié.

1. Voici la salle.   On va passer l'examen dans la salle.
2. La table est en verre.   Natacha va acheter la table.
3. La cour est très grande.   Les enfants jouent dans la cour.
4. Ce n'est pas le CD.   Je veux le CD.
5. Tu connais le professeur?   Le professeur va enseigner le cours de maths.

Attention : Il ne faut pas confondre **que** pronom relatif, **que** mot introducteur d'une opinion (voir l'unité 4) et **que** mot comparatif (voir l'unité 9).

*La ville **que** j'aime le plus est Paris.*
            pronom relatif

*Tu dis **que** l'examen est facile? Je suis certaine **que** tu plaisantes.*
    mot introducteur   mot introducteur

*Damien est plus grand **que** Fabien.*
              mot comparatif

4.5 Dites si **que** est un pronom relatif ou un mot introducteur dans les phrases suivantes.

1. Je trouve que notre système éducatif est compliqué.
2. Le livre que tu as choisi n'est pas intéressant.
3. Je pense que la vie est très chère à Genève.
4. Le manteau que j'ai acheté est en laine.
5. C'est un quartier que j'aime beaucoup.

5 L'INTERROGATION AVEC QUI EST-CE OU QU'EST-CE

▧ Qui est-ce qui ou qu'est-ce qui (sujet)

- L'expression **qui est-ce qui** porte sur une personne.
  Qui est-ce qui *est absent aujourd'hui?* ***Vincent*** *est absent.*
                             une personne

  Il est aussi possible de dire **Qui est absent ?**

- L'expression **qu'est-ce qui** porte sur une chose.
  Qu'est-ce qui *t'incite à enseigner l'art aux enfants?* ***Mon amour du dessin et de la peinture.***
                                                 une chose

Attention : Il n'est pas possible de poser cette question autrement.

5.1 Complétez les phrases avec **qui est-ce qui** ou **qu'est-ce qui**.

1. ✳ est important pour toi dans la vie?
2. ✳ vous a vus?
3. ✳ veut jouer avec moi?
4. ✳ t'est arrivé?
5. ✳ a fait ça?
6. ✳ a téléphoné?
7. ✳ vient ce soir?
8. ✳ t'intéresse?

▨ **Qui est-ce que** ou **qu'est-ce que** (COD)

- • L'expression **qui est-ce que** porte sur une personne.
  – *Qui est-ce que* tu cherches ?   – *Je cherche **Paul**.*

  Forme familière : **Tu cherches qui ?**

  Forme soutenue : **Qui cherches-tu ?**

- • L'expression **qu'est-ce que** porte sur une chose.
  – *Qu'est-ce que* vous pensez de ce projet ?   – *Je pense que c'est un projet excellent.*

  Forme familière : **Vous pensez quoi de ce projet ?**

  Forme soutenue : **Que pensez-vous de ce projet ?**

exercices écrits

5.2 Complétez les phrases avec qui est-ce que ou qu'est-ce que.

1. ✳ il fait ?
2. ✳ vous regardez ?
3. ✳ tu veux de plus ?
4. ✳ tu as vu hier soir ?
5. ✳ vous mettez quand vous allez dîner chez des amis ?
6. ✳ on fait demain ?
7. ✳ tu as rencontré ?
8. ✳ vous invitez pour votre anniversaire ?

5.3 Complétez les phrases avec qui est-ce qui, qu'est-ce qui, qui est-ce que ou qu'est-ce que.

1. ✳ s'est passé ?
2. ✳ tu as acheté ?
3. ✳ a gagné le match ?
4. ✳ t'a raconté cette histoire ?
5. ✳ vous avez fait, les enfants ?
6. ✳ viendra avec moi ?
7. ✳ tu as invité ?

 exercice oral

5.4 Complétez le dialogue avec qu'est-ce que ou qu'est-ce qui, puis jouez à deux.

– ✳ tu veux, ma chérie, pour ton anniversaire ?
– Bof ! Je ne sais pas. Quelque chose d'agréable.
– ✳ te plairait ? Un livre de recettes italiennes ou françaises ?
– ✳ tu as dit ? Un livre de recettes ? C'est un cadeau pour toi ou pour moi ?
– Mais enfin chérie. ✳ t'arrive ?

Tableau récapitulatif

	Animé	Inanimé
Sujet	**Qui est-ce qui** est absent ? **Qui** est absent ? ***C'est Paul** qui est absent.*	**Qu'est-ce qui** est le plus important ? *Ma vie bien sûr est le plus important.*
Complément d'objet (COD)	**Qui est-ce que** tu veux inviter ? Tu veux inviter **qui** ? **Qui** veux-tu inviter ? *Je veux inviter **tous mes amis**.*	**Qu'est-ce que** vous cherchez ? Vous cherchez **quoi** ? **Que** cherchez-vous ? *Je cherche **un dictionnaire**.*

5.5 Complétez le dialogue avec qu'est-ce que, que ou qui, puis jouez à deux.

exercice oral

– * vous cherchez, la mère Michelle?
– Eh ben, mon chat.
– Madame Lisette l'a pris. Elle habite au 5ᵉ étage.
– * lui a dit de le prendre?
– Je crois * c'est madame Ginette, la dame * habite au premier.
– Mais * lui a dit de s'en occuper?
– C'est madame Jeannette, la dame * vous avez rencontrée hier.

6 LA RESTRICTION AVEC NE... QUE OU SEULEMENT

Pour exprimer la restriction, on emploie **ne... que** ou **seulement**.

• Au présent, **ne** se place immédiatement après le sujet et **que** immédiatement après le verbe.
*Il **ne** mange **que** des légumes.*

Seulement se place immédiatement après le verbe.
*Il mange **seulement** des légumes.*

• Au passé composé, **ne** se place immédiatement après le sujet et **que** se place après le participe passé.
*Nous **n'**avons mangé **que** deux chocolats.*

Seulement se place après l'auxiliaire.
*Nous avons **seulement** mangé deux chocolats.*

6.1 Transformez les phrases comme dans le modèle ci-dessous.

exercice écrit

*Elle regarde **seulement** une émission de télévision par semaine.*
*Elle **ne** regarde **qu'**une émission de télévision par semaine.*

1. À midi, j'ai pris seulement une salade.
2. J'ai seulement un chapitre à lire.
3. Ce magasin ouvre seulement en semaine.
4. Vous avez seulement 100 dollars. C'est dommage!
5. Vous êtes trois, mais il y a seulement deux places.
6. Je connais seulement Bruxelles.
7. Je veux aller seulement à Paris.

Manneken-Pis, Bruxelles

Place Royale, Bruxelles

Notre-Dame de Paris

APPRENEZ DE NOUVEAUX MOTS

❭ C'EST DANS LE DIALOGUE

exercices écrits

1. Masculin ou féminin?

Relisez les dialogues des pages 206 et 207 et indiquez le genre des mots suivants.

1. planète	5. avis	9. congrès
2. avion	6. verre	10. réservation
3. documentaire	7. discours	
4. matière	8. montre	

2. Choisissez cinq mots de l'exercice 1 et faites une phrase avec chacun d'eux.

*Ce **documentaire** sur les baleines est très intéressant.*

3. Associez les mots ou expressions qui ont le même sens.

1. prendre un verre	a) des stéréotypes
2. se retrouver	b) ne pas être en retard
3. arriver pile à l'heure	c) aller boire quelque chose
4. tu es pénible	d) se rencontrer
5. des clichés	e) tu es énervant
6. avoir mal partout	f) seulement
7. ne… que	g) souffrir de partout

4. Complétez les phrases avec les mots appropriés. Faites attention à l'accord des verbes et des adjectifs.

> enseigner   l'école primaire   cours   laïque   refaire   suivre   le droit
> étudiante   réviser   une bourse

1. Les étudiants ✻ des cours de français.
2. Jean-Pierre ✻ ses leçons pour l'examen final.
3. Les étudiants peuvent suivre des ✻ en anglais ou en français.
4. Les instituteurs ✻ toutes les matières.
5. Je veux devenir avocate. J'étudie ✻.
6. L'université accorde ✻ aux meilleurs étudiants.
7. En France, l'enseignement dans les écoles publiques est ✻.
8. Julie a 20 ans. Elle est ✻ à l'Université Concordia, à Montréal.
9. À 6 ans, j'ai commencé ✻.
10. André a reçu de mauvaises notes. Il est obligé de ✻ ce travail.

⟩ **1 L'ÉDUCATION**

une bourse	la rentrée scolaire
le collège	le secondaire
un collégien / une collégienne	l'université
le cours	
l'école publique / privée	aller à l'école / à l'université
un écolier / une écolière	apprendre / réviser les leçons
un / une élève	échouer à un examen
un enseignant / une enseignante	enseigner
un enseignement laïque / religieux	être reçu
un étudiant / une étudiante	obtenir un diplôme
la faculté	passer dans la classe supérieure
la maternelle	passer un examen
la matière (les lettres, le droit, les sciences, etc.)	payer les frais de scolarité
le primaire	réussir
un professeur	s'inscrire
	suivre des cours

1.1 Par groupes de deux, comparez les systèmes d'éducation de la Suisse et du Québec. Utilisez le vocabulaire de l'éducation.

En Suisse

Le système d'éducation suisse se subdivise en période préscolaire, scolarité obligatoire et période suivant la scolarité obligatoire.

Préscolaire (4-6 ans)
Chaque enfant peut fréquenter une classe préscolaire durant un ou deux ans avant la scolarité obligatoire.

Scolarité obligatoire (6-15 ans)
La fréquentation de l'école primaire et secondaire est obligatoire et gratuite pour tous les habitants (étrangers compris). La scolarité obligatoire dure neuf ans et concerne les enfants âgés de 6-7 ans à 15-16 ans.

Après l'école obligatoire (15 ans et plus)
Lorsqu'il a terminé sa scolarité obligatoire, l'élève est amené à choisir entre différentes possibilités de formation. La formation professionnelle permet d'acquérir un savoir-faire et d'accéder directement à une activité professionnelle. Les différentes voies d'étude de la 2e secondaire préparent l'accès soit aux formations spécifiques (soins infirmiers, social, arts, services, etc.), soit aux universités et hautes écoles spécialisées (HES).

Formation des adultes et formation continue
Les offres de perfectionnement sont aujourd'hui nombreuses et variées : certificat fédéral de capacité (CFC), brevet ou maîtrise fédérale. La formation peut également se poursuivre dans les hautes écoles spécialisées (HES) ou à l'université.

Au Québec

L'enseignement primaire
Tous les enfants de six ans doivent fréquenter l'école primaire. Un enfant de cinq ans peut être admis en première année à la condition qu'il atteigne six ans avant le 1er octobre de l'année en cours.

L'enseignement secondaire
Après six années d'études primaires, les enfants passent aux études secondaires :
- la formation générale, d'une durée de cinq ans, confère un diplôme d'études secondaires et donne accès aux études supérieures ;
- les programmes de formation professionnelle mènent à l'exercice de métiers spécialisés et semi-spécialisés. Ils confèrent soit un diplôme d'études professionnelles, soit une attestation d'études professionnelles. On accède à ces programmes après trois à cinq années d'études secondaires générales. La durée des études professionnelles varie de un à deux ans, selon le programme choisi.

L'enseignement collégial
Les études secondaires en formation générale conduisent au collégial, le premier échelon de l'enseignement supérieur.

École primaire à
Saint-Hilaire, Québec

module 4 \ unité 11

 exercice écrit

1.2 Associez les mots des deux colonnes.

1. Les poèmes	a) On l'enseigne, on l'apprend.
2. Les chiffres	b) On le cherche.
3. Un emploi	c) On l'efface.
4. Le tableau	d) On les pose.
5. Les questions	e) On les additionne.
6. Une langue	f) On le passe.
7. Un examen	g) On les apprend par cœur.

PRONONCEZ

LES LETTRES NON PRONONCÉES

 piste 25

1. Répétez ces phrases. Attention, il y a des lettres qu'on ne prononce pas!

1. Tu achèteras ce livre?
2. On apportera une bouteille de vin.
3. Ce sera intéressant.
4. Vous serez combien?
5. On dînera à 8 heures.
6. Tu réserveras tes billets demain matin.
7. Chouette! Dans quelques jours, on sera en vacances.

piste 26

2. Écoutez et barrez les lettres qui ne sont pas prononcées.

1. Dans un an, je serai à la retraite.
2. Elle restera deux mois dans cette ville.
3. Il travaillera tout l'été.
4. Je t'appellerai demain.
5. Tu suivras des cours de français.
6. J'espère que tu n'utiliseras pas ce vieil appareil pour prendre des photos de vacances.
7. Quand on arrivera, on cherchera sur place.
8. Je ne lui permettrai pas de partir seul.
9. Quand m'enverras-tu tes photos de mariage?

ÉCOUTEZ ET ÉCHANGEZ

❯ ENTRAÎNEZ-VOUS À L'ÉCOUTE

piste 27

<u>1.</u> Écoutez ce bulletin météorologique et écrivez les verbes.

<u>2.</u> Connaissez-vous ces villes? Dans quels pays se trouvent-elles?

❯ RENDEZ-VOUS AU COIN CAFÉ

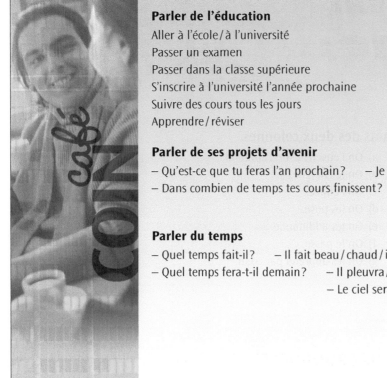

Parler de l'éducation
Aller à l'école / à l'université
Passer un examen
Passer dans la classe supérieure
S'inscrire à l'université l'année prochaine
Suivre des cours tous les jours
Apprendre / réviser

Parler de ses projets d'avenir
– Qu'est-ce que tu feras l'an prochain?   – Je vais poursuivre mes études.
– Dans combien de temps tes cours finissent?   – Dans deux jours, une semaine, un mois.
                                    – Dans peu de temps, bientôt.

Parler du temps
– Quel temps fait-il?   – Il fait beau / chaud / il y a du soleil.
– Quel temps fera-t-il demain?   – Il pleuvra / il neigera / Il y aura du brouillard / du vent.
                                   – Le ciel sera couvert / nuageux.

<u>1.</u> **Vous travaillez pour une station de radio. Vous annoncez la météo. Dites le contraire des expressions en caractères gras dans le texte suivant.**

Demain, il fera **beau** sur toute la région. Il fera **doux** dans le nord. Il n'y aura pas de brouillard. La température **montera** jusqu'à 10° dans l'est. Le vent soufflera très **fort** et il gèlera. Il fera également très **froid** au bord de la mer et il **pleuvra**. Samedi, le ciel restera **couvert de nuages**. Le **beau temps** devrait arriver dimanche, durant la journée.

<u>2.</u> **Vous êtes politicien. Vous demandez à une voyante de lire votre avenir. Utilisez les verbes suivants.**

changer   vivre   être   avoir   durer   s'occuper de   rencontrer   faire

<u>3.</u> **Lisez ces extraits d'une entrevue réalisée avec Gilles Pellerin. Relevez les questions, puis posez-les à un ou une camarade.**

Votre péché mignon en littérature?

Peut-on parler de «péché mignon», qui est une petite chose adorable [...], à propos de quelque chose d'aussi vaste que l'imagination? [...] J'aime les livres inventifs.

Votre péché mignon à table?

[...] une touche légèrement vinaigrée sur du foie gras et du magret de canard poêlé, servi en salade tiède.

Votre définition personnelle de la gourmandise?

La gourmandise est un plaisir qui commence par l'œil et ne méconnaît pas sa destination finale : le ventre.

POUR VOUS, QUELS SONT LES INGRÉDIENTS INDISPENSABLES À UN BON LIVRE?

De bons mots, tout simplement (comme on dit des produits frais dans la cuisine de marché). Le premier ingrédient qui s'impose, c'est la phrase, l'art d'enchaîner les mots aux mots. Affaire de rythme, de musicalité dans l'essai autant que dans la fiction. J'aime qu'on y mette les formes, qu'on me suggère que le livre a été écrit pour moi.

Le livre qui vous a fait le plus saliver dans votre vie?

Celui que j'ai attendu le plus longtemps avant de le lire alors que j'en avais le désir : *Le désert des Tartares* de Dino Buzzati.

Le mot le plus savoureux de la langue française?

Mélancolie. On n'en finit pas de le mâcher.

Source: «Le livre est servi!» © La Presse, samedi 13 novembre 2004.

❭ JEUX DE RÔLES

1. Un projet de mariage

Jouez ce dialogue en utilisant le futur simple.

A demande à **B** si un jour il/elle se mariera.
B répond qu'il/elle ne sait pas pour le moment, mais qu'un jour il/elle le fera.
A demande à **B** la destination de son voyage de noces.
B répond que ça dépendra de son époux/épouse.
A demande à **B** si ses enfants fréquenteront une école française.
B répond certainement.

2. Un projet d'avenir

Jouez ce dialogue.

A demande à **B** ses projets pour l'année prochaine.
B répond qu'il ne sait pas encore, mais qu'il pense voyager.
A demande à **B** où il ira.
B répond qu'il ne sait pas encore parce que cela dépendra de son budget.
A dit à **B** qu'il peut lui prêter un peu d'argent.
B refuse et répond qu'il va travailler pour économiser.

Continuez.

DÉCOUVREZ...
LA SUISSE, LE LUXEMBOURG ET MONACO

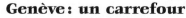

GENÈVE

Genève : un carrefour

Plusieurs organisations internationales ont leur siège à Genève, en Suisse. Le Comité international de la Croix-Rouge (CICR) est la plus ancienne : elle a vu le jour en 1863. L'histoire du CICR commence en fait le 24 juin 1859, lors de la bataille de Solferino, en Italie. Le philanthrope suisse Henri Dunant, venu rencontrer Napoléon III, est horrifié de voir qu'on laisse sans secours les soldats blessés. Dans le livre *Un souvenir de Solferino*, publié trois ans plus tard, Henri Dunant formule quelques propositions simples qui visent sinon à abolir la guerre, du moins à en atténuer les horreurs. Au prix d'un travail inlassable, Henri Dunant persuadera les gouvernements de 14 pays de signer, en 1864, la première « convention de Genève » : les États en conflit s'engagent à protéger les équipes de la Croix-Rouge (médecins, infirmières, etc.) venues prêter assistance aux victimes de la guerre. Aujourd'hui, la Croix-Rouge est une organisation humanitaire mondialement reconnue.

Créée en 1948, l'Organisation mondiale de la santé (OMS) rassemble 192 États. Sa mission est d'améliorer le niveau de santé de tous les peuples du monde. Elle coordonne, plus particulièrement, la lutte contre les maladies épidémiques, les maladies tropicales et le sida. En cas de catastrophe, elle fournit une assistance médicale et sanitaire aux pays touchés.

Depuis sa création en 1919, l'Organisation internationale du travail (OIT) s'occupe des droits des travailleurs. Sa mission est d'améliorer les conditions de travail et de promouvoir la justice sociale.

MONACO

LUXEMBOURG

La fête nationale du Luxembourg

La fête nationale du Luxembourg est célébrée
le 23 juin pour marquer l'anniversaire du souverain.
Cependant, sous le règne de la Grande-Duchesse
Charlotte, la célébration avait lieu le 23 janvier. Pour
des raisons climatiques, depuis l'arrivée sur le trône
du Grand-Duc Jean le 12 novembre 1964, la fête
nationale a lieu en juin.

La principauté de Monaco

Antique cité phénicienne, la principauté est formée
d'une étroite bande de terre qui comprend trois
centres : Monaco, Monte-Carlo et la Condamine.
Son activité est orientée essentiellement vers le tou-
risme, qui bénéficie du Musée océanographique et de
la pittoresque vieille ville de Monaco, du casino de
Monte-Carlo et du port de plaisance de la Condamine.

Français en Suisse	Français standard
un cheni	un désordre
un cornet	un sac en papier
une croûte	un toast
huitante	quatre-vingts
une lavette	une éponge
un linge	une serviette éponge
une merveille	une pâtisserie
un protocole	un procès-verbal

RÉDIGEZ...

... DE BONS CONSEILS

1. Voici de bons conseils pour bien parler français.

1. Tu étudieras la conjugaison des verbes tous les soirs.
2. Tu pratiqueras ta prononciation devant un miroir.
3. Tu réviseras tes leçons avant de t'endormir.
4. Tu écouteras des chansons françaises.
5. Tu regarderas des films en français.
6. Tu suivras les conseils du professeur.
7. Tu tiendras un journal en français et tu écriras tes progrès quotidiens.
8. Tu liras des textes à haute voix.

Sur ce modèle, écrivez quelques conseils à l'intention d'un étudiant qui cherche un emploi d'été.

... UNE PUBLICITÉ

2. Une célébrité dans votre ville

Le célèbre chef français Paul Bocuse sera à Genève du 8 au 15 mars. Voulez-vous tout savoir sur la gastronomie française? Ne manquez pas cette journée. Notez-la tout de suite dans votre agenda.

Sur ce modèle, écrivez une publicité pour une affiche.

3. Une plage magnifique

Lisez la publicité suivante.

Si vous aimez la plage, vous serez enchanté !
C'est un endroit où il fait chaud 365 jours par an.

Sur ce modèle, écrivez quelques phrases.

VOCABULAIRE DE L'UNITÉ 11

Noms			
avis, m.	discours, m.	instituteur / institutrice	siège, m.
bourgeon, m.	documentaire, m.	maternelle, f.	stéréotype, m.
bourse, f.	école publique / privée, f.	matière, f.	travailleur / travailleuse
brouillard, m.	écolier / écolière	montre, f.	université, f.
cliché, m.	élève, m. / f.	oiseau, m.	vent, m.
collège, m.	enseignant / enseignante	planète, f.	verglas, m.
collégien / collégienne	enseignement laïque /	primaire, m.	verre, m.
colloque, m.	religieux, m.	professeur, m.	
congrès, m.	étudiant / étudiante	rentrée scolaire, f.	
cours, m.	faculté, f.	secondaire, m.	

Verbes			
additionner	enseigner	payer (les droits d'inscription, les frais de scolarité)	réviser
aller (à l'école, à l'université)	être reçu	pleuvoir	s'inquiéter
apprendre	faire beau / chaud	prononcer	s'inscrire
assister	neiger	recevoir	s'ouvrir
échouer (à un examen)	obtenir (un diplôme)	réussir	suivre (des cours)
	passer (un examen)		

Adjectifs	Autres mots	
analphabète	dans (expression de temps)	qui est-ce que?
couvert / couverte	en (expression de temps)	qui est-ce qui?
doux / douce	ne... que	qui / que / où (pronoms relatifs)
laïc / laïque	qu'est-ce que?	seulement
nuageux / nuageuse	qu'est-ce qui?	
pénible		

unité 12

Consommer ou ne pas consommer?

Objectifs communicatifs

Faire des courses
Faire des réservations
Exprimer la condition

Sommaire

Bon voyage !

piste 28   Mélanie et Amar se rencontrent à la bibliothèque. C'est la fin de l'année, la période des examens et des travaux à rendre.

Mélanie : Salut Amar ! Comment ça va ?

Amar : Tu es en retard, Mélanie. Comme d'habitude.

Mélanie : Je viens de réserver mon billet d'avion pour la semaine prochaine. J'aimerais tellement être en vacances. Et toi, tu as des projets ?

Amar : Pour l'instant, mon seul projet, c'est le travail qu'on a à faire. Je suis en train de rédiger la dissertation, pendant que toi, tu penses aux vacances.

Mélanie : Bon, bon, d'accord, je vais m'y mettre. Mais, tu sais, j'ai toujours voulu visiter les îles de l'océan Indien. Alors, j'ai décidé de le faire cette année avec Stéphanie. Sa famille habite l'île Maurice. Nous irons d'abord leur rendre visite, puis nous irons visiter Mayotte et la Réunion.

Amar : Tu veux jouer l'exploratrice ?

Mélanie : Tu es jaloux ou quoi ?

Amar : Vous allez aussi aux Seychelles ? Ils parlent français, non ?

Mélanie : Tout à fait.

Amar : N'oublie surtout pas ton nouvel appareil photo numérique, mais pour le moment, je voudrais revenir à la réalité et finir ce travail qu'on doit remettre demain.

Pendant ce temps...

piste 29   Sabine et Bruno commentent le dernier Concours international de publicité. Bruno voit surtout les aspects négatifs, alors que Sabine considère la publicité comme une activité créative.

Pub : Publicité.

Sabine : Tu as vu la pub qui a gagné le Premier Prix au Concours international de publicité ? Comment tu la trouves ?

Bruno : Moi, tu sais, la publicité, je suis contre. Je trouve qu'on est vraiment harcelés par tous ces messages.

Sabine : Tu exagères ! On peut voir la publicité comme une forme d'art : un message accrocheur et des images travaillées pour produire l'effet désiré.

Bruno : Je trouve qu'il y a beaucoup de pubs dans les journaux ou à la radio qui ne sont pas très artistiques.

Sabine : Je suis d'accord avec toi.

Bruno : Et puis, il n'y a pas seulement le côté esthétique : plus on consomme, plus on veut consommer. Bon, je dois m'acheter un appareil photo numérique. Pourrais-tu m'aider à choisir ?

OBSERVEZ ET EMPLOYEZ LES STRUCTURES

1 LE PASSÉ RÉCENT

- Le passé récent exprime un événement passé, mais très proche du moment où l'on parle. En général, on ne précise pas quand l'événement a eu lieu.

  *Je **viens de voir** Tia.*
  *Nous **venons de manger**.*

- Pour donner une précision de temps dans le passé récent, on emploie habituellement le passé composé.

  *Je **suis arrivé** à 8 h 45.*

La formation du passé récent

- **Venir de** (au présent) **+ verbe à l'infinitif**
  *Ils **viennent de partir**.*
  *Vous **venez d'arriver**? Mais vous êtes en retard.*

> **Rappel :** On ne doit pas confondre **venir de + nom** (lieu ou origine) et **venir de + infinitif** (passé récent).
>
> Nous <u>**venons de Madagascar**</u>. Nous <u>**venons de prendre un café**</u>.
> | |
>   origine   passé récent

 exercices écrits

1.1 Mettez les phrases entre parenthèses au passé récent.

1. Mélanie (réserver) ✳ son billet d'avion.
2. Sabine et Christophe (fêter) ✳ leur 20ᵉ anniversaire de mariage.
3. Le président (nommer) ✳ un nouveau ministre.
4. Le ministre (inaugurer) ✳ un nouveau bâtiment.
5. Le gouvernement (voter) ✳ la nouvelle loi contre le tabagisme.

1.2 Relevez les verbes qui sont au passé récent.

1. Nous venons de Genève.
2. La conférence internationale vient de se terminer.
3. Vous venez de manger ? Quel dommage !
4. Elle vient de rentrer de voyage.
5. Patrick vient de skier, il est fatigué.
6. Ces fruits sont délicieux. Ils viennent d'Espagne.
7. Les enfants viennent de la plage. Ils sont bronzés.

exercice oral

1.3 Répondez aux questions en utilisant le passé récent.

*Tu vas manger maintenant ? Non, **je viens** de manger.*

1. Est-ce que M. Lebrun est là ? Non, il (sortir) ✳.
2. Vous voulez un café ? Non, je (prendre) ✳ un thé.
3. Patricia et Benoît sont arrivés à 8 heures ? Non, ils (arriver) ✳.
4. Il y a longtemps que le film a commencé ? Non, il (commencer) ✳.
5. Tu connais cet auteur ? Oui, je (lire) ✳ son dernier roman. Il est excellent.
6. Vous avez vu la dernière exposition au Musée d'art moderne ? Non pas encore, mais nous (acheter) ✳ des billets. Les critiques sont très positives.

exercice écrit

1.4 Mettez les verbes entre parenthèses au passé récent ou au passé composé.

1. Nous (arriver) ✳ la semaine dernière.
2. Le tremblement de terre (faire) ✳ des milliers de victimes.
3. Je (voir) ✳ l'assistant du patron. Il est en train d'imprimer le rapport.
4. Le coût de la vie (augmenter) ✳ en Europe depuis la création de l'euro.
5. Vous cherchez Sylvain ? Il (partir) ✳ avec sa sœur il y a cinq minutes.
6. Vous venez au restaurant ? Je vous invite. Quel dommage ! Nous (déjeuner) ✳.

2 LE PRÉSENT PROGRESSIF

Le présent progressif exprime une action qui se déroule au moment où l'on parle.
*Je **suis en train de** lire.*
*Nous **sommes en train de** regarder la télé.*

La formation du présent progressif

- **Être en train de** (au présent) + **verbe à l'infinitif**
  *Ils **sont en train de** discuter.*
  *Tu as rendu ton devoir ? Non, je **suis en train de** le faire.*
  *Tu te dépêches ? J'arrive, je **suis en train de** me maquiller.*

exercices écrits

2.1 Mettez les verbes entre parenthèses au présent progressif.

1. Ne me dérange pas ! Je (travailler) ✳.
2. Nous ne sommes pas encore prêts. Nous (manger) ✳.
3. Tu (se doucher) ✳ ? Mais dépêche-toi, nous sommes en retard.
4. Chut ! Ne fais pas de bruit. Le bébé (s'endormir) ✳.
5. Ta lettre est prête ? Oui, je (l'imprimer) ✳.
6. Je la vois de ma fenêtre. Elle (faire) ✳ de la gym.

2.2 Mettez les verbes au présent progressif.

1. Nous regardons une émission sur l'écologie.
2. Le conférencier parle de l'économie dans le monde.
3. Ils naviguent dans Internet pour réserver des billets d'avion.
4. Sophie et Nathalie travaillent sur un dossier compliqué.
5. Les enfants jouent dans la cour de récréation.
6. Patrick, vous lisez ce livre ?

3 LA CAUSE, LA CONSÉQUENCE, LE BUT

Pour exprimer la relation qui existe entre deux propositions, on peut utiliser une expression de cause, de conséquence ou de but.

La cause

Les expressions de la cause sont **parce que, comme, puisque, grâce à, à cause de**.

- **Parce que** est très souvent employé en réponse à une question posée avec **pourquoi**.
  ***Pourquoi** êtes-vous fatigués ?*
  *Nous sommes fatigués **parce que** nous avons étudié toute la nuit.*

- **Comme** est toujours placé en début de phrase.
  ***Comme** c'est le 25 décembre, les magasins sont fermés.*
  ***Comme** il faisait beau, on est allés à la plage.*

> **Rappel :** Il ne faut pas confondre **comme** expression de cause avec **comme** expression d'une comparaison.
> *Il est grand <u>**comme**</u> son père.*
> |
>   comparaison

- **Puisque** exprime une cause connue de la personne à qui l'on parle (l'interlocuteur). Il sert à justifier une action ou une affirmation.

  __Puisqu'__il pleut, on va annuler le pique-nique.

  justification de l'action

  Elle doit connaître le russe, __puisqu'__elle a habité 15 ans à Moscou.

  justification de l'affirmation

- **Grâce à** s'utilise pour exprimer une cause positive. Il est suivi d'un nom.

  __Grâce à__ la présence de mes amis, je suis sorti de ma dépression.

- **À cause de** s'utilise souvent pour exprimer une cause négative. Il est suivi d'un nom.

  Je suis arrivé en retard __à cause des__ embouteillages.

exercices écrits

3.1 Reliez les phrases avec le mot entre parenthèses. Ne changez pas l'ordre.

J'étais en retard. J'ai couru. (comme)   ***Comme** j'étais en retard, j'ai couru.*

1. Tu es fatigué. Va dormir. (puisque)
2. Tu n'as pas fini tes devoirs. Tu n'iras pas jouer avec tes amis. (puisque)
3. J'étais fatiguée. Je suis restée à la maison. (comme)
4. Elle est absente. Elle a la grippe. (parce que)
5. Les enfants sont tombés. Ils jouaient à un jeu dangereux. (parce que)
6. Les routes sont dangereuses. Nous resterons chez toi cette nuit. (comme)
7. Nous avons trois semaines de vacances cette année. Nous avons décidé d'aller en Asie. (comme)
8. Tu n'aimes pas Sacha et Isabelle. Ne les invite pas. (puisque)

3.2 Complétez les phrases avec à cause de ou grâce à. Faites attention à la préposition !

1. ✳ travail des policiers, l'enfant a été sauvé.
2. Il s'est cassé la jambe ✳ verglas.
3. ✳ bruit dans la rue, je n'ai pas dormi de la nuit.
4. ✳ soins donnés par les médecins, les blessés ont tous survécu.
5. ✳ vote des jeunes, le parti vert a gagné.
6. La soirée a été un désastre ✳ mauvais temps.

▉ La conséquence

Les expressions de la conséquence sont **donc**, **c'est pourquoi** et **alors**. Ces mots relient une proposition A, qui exprime la cause, et une proposition B, qui exprime la conséquence.

- **Donc** (attention, on prononce le **c**) s'emploie à l'oral et à l'écrit.

  *J'ai mal au dos, je ne peux **donc** pas t'aider à déménager.*

- **C'est pourquoi** s'emploie surtout à l'écrit selon le schéma suivant.

  A → c'est pourquoi → B

  La proposition A présente un fait. La proposition B en est une conséquence.

  *Stéphanie vient des Seychelles, **c'est pourquoi** elle y va en vacances.*

  proposition A   proposition B

- **Alors** s'emploie en général à l'oral selon le schéma suivant.

  A → alors → B

  *J'avais froid **alors** j'ai mis un manteau.*

  proposition A   proposition B

exercice écrit

3.3   Reliez les phrases avec **donc, c'est pourquoi** ou **alors**.

1. Je me sentais malade. Je suis allé chez le médecin.
2. Tu as très bien travaillé. Tu as eu de bonnes notes.
3. Il fait très froid. Mets ton manteau.
4. Tu es insupportable. Je m'en vais.
5. Elles lisent beaucoup. Elles sont très cultivées.
6. Sabine vient de Saint-Pierre-et-Miquelon. Elle parle français.

2 exercice oral

3.4   Par groupes de deux, complétez librement les phrases. Utilisez une expression de conséquence.

1. Nous partons la semaine prochaine ✳.
2. Il a neigé toute la nuit ✳.
3. Les enfants doivent se lever très tôt demain matin ✳.
4. Le professeur explique un exercice difficile ✳.
5. Vous ne sortez pas assez ✳.
6. Tu exagères ✳.
7. ✳ alors je me suis endormi.
8. ✳ donc il a quitté son travail.
9. ✳ alors ils sont sortis.
10. ✳ c'est pourquoi il a échoué.

▨ Le but

Les expressions du but sont **pour** et **afin**.

- **Pour + infinitif** répond à la question **pourquoi**. Il exprime une motivation ou un but.
  *Il faut manger **pour vivre** et non vivre **pour manger**.*
  *Je sortirai tôt **pour arriver** à l'heure.*
  *J'étudie le français **pour être** bilingue.*

- **Afin de + infinitif** exprime aussi un but et s'utilise de façon plus formelle.
  *Nous lisons les critiques de théâtre **afin de choisir** une bonne pièce.*

exercice écrit

3.5   Associez chaque proposition A à la proposition B appropriée.

Proposition A	Proposition B
1. Nous étudions le français	a) afin de leur présenter la nouvelle stratégie de l'entreprise.
2. Christine apprend le texte par cœur	b) pour réussir son test oral.
3. Je lis beaucoup	c) pour préparer leur exposé.
4. Le directeur réunit ses collègues	d) afin de communiquer avec nos amis qui habitent dans des pays francophones.
5. Mélanie et Amar sont allés à la bibliothèque	e) afin d'être au courant de l'actualité.

2 exercice oral

3.6   Complétez le dialogue avec l'expression de cause, de conséquence ou de but appropriée, puis jouez à deux.

– ✳ tu n'as pas fait de réservation à temps, nous ne pourrons pas partir en vacances.
– Je sais bien, mais ✳ je ne connaissais pas tes nouvelles dates de vacances, je n'ai pas pu le faire.
– Il fallait me demander. ✳ toi, nous allons devoir rester ici. ✳ à l'avenir, je le ferai moi-même.
– ✳ c'est comme ça, ne me demande plus rien.

4 QUELQUES VERBES SUIVIS DE PRÉPOSITIONS

Certains verbes sont suivis de la préposition **à** et d'autres, de la préposition **de**.

Verbes suivis de la préposition **à**	Verbes suivis de la préposition **de**
acheter **à**	dire **de**
commencer **à**	faire **du** (+ taille)
demander **à**	finir **de**
dire **à**	oublier **de**
donner **à**	proposer **de**
écrire **à**	recevoir **de**
envoyer **à**	refuser **de**
faire escale **à**	regretter **de**
hésiter **à**	se souvenir **de**
offrir **à**	s'occuper **de**
proposer **à**	sortir **de**

*Nous **achetons** un cadeau **à** nos parents.*   *J'**oublie** toujours **de** fermer la porte à clé.*
*Vous **envoyez** des courriels **à** vos amis ?*   *Les infirmières **s'occupent des** malades.*

> **Rappel :** Les verbes suivants se construisent sans préposition : **aimer**, **détester**, **vouloir**,
> **pouvoir**, **espérer**.
>
> *Je **veux** dormir tout le week-end.*

 exercice écrit

4.1 Complétez les phrases avec à ou de. Faites attention à la préposition !

1. Mes amis s'occupent beaucoup ✳ leurs chiens.
2. J'ai dit ✳ élèves ✳ préparer leurs exercices.
3. Martine sort ✳ bureau ✳ 9 heures.
4. Le jeune homme a offert des fleurs ✳ son amie.
5. Le directeur a envoyé un courriel ✳ ses employés.

 exercice oral

4.2 Complétez le dialogue avec à ou de, puis jouez à deux. Faites attention à la préposition !

– Tu te souviens ✳ cette nuit de camping sauvage ?
– Si je me souviens ? Tu as oublié ✳ bien emballer la nourriture.
– Ce n'est pas moi. J'ai dit ✳ Sylvie ✳ le faire.
– Elle s'occupait ✳ la vaisselle. Elle ne pouvait pas tout faire.
– Bon d'accord, mais quel bruit pendant la nuit. Nous avions peur et nous avons hésité ✳ sortir ✳ la tente.
– J'ai proposé ✳ le faire, mais vous avez tous refusé.
– Tu es bien courageuse maintenant, dis donc !

5 LE CONDITIONNEL PRÉSENT

On utilise le conditionnel présent :

• pour exprimer un désir ou un souhait :

*Je **voudrais** un café.*
       |
      désir

*Ce **serait** bien de passer quelques jours à Tadoussac pour voir les baleines.*
          |
        souhait

• pour demander poliment un service :
__Pourriez__-vous me dire où est le bureau de poste ?

• pour donner un conseil ou adresser un reproche :
Tu __devrais__ vivre dans un pays francophone pour améliorer ton français.
                                     └───────────────┬───────────────┘
                                                  conseil

Tu __devrais__ travailler plus.
└──────────┬──────────┘
       reproche

■ La formation du conditionnel présent

Radical du futur + terminaisons de l'imparfait
Verbes en **er** comme parler : Je parler**ais**
Verbes en **ir** comme finir : Je finir**ais**
Verbes irréguliers comme être : Je ser**ais**

> **Rappel :** Voir l'unité 10 pour le radical du futur.

Aimer	Choisir	Savoir
J'aimer**ais**	Je choisir**ais**	Je saur**ais**
Tu aimer**ais**	Tu choisir**ais**	Tu saur**ais**
Il/Elle/On aimer**ait**	Il/Elle/On choisir**ait**	Il/Elle/On saur**ait**
Nous aimer**ions**	Nous choisir**ions**	Nous saur**ions**
Vous aimer**iez**	Vous choisir**iez**	Vous saur**iez**
Ils/Elles aimer**aient**	Ils/Elles choisir**aient**	Ils/Elles saur**aient**

exercice écrit

5.1 Mettez les phrases au conditionnel présent et indiquez si elles expriment un désir, une demande polie ou un conseil.

1. Nous **voulons** un chocolat chaud.
2. Les enfants **doivent** mettre leur manteau. Il fait froid.
3. Cette valise est très lourde. Tu **peux** m'aider ?
4. Vous **pouvez** partir plus tôt pour arriver à l'heure.
5. Je **souhaite** venir à la soirée de Martine.
6. Elle **veut** vraiment réussir l'examen.

 exercice oral

5.2 Complétez le dialogue avec les verbes suivants au conditionnel présent, puis jouez à deux.

> porter   danser   vouloir   aimer   chanter   faire

– Maman, pour mon anniversaire, je ✳ un jeu
électronique et un ballon de volley.

– C'est tout ?

– Oui. Et j'✳ aussi avoir un gâteau en forme de
papillon avec des bonbons multicolores.

– Ah bon ! Et qu'est-ce que tu ✳ d'autre ?

– Je ✳ la plus jolie robe de toute la classe et
je ✳ et ✳ toute la journée et…

– Va finir tes devoirs, tu as un programme chargé.

■ Les phrases hypothétiques

Pour exprimer une hypothèse qui n'est pas réalisable, on emploie **si** + **imparfait** pour l'hypothèse et le **conditionnel présent** pour la proposition principale.

S'il *faisait* beau, nous *sortirions*.

      hypothèse   proposition principale

*Nous **ferions** le tour du monde **si** nous **avions** le courage de tout quitter.*

    proposition principale   hypothèse

> **Attention :** La proposition introduite par **si** peut se placer avant ou après la proposition principale.
> *Si j'avais le temps, j'irais voir André.*
> *J'irais voir André si j'avais le temps.*

> **Rappel :** Quand la proposition introduite par **si** exprime une condition ou une hypothèse qui peut se réaliser ou non, le verbe de la proposition principale se met au présent, à l'impératif ou au futur.
>
> Pour exprimer une vérité générale :   *Si on **travaille**, on **réussit**.*
>   présent   présent
>
> Pour exprimer une recommandation :   *S'il **pleut**, **restons** à la maison.*
>   présent impératif
>
> Pour exprimer une éventualité :   *Si tu **veux**, nous **irons** au cinéma.*
>   présent   futur

exercices écrits

5.3 Mettez les verbes entre parenthèses au conditionnel présent.

1. Nous (lire) ✳ ce dossier si tu arrêtais de nous interrompre.
2. Si vous vouliez, nous (pouvoir) ✳ partir en vacances demain.
3. Ah, si j'avais du courage, je (démissionner) ✳ et je (faire) ✳ le tour du monde.
4. On (dépenser) ✳ moins s'il y avait moins de pubs à la télé.
5. Si c'était possible, je (ne pas travailler) ✳.

5.4 Mettez les verbes entre parenthèses au conditionnel présent ou à l'imparfait.

1. Si tu (étudier) ✳, tu (réussir) ✳.
2. Les enfants (jouer) ✳ toute la journée s'ils (ne pas devoir) ✳ aller à l'école.
3. Si Mélanie (finir) ✳ sa dissertation, elle (pouvoir) ✳ aller se promener.

4. Si Bruno (voir) ✳ le côté artistique de la pub, il (être) ✳ peut-être moins négatif.
5. Ton jardin (fleurir) ✳ plus si tu l'(arroser) ✳ plus souvent.

2 exercice oral

5.5 Par groupes de deux, complétez librement les phrases.

1. Si j'étais libre de choisir ce que je veux faire, je ✳.
2. Si nous vivions sur la Lune, nous ✳.
3. Si la violence s'arrêtait, ✳.
4. Je prendrais un livre d'architecture si ✳.
5. Si j'allais en Europe, je ✳.

module 4 〉 unité 12

APPRENEZ DE NOUVEAUX MOTS

〉 C'EST DANS LE DIALOGUE

1. Masculin ou féminin?

Relisez les dialogues des pages 226 et 227 et indiquez le genre des mots suivants.

1. dissertation
2. billet
3. appareil photo
4. projet
5. océan
6. concours
7. publicité
8. île
9. message

2. Trouvez le verbe qui correspond à chacun des noms.

1. l'exploration
2. la dissertation
3. la consommation
4. le voyage
5. le commentaire
6. la décision

3. Trouvez le nom qui correspond à chacun des verbes.

1. rédiger
2. finir
3. acheter
4. oublier
5. choisir
6. consommer

4. Écrivez cinq phrases avec des noms ou des verbes des exercices 1 à 3.

*Je dois **rédiger** cette **dissertation** pour demain.*

〉 ▐1▌ FAIRE UNE RÉSERVATION

▊ Pour une chambre d'hôtel

– Je voudrais une chambre pour le 10 janvier, s'il vous plaît.
– Une chambre avec douche ou avec bain?
– Avec bain, s'il vous plaît.
– Pour combien de personnes?
– Pour une personne.
– Une chambre qui donne sur la rue ou sur la cour?
– Sur la cour, si possible.

1.1 Complétez le dialogue avec les mots suivants, puis jouez à deux.

douche   ascenseur   deux   chambre   calmes   combien   vérifier   réserver

Le client :	Bonjour madame.
La réceptionniste :	Bonjour monsieur.
Le client :	Je voudrais ✻ une chambre pour le week-end du 18 juin.
La réceptionniste :	Le 18 juin, un instant, s'il vous plaît, laissez-moi ✻. Ah voilà, il en reste une. Une chambre avec ✻. C'est pour une personne ou ✻?
Le client :	Nous sommes deux. Nous voudrions une ✻ calme.
La réceptionniste :	Oh oui, monsieur. Toutes nos chambres sont ✻. Mais c'est au deuxième étage sans ✻.
Le client :	Ça coûte ✻?
La réceptionniste :	Cela fait 150 $.
Le client :	Très bien, je la prends.

■ Pour des billets de train, d'avion…

– Je voudrais un billet de train / d'avion pour Vancouver.

– Vous désirez un aller simple ou un aller-retour?

– Un aller-retour, s'il vous plaît.

– Vous préférez un train de nuit ou de jour?

– Un train de jour.

– Vous avez un train qui part à 9 h 10,
quai numéro 12 et qui arrive à 14 h 15.

> TGV
>
> Un billet classe économique / classe affaires
>
> Enregistrer les valises
>
> Réserver les sièges
>
> Faire escale

1.2 **Vous voulez réserver un billet d'avion. Vous téléphonez à votre agent de voyages pour vous renseigner. Par groupes de deux, complétez le dialogue en utilisant les mots suivants, puis jouez à deux.**

> aller-retour   à destination de   réserver   faire une escale
> classe économique   siège près du couloir

L'agent : Bonjour, ici l'agence «Voyages toujours».

Le client : Bonjour monsieur.

Continuez.

■ Pour aller au théâtre

– Avez-vous des billets pour le spectacle de ce soir?

– Vous payez comment?

> Au parterre / au balcon
> L'entracte
> Le programme

1.3 **Complétez le dialogue avec les mots suivants, puis jouez à deux.**

> vous payez comment   à la caisse   la rangée   bonnes
> fait   combien   billets   au parterre

– Bonjour madame, est-ce qu'il reste
des ✳ pour le spectacle de ce soir?

– Oui monsieur, ✳ en voulez-vous?

– Il m'en faut quatre.

– J'ai quatre billets ✳ :
deux dans ✳ 10 et deux au fond.

– Ce sont de ✳ places?

– Les places de la rangée 10 sont sur le côté,
mais les autres sont au centre.

– Bon d'accord, je les prends. Ça ✳ combien?

– 240 $. ✳.

– Avec ma carte de crédit.

– Vous pouvez prendre vos billets
✳ à partir de 18 h 30.

〉**2** LES VÊTEMENTS

une chemise

un chemisier

une blouse

une veste

une jupe

une robe

un manteau

un imperméable

un blouson

une écharpe

un pantalon

un costume

un tailleur

une ceinture

des chaussures* (f.)

des chaussettes (f.)

des bottes (f.)

une robe de chambre

un béret

une casquette

* Au Canada, souliers.

2 exercices oraux

2.1 Par groupes de deux, répondez aux questions suivantes.

1. Que portez-vous aujourd'hui?
2. Achetez-vous des vêtements à la mode?
3. Quelle est votre pointure?
4. Quelle est votre taille?
5. Où achetez-vous vos vêtements?
6. Quelles couleurs aimez-vous porter?
7. Quels vêtements ne portez-vous jamais?
8. Que portez-vous à la maison?
9. Que portez-vous pour aller à une soirée?
10. Combien mesurez-vous?

2.2 Par groupes de deux, indiquez dans quelle situation vous pourriez dire les phrases suivantes.

1. Je préfère la rouge, elle est plus belle.
2. Nous avons cherché dans Internet et nous avons trouvé le prix le plus bas.
3. Elle est au premier étage et elle donne sur la rue.
4. Nous cherchons une tenue pour une occasion spéciale.
5. Du 20 au 24 juin, s'il vous plaît.
6. Je voudrais une place près de la fenêtre, s'il vous plaît.

PRONONCEZ

〉L'ACCENT

piste 30

■ **En français, l'accent est sur la dernière syllabe du mot ou du groupe de mots.**

partir, **dévelo**pper, **tou**jours, **disserta**tion

↘
Un joli manteau

↘
Un livre intéressant

↘
Une jolie jeune fille

■ **Lorsque les phrases sont longues, elles se divisent en plusieurs groupes de mots. L'accent est sur la dernière syllabe de chaque groupe de mots.**

↘
Nous regardons.

↘ ↘
Nous regardons une émission, mardi soir.

↘ ↘ ↘
Nous regardons une émission intéressante, mardi soir, à la télévision.

■ **L'intonation descend généralement lorsqu'il n'y a qu'un groupe rythmique.**

↘
Nous regardons.

↘
Nous regardons une émission.

■ **Lorsqu'une phrase est composée de deux groupes rythmiques, l'accent monte dans le premier groupe et descend dans le deuxième.**

↗ ↘
Nous regardons une émission intéressante.

↗ ↘
Nous regardons une émission intéressante à la télévision.

piste 31

1. Répétez les phrases suivantes.

1. J'ai réservé mon billet.
2. J'ai réservé mon billet d'avion.
3. J'ai réservé mon billet d'avion pour la semaine prochaine.
4. J'ai toujours voulu visiter Saint-Pierre-et-Miquelon.
5. Je vais y aller cette année.
6. Comme j'ai toujours voulu visiter Saint-Pierre-et-Miquelon, je vais y aller cette année.

piste 32

2. Soulignez les accents toniques et répétez les phrases.

1. Je voudrais une chambre.
2. Je voudrais une chambre pour deux nuits.
3. Les catastrophes font des victimes.
4. Les catastrophes naturelles font des victimes.
5. Les catastrophes naturelles font des milliers de victimes.
6. Les catastrophes naturelles font des dizaines de milliers de victimes.
7. Saint-Pierre-et-Miquelon se trouve au sud de l'île.
8. Saint-Pierre-et-Miquelon se trouve au sud de l'île de Terre-Neuve.
9. Saint-Pierre-et-Miquelon se trouve au sud de l'île de Terre-Neuve, à l'est de Montréal et à l'ouest de Paris.

ÉCOUTEZ ET ÉCHANGEZ

❯ ENTRAÎNEZ-VOUS À L'ÉCOUTE

piste 33   **1. Écoutez le dialogue suivant et répondez aux questions.**

Dans un magasin de sports

Le vendeur : Je peux vous aider?

La cliente : Oui, s'il vous plaît. Je voudrais des skis d'occasion.

Le vendeur : Vous arrivez au bon moment. Nous venons de commencer nos soldes de fin de saison. Toute cette section est réservée aux équipements de ski. Avez-vous besoin de chaussures et de bâtons?

La cliente : Oui, bien sûr.

Le vendeur : C'est pour vous?

La cliente : Oui. J'aimerais recommencer à skier.

Le vendeur : Et quel est votre niveau?

La cliente : Je dirais un niveau moyen, mais j'espère bien progresser très rapidement.

Le vendeur : J'ai exactement ce qu'il vous faut. Et ils ne sont pas chers : 400 $.

La cliente : Ils sont bien beaux, mais 400 $, c'est quand même un peu cher. Vous en auriez des moins chers?

Le vendeur : Non, c'est tout ce qu'on a en ce moment.

La cliente : Écoutez, je vais y réfléchir et revenir vous voir.

Le vendeur : Ne tardez pas trop, les équipements en solde se vendent rapidement.

La cliente : Je vais revenir très bientôt. Merci.

Questions

1. Dans quel magasin sommes-nous?
2. Qu'est-ce que la cliente veut acheter?
3. Pourquoi le vendeur pense que «c'est le bon moment»?
4. Quel est le niveau de la cliente?
5. Pourquoi les skis ne sont pas chers?

❯ RENDEZ-VOUS AU COIN CAFÉ

Faire des courses

– Je peux vous aider?   – Oui, je voudrais un chemisier.

– Quelle est votre taille?   – Je fais du 40.

– Quelle est votre pointure?   – Je chausse du 38.

– C'est pour quelle occasion?   – C'est pour un mariage / pour une interview.

– Combien ça coûte? C'est combien? Ça fait combien?   – C'est 120 dollars.

– Passez à la caisse, monsieur.

– Vous payez comptant? Avec une carte de crédit?   – Je paie comptant.

– Vous voulez un paquet-cadeau?   – Non merci, ça ira comme ça.

Faire des réservations

Je voudrais un billet de train / d'avion pour…

Un aller simple, un aller-retour

Vous avez un train qui part à 9 h 10 et qui arrive à 14 h 15.

TGV

Composter le billet / Enregistrer les valises / Réserver les sièges

Réserver une chambre avec douche / salle de bain

Pour une / deux personnes / pour une nuit

Exprimer la condition

– Tu ne réussirais pas si tu ne venais pas aux cours.

1. Utilisez le conditionnel présent.

Donnez-leur des conseils.

1. Votre ami ne vient plus en classe. Il ne vient même plus aux examens et il ne participe plus aux activités sociales de l'université.

2. Une amie décide de faire le tour du monde. Elle veut partir seule, avec très peu d'argent. Elle ne veut rien préparer à l'avance. Elle ne connaît pas les pays qu'elle veut visiter.

3. Vous êtes conseiller pédagogique. Un étudiant de première année vous demande quels cours suivre.

2. Utilisez le conditionnel présent.

Dites ce que vous feriez si vous pouviez…

1. choisir le siècle que vous voulez.
   *Si je pouvais choisir, je **choisirais** le…*   *Je **porterais** des vêtements…*

2. organiser votre journée comme vous le voulez.

3. rencontrer la personne ou le personnage de roman ou de film de votre choix.

4. choisir votre famille.

5. devenir une autre personne, un animal ou un objet.

JEUX DE RÔLES

Imaginez et jouez les dialogues des situations suivantes.

1. Le tourisme

Vous partez avec un ami ou une amie. Vous avez choisi une destination et vous rentrez dans une agence de voyages pour organiser votre voyage. Vous avez besoin :

a) de billets d'avion ou de train ;

b) de réserver une chambre d'hôtel ;

c) de réserver des billets de spectacle.

2. La consommation, la publicité

A est très proche de la nature et regrette la simplicité de la vie rurale.

B pense que nous vivons dans le meilleur siècle possible parce que la vie de tous les jours est plus facile grâce aux machines.

C est d'accord avec **B** sur ce point, mais il pense que la publicité pousse les gens à acheter des produits souvent inutiles.

A déplore la solitude des gens dans les grandes villes, qui est aggravée par l'utilisation des courriels et d'Internet pour la communication.

B n'est pas d'accord. Il pense que, grâce à Internet, les gens sont moins seuls.

C trouve qu'il faudrait faire des changements pour améliorer la vie au XXIe siècle.

A, **B** et **C** continuent à discuter sur les changements à faire.

DÉCOUVREZ DES ÎLES

Les Seychelles

La population, d'environ 80 000 habitants [estimation de 2000], est composée de Créoles (89,1 %), d'Indiens (4,7 %), de Malgaches (3,1 %), de Chinois (1,6 %) et de Britanniques (1,5 %). Il existe trois langues officielles : le créole (seselwa), parlé par plus de 95 % de la population, l'anglais et le français. Près de 90 % des Seychellois sont catholiques.

Les Seychelles, ce sont 115 îles et îlots situés dans l'océan Indien. Les îles principales sont Mahé (la plus grande), Praslin, La Digue, Frégate, Silhouette et Desroches.

L'indépendance d'Haïti

Proclamée le 1er janvier 1804, l'indépendance de la colonie française de Saint-Domingue, rebaptisée Haïti du nom indien de l'île, représente le fait dominant de l'histoire du pays, mais aussi un élément important dans l'histoire du monde. Il n'existe pas d'autre exemple d'un peuple d'esclaves ayant brisé lui-même ses chaînes et battu militairement la puissance coloniale. [...]

Souvent comparée aux révolutions populaires d'Amérique latine ou aux indépendances des États africains noirs, l'indépendance d'Haïti constitue en réalité, si on la remet dans le contexte de l'époque, un événement absolument spécifique.

Source : CORNEVIN, Robert. *Haïti,* coll. Que sais-je? n° 1955, 2ᵉ éd., Paris, PUF, 1993, p. 50.

SAINT-PIERRE-ET-MIQUELON

DE ICI ET D'AILLEURS

Français des îles*	Français standard
un barachois (Saint-Pierre-et-Miquelon)	un havre
un maillou (Saint-Pierre-et-Miquelon)	une personne originaire de la France métropolitaine
un tap-tap (Haïti)	un petit autobus
faire des roupies (Seychelles)	se faire de l'argent
gagner une patate (Haïti)	gagner son pain

* DEPECKER, Loïc. *Les mots de la francophonie*, Paris, Éditions Belin, 1990.

RÉDIGEZ…

… UN TEXTE D'OPINION

1. Une nouvelle loi vient d'être votée : Interdiction formelle de faire de la publicité. En règle générale, toute forme de publicité doit être éliminée de notre société.

Imaginez les conséquences d'une telle loi. Pensez aux changements que cela produirait à la télévision, à la radio et même dans Internet. Imaginez l'avenir des produits s'il n'y avait plus de publicité. Que pensez-vous d'une telle loi ?

Utilisez le conditionnel présent, les mots introduisant la cause, la conséquence et le but ainsi que le vocabulaire de la publicité.

RÉDIGEZ…

… UN TEXTE SUR VOS RÊVES

2. Lisez le texte suivant, puis écrivez un texte dans lequel vous allez expliquer à quoi vous rêviez à l'âge de 16 ans et à quoi vous rêvez maintenant. D'après vous, à quoi rêvent les jeunes de votre pays ? Utilisez les temps du passé (passé composé et imparfait), le présent et le futur avec aller.

À quoi rêvent les 15-18 ans ?

En 1989, *L'actualité* avait mené un sondage auprès de quelque 1000 jeunes de 15-18 ans pour comprendre leurs valeurs, leur vision du monde, leurs rêves. À l'époque, beaucoup de ces jeunes se disaient sensibles aux questions d'environnement et de pauvreté. La guerre et le sida leur faisaient peur. Ils avaient confiance en l'école et se préoccupaient peu de sexualité. Une « génération morale », « sage », « raisonnable », pouvait-on lire. Ils étaient attachés aux valeurs familiales et avides de bon-heur. Ils valorisaient la carrière et la solidarité ; la moitié d'entre eux désiraient avoir deux enfants, comme leurs parents. Selon l'Institut de la statistique, 23,3 % des femmes et 32,9 % des hommes de 30 à 34 ans étaient célibataires sans enfant en 2001. La même année, 64 % des hommes et 71,1 % des femmes vivaient en couple. Quant à l'âge moyen pour la première maternité, il était de 28,8 ans en 2002.

Source : MILLOT, Pascale. « En 1989, ils rêvaient de… », *L'actualité*, vol. 29, n° 9, 1ᵉʳ juin 2004.

VOCABULAIRE DE L'UNITÉ 12

Noms

affiche, f.	écharpe, f.
aller simple, m.	entracte, m.
aller-retour, m.	imperméable, m.
appareil photo	jupe, f.
numérique, m.	liquide, m.
aventure, f.	manteau, m.
balcon, m.	pantalon, m.
béret, m.	paquet-cadeau, m.
billet, m.	parterre, m.
blouse, f.	pointure, f.
blouson, m.	publicité, f.
botte, f.	quai, m.
caisse, f.	rabais, m.
casquette, f.	rangée, f.
ceinture, f.	réservation, f.
chaussette, f.	retour, m.
chaussure, f.	robe, f.
chemise, f.	robe de chambre, f.
chemisier, m.	société, f.
complet, m.	solde, m.
concept, m.	taille, f.
consommation, f.	tailleur, m.
costume, m.	ticket, m.
créativité, f.	veste, f.
dissertation, f.	

Verbes

augmenter	enregistrer (les valises)	porter
chausser		rédiger
composter	exagérer	réserver (les sièges)
consommer	exprimer	s'inquiéter
coûter	interrompre	travailler
donner sur	mesurer	vérifier
	partir	

Verbes suivis de la préposition à

acheter à	donner à	hésiter à
commencer à	écrire à	offrir à
demander à	envoyer à	proposer à
dire à	faire escale à	

Verbes suivis de la préposition de

dire de	proposer de	s'occuper de
faire du (+ taille)	recevoir de	se souvenir de
finir de	refuser de	sortir de
oublier de	regretter de	

Autres mots

à cause de (cause)	donc (conséquence)
à destination de	grâce à (cause)
afin de (but)	parce que (cause)
alors (conséquence)	pour (but)
c'est pourquoi (conséquence)	pourquoi
comme (cause)	puisque (cause)

BILAN DU MODULE 4

C'est le début du printemps. Il fait mauvais : il pleut beaucoup. Amélie se prépare pour aller à l'aéroport. Elle porte un jean, un chemisier blanc et une veste bleue. Elle vient d'appeler un taxi et elle attend patiemment devant l'entrée de sa maison. Il est 15 h 30, son vol est à 17 h. Voilà enfin le taxi ! Il est arrivé un peu en retard parce qu'il y a beaucoup de circulation.

— Bonjour monsieur, je vais à l'aéroport, terminal 2.

Le chauffeur prend la petite valise rouge d'Amélie et la met dans le coffre. Elle monte dans le taxi, elle est enfin partie.

L'aéroport est plutôt tranquille pour la saison. Elle cherche le comptoir d'Air France, destination Louisiane. Elle enregistre ses bagages.

— N'oubliez pas votre carte d'embarquement.

Elle prend sa carte d'embarquement, franchit le portique de sécurité et se dirige vers le salon d'embarquement.

Amélie est d'origine sénégalaise, mais elle a grandi à Lyon. Actuellement, elle vit à Genève avec sa sœur et son frère. Ils habitent dans un ancien immeuble de trois étages sans ascenseur. Ils connaissent tous les voisins et tous les commerçants du quartier. C'est un quartier très animé : il y a un supermarché, des cafés, une boulangerie, une boucherie, deux pâtisseries, une petite librairie. Les parents d'Amélie habitent à Lyon, en France. Ce n'est pas loin, elle y va souvent pour le week-end. Une fois ses études universitaires terminées, Amélie a décidé de rester en Suisse pour y habiter. Sa sœur et son frère, qui sont tous les deux professeurs de français, travaillent également à Genève. Elle aussi, depuis toute petite, voulait travailler

dans le domaine des langues pour être professeure, chercheuse ou journaliste. Et c'est ainsi qu'elle est devenue spécialiste de l'histoire et de la culture acadiennes.

Amélie va assister au Colloque international sur l'Acadie qui a lieu cette année à La Nouvelle-Orléans, en Louisiane, du 15 au 20 mai. C'est la première fois qu'elle va en Louisiane. En fait, elle n'a jamais visité les États-Unis. Son hôtel est à 25 minutes du centre de la ville. Il est plus grand et plus confortable que les hôtels du centre-ville. C'est un hôtel qui lui plaît beaucoup. À l'entrée, elle prend quelques brochures sur la Louisiane dans lesquelles on explique que le français est la deuxième langue officielle de l'État, que lors du recensement de 1990, 21 % de la population (899 000 personnes) se déclarait d'ascendance française, dont 600 000 personnes d'origine acadienne. Elle voulait vérifier le nombre de francophones : « 58 % disent parler le français "cadjin" (acadien), 33 % le français standard et 9 % le créole ; 34,3 % lisent le français mais seulement 8,4 % couramment. » Il y a également les membres de trois tribus autochtones (les Houmas, les Chicimachas et les Choctaws) qui se déclarent francophones. Après le colloque, elle restera une semaine pour visiter la Louisiane. Est-ce qu'elle va se baigner, se promener en ville à pied le long des rivières et des marais ou visiter la ville en voiture ? Il n'est pas facile de choisir parce qu'elle aime autant la mer que les promenades en ville.

D'abord, elle visitera La Nouvelle-Orléans, le berceau du jazz, du blues, du ragtime et de la musique de fanfare, et elle fera une promenade le long des marais pour observer les alligators, les oiseaux, les hiboux. Ensuite, elle ira à Avery Island pour voir la fabrique de tabasco. Puis à Saint Martinville où se trouve le musée du Monument Acadien dédié aux hommes et aux femmes arrivés du Canada en 1763. Elle passera brièvement à Lafayette pour admirer le village acadien qui est une reconstitution d'un village construit au XVIIIᵉ siècle, à l'époque de la première colonie. Elle terminera sa visite par Baton Rouge, la capitale de la Louisiane. Si elle a le temps, elle ira visiter «le Vieux Carré», qui est un quartier français de La Nouvelle-Orléans, puis la plantation de coton qui existe depuis 1820 et les célèbres maisons coloniales de Natchez au Mississippi.

En espérant que l'ouragan Katrina n'a pas tout dévasté.

L'année dernière, au même moment, elle était à Saint-Pierre-et-Miquelon. C'était très différent. D'abord, Saint-Pierre-et-Miquelon est tout petit et elle a pu visiter en deux jours les trois îles principales : Saint-Pierre (5500 habitants), Grande Miquelon et Petite Miquelon (ou Langlade). Elle a aussi exploré les quatre petits îlots principaux. Elle a admiré la cathédrale de Saint-Pierre et les phares de la Pointe aux Canons et de Galantry.

Les habitants actuels des îles de Saint-Pierre et de Miquelon sont des descendants de Français venus du Pays basque, de Bretagne et de Normandie, et aussi d'Acadiens arrivés dans l'archipel à partir de 1763 (à la suite du traité de Paris). Ce qui est intéressant, c'est de faire des comparaisons entre les Acadiens de la Louisiane, ceux du Canada et ceux de Saint-Pierre-et-Miquelon.

Amélie a un rêve. Elle voudrait écrire un livre sur l'Acadie, mais pour le moment, elle doit poursuivre sa recherche.

— Mademoiselle Amélie Diouf, vous avez un appel urgent de Lyon.

— Allô ! oui maman, qu'est-ce que tu as ?

Malheureusement, elle doit retourner de toute urgence à Lyon parce que sa mère vient d'être hospitalisée.

COMPRÉHENSION DU TEXTE

Répondez aux questions.

1. Quel temps il fait?
2. Nous sommes en quelle saison?
3. Comment Amélie est habillée?
4. Pourquoi le taxi est arrivé en retard?
5. Son vol est à quelle heure?
6. Amélie habite à Lyon?
7. À La Nouvelle-Orléans, elle fera une promenade en bateau?

GRAMMAIRE

1. Reposez les questions ci-dessus en utilisant l'inversion du pronom sujet.

2. Posez d'autres questions avec est-ce que, quel, pourquoi, quand, comment, où.

3. Complétez les phrases avec la préposition appropriée.

1. Amélie vit * Genève, * Suisse.
2. Les parents d'Amélie habitent * Lyon, * France.
3. Le colloque a lieu * Louisiane, * États-Unis.
4. Amélie va aller * Natchez.

4. Relevez tous les verbes du texte des deux pages précédentes et donnez leur infinitif.

5. Relevez les verbes pronominaux.

6. Relevez les verbes au passé composé et les verbes à l'imparfait.

7. Relevez les verbes à l'impératif.

8. Relevez les verbes au futur.

9. Répondez aux questions suivantes en remplaçant les mots en caractères gras par un pronom complément d'objet (direct ou indirect), ou par les pronoms en ou y.

1. Est-ce qu'Amélie achètera des cadeaux **à ses parents**?
2. A-t-elle dit **au chauffeur du taxi** à quel terminal elle devait aller?
3. Prendra-t-elle **des photos de la Louisiane**?
4. Va-t-elle assister **au Colloque international sur l'Acadie**?
5. A-t-elle visité **les îles de Saint-Pierre-et-Miquelon**?
6. Est-ce que son frère et sa sœur habitent **à Genève**?
7. Amélie a-t-elle admiré **la cathédrale de Saint-Pierre**?
8. Va-t-elle rencontrer **des professeurs de français** en Louisiane?

EXPRESSION ORALE

piste 34

1. Écoutez cet extrait.
Complétez l'extrait suivant, puis répondez aux questions.

En 1972, les Nations Unies * à Stockholm pour se pencher sur les problèmes de l'environnement. Vingt ans plus tard, en 1992, à Rio, la conférence des Nations Unies sur l'environnement * l'accent sur la préservation de l'écologie. Le protocole de Kyoto est un document que 180 pays * au Japon en 1997. Dans ce protocole, 38 pays industrialisés * à réduire les gaz à effet de serre jusqu'en 2012. Ces gaz sont produits par la combustion du charbon, de l'essence et du gazole. Ce sont ces gaz qui risquent de provoquer un réchauffement climatique de 5 degrés Celsius, avec les conséquences que nous savons.

Il y a donc une prise de conscience internationale, mais cela ne * pas.

À l'échelle individuelle, il * possible de faire des efforts. Nous * utiliser davantage les transports en commun et limiter l'usage de la voiture. Nous * faire plus attention au recyclage des ordures. Il * consommer moins d'énergie et diminuer notre consommation en général.

Questions

1. Quelle est l'attitude de la société moderne vis-à-vis de la nature?
2. Que doivent faire les pays industrialisés d'après le protocole de Kyoto?
3. Qu'est-ce que le conférencier propose de faire à l'échelle personnelle? Auriez-vous d'autres suggestions à ajouter à cette liste?

2. Par groupes de deux ou trois, discutez les points suivants. Utilisez le conditionnel présent.
La Terre compte beaucoup sur les jeunes d'aujourd'hui. Que devriez-vous faire pour:

a) ne pas gaspiller d'énergie?
b) éviter le réchauffement de la planète?
c) réduire les déchets ménagers?
d) préserver les animaux?

JEUX DE RÔLES

1. Vous vous trouvez en visite chez des amis pour quelques jours. Vous remarquez qu'ils ne trient pas leurs déchets et qu'ils n'ont aucune conscience des possibilités de recyclage qui existent. Écrivez un dialogue dans lequel vous défendez chacun votre position, puis jouez-le.

2. Imaginez une publicité radiophonique pour encourager les habitants de votre ville à protéger leur environnement, puis jouez-la.

3. Est-ce que votre pays a signé le protocole de Kyoto? Votre ville a-t-elle un programme pour préserver l'environnement? Discutez ces points.

DÉBAT

Les années 2004 et 2005 ont vu de nombreuses catastrophes naturelles s'abattre sur la planète.

Certains affirment que notre présence et nos activités provoquent ces catastrophes. D'autres, au contraire, pensent que tout ce qui se passe est indépendant de l'homme.

Cherchez quelles sont les catastrophes qui se sont abattues sur la planète et quels sont les pays qui ont été touchés.

Dans des groupes de cinq à sept étudiants, il y aura des spécialistes «pour» et «contre» l'influence de l'homme sur l'environnement et un ou deux animateurs qui dirigeront le débat.

Chaque étudiant doit défendre son point de vue dans ce débat, rechercher dans Internet, dans des ouvrages ou dans des revues sur l'environnement les arguments en faveur de sa position. Il doit parler des causes et des conséquences des actions des hommes. Il doit être prêt à répondre à des questions.

Tous les spécialistes «pour» et «contre» doivent défendre leur point de vue avec conviction et essayer de persuader leurs adversaires.

Les animateurs doivent animer le débat, le relancer par moments et être prêts à réagir dans toutes les situations. Ils doivent préparer une série de questions qui leur permettront de connaître l'opinion des deux camps et de relancer le débat s'il y a un silence.

Les outils pour argumenter

Parce que, comme, puisque, grâce à, à cause de, donc, c'est pourquoi, alors

Je pense que, à mon avis, il me semble que, selon moi, d'après moi

Le conditionnel présent

Le vocabulaire de l'environnement
(Voir l'unité 5 pour d'autres expressions)

la consommation
les déchets
le gaspillage
les gaz à effet de serre
un incendie
les ordures
la pollution
le recyclage
une tornade
préserver
sauvegarder

Conjugaisons

conjugaisons

Infinitif	Présent	Impératif	Passé composé	Imparfait	Futur	Conditionnel
Être	Je suis Tu es Il/Elle/On est Nous sommes Vous êtes Ils/Elles sont	Sois Soyons Soyez	J'ai été Tu as été Il/Elle/On a été Nous avons été Vous avez été Ils/Elles ont été	J'étais Tu étais Il/Elle/On était Nous étions Vous étiez Ils/Elles étaient	Je serai Tu seras Il/Elle/On sera Nous serons Vous serez Ils/Elles seront	Je serais Tu serais Il/Elle/On serait Nous serions Vous seriez Ils/Elles seraient
Avoir	J'ai Tu as Il/Elle/On a Nous avons Vous avez Ils/Elles ont	Aie Ayons Ayez	J'ai eu Tu as eu Il/Elle/On a eu Nous avons eu Vous avez eu Ils/Elles ont eu	J'avais Tu avais Il/Elle/On avait Nous avions Vous aviez Ils/Elles avaient	J'aurai Tu auras Il/Elle/On aura Nous aurons Vous aurez Ils/Elles auront	J'aurais Tu aurais Il/Elle/On aurait Nous aurions Vous auriez Ils/Elles auraient
Aimer	J'aime Tu aimes Il/Elle/On aime Nous aimons Vous aimez Ils/Elles aiment	Aime Aimons Aimez	J'ai aimé Tu as aimé Il/Elle/On a aimé Nous avons aimé Vous avez aimé Ils/Elles ont aimé	J'aimais Tu aimais Il/Elle/On aimait Nous aimions Vous aimiez Ils/Elles aimaient	J'aimerai Tu aimeras Il/Elle/On aimera Nous aimerons Vous aimerez Ils/Elles aimeront	J'aimerais Tu aimerais Il/Elle/On aimerait Nous aimerions Vous aimeriez Ils/Elles aimeraient
Finir	Je finis Tu finis Il/Elle/On finit Nous finissons Vous finissez Ils/Elles finissent	Finis Finissons Finissez	J'ai fini Tu as fini Il/Elle/On a fini Nous avons fini Vous avez fini Ils/Elles ont fini	Je finissais Tu finissais Il/Elle/On finissait Nous finissions Vous finissiez Ils/Elles finissaient	Je finirai Tu finiras Il/Elle/On finira Nous finirons Vous finirez Ils/Elles finiront	Je finirais Tu finirais Il/Elle/On finirait Nous finirions Vous finiriez Ils/Elles finiraient
Aller	Je vais Tu vas Il/Elle/On va Nous allons Vous allez Ils/Elles vont	Va Allons Allez	Je suis allé/allée Tu es allé/allée Il/Elle/On est allé(s)/allée(s) Nous sommes allés/allées Vous êtes allé(s)/allée(s) Ils/Elles sont allés/allées	J'allais Tu allais Il/Elle/On allait Nous allions Vous alliez Ils/Elles allaient	J'irai Tu iras Il/Elle/On ira Nous irons Vous irez Ils/Elles iront	J'irais Tu irais Il/Elle/On irait Nous irions Vous iriez Ils/Elles iraient

Infinitif	Présent	Impératif	Passé composé	Imparfait	Futur	Conditionnel
Conduire	Je conduis Tu conduis Il/Elle/On conduit Nous conduisons Vous conduisez Ils/Elles conduisent	Conduis Conduisons Conduisez	J'ai conduit Tu as conduit Il/Elle/On a conduit Nous avons conduit Vous avez conduit Ils/Elles ont conduit	Je conduisais Tu conduisais Il/Elle/On conduisait Nous conduisions Vous conduisiez Ils/Elles conduisaient	Je conduirai Tu conduiras Il/Elle/On conduira Nous conduirons Vous conduirez Ils/Elles conduiront	Je conduirais Tu conduirais Il/Elle/On conduirait Nous conduirions Vous conduiriez Ils/Elles conduiraient
Connaître	Je connais Tu connais Il/Elle/On connaît Nous connaissons Vous connaissez Ils/Elles connaissent	Connais Connaissons Connaissez	J'ai connu Tu as connu Il/Elle/On a connu Nous avons connu Vous avez connu Ils/Elles ont connu	Je connaissais Tu connaissais Il/Elle/On connaissait Nous connaissions Vous connaissiez Ils/Elles connaissaient	Je connaîtrai Tu connaîtras Il/Elle/On connaîtra Nous connaîtrons Vous connaîtrez Ils/Elles connaîtront	Je connaîtrais Tu connaîtrais Il/Elle/On connaîtrait Nous connaîtrions Vous connaîtriez Ils/Elles connaîtraient
Croire	Je crois Tu crois Il/Elle/On croit Nous croyons Vous croyez Ils/Elles croient	Crois Croyons Croyez	J'ai cru Tu as cru Il/Elle/On a cru Nous avons cru Vous avez cru Ils/Elles ont cru	Je croyais Tu croyais Il/Elle/On croyait Nous croyions Vous croyiez Ils/Elles croyaient	Je croirai Tu croiras Il/Elle/On croira Nous croirons Vous croirez Ils/Elles croiront	Je croirais Tu croirais Il/Elle/On croirait Nous croirions Vous croiriez Ils/Elles croiraient
Devoir	Je dois Tu dois Il/Elle/On doit Nous devons Vous devez Ils/Elles doivent	Dois Devons Devez	J'ai dû Tu as dû Il/Elle/On a dû Nous avons dû Vous avez dû Ils/Elles ont dû	Je devais Tu devais Il/Elle/On devait Nous devions Vous deviez Ils/Elles devaient	Je devrai Tu devras Il/Elle/On devra Nous devrons Vous devrez Ils/Elles devront	Je devrais Tu devrais Il/Elle/On devrait Nous devrions Vous devriez Ils/Elles devraient
Dire	Je dis Tu dis Il/Elle/On dit Nous disons Vous dites Ils/Elles disent	Dis Disons Dites	J'ai dit Tu as dit Il/Elle/On a dit Nous avons dit Vous avez dit Ils/Elles ont dit	Je disais Tu disais Il/Elle/On disait Nous disions Vous disiez Ils/Elles disaient	Je dirai Tu diras Il/Elle/On dira Nous dirons Vous direz Ils/Elles diront	Je dirais Tu dirais Il/Elle/On dirait Nous dirions Vous diriez Ils/Elles diraient

conjugaisons

Infinitif	Présent	Impératif	Passé composé	Imparfait	Futur	Conditionnel
Écrire	J'écris Tu écris Il/Elle/On écrit Nous écrivons Vous écrivez Ils/Elles écrivent	Écris Écrivons Écrivez	J'ai écrit Tu as écrit Il/Elle/On a écrit Nous avons écrit Vous avez écrit Ils/Elles ont écrit	J'écrivais Tu écrivais Il/Elle/On écrivait Nous écrivions Vous écriviez Ils/Elles écrivaient	J'écrirai Tu écriras Il/Elle/On écrira Nous écrirons Vous écrirez Ils/Elles écriront	J'écrirais Tu écrirais Il/Elle/On écrirait Nous écririons Vous écririez Ils/Elles écriraient
Faire	Je fais Tu fais Il/Elle/On fait Nous faisons Vous faites Ils/Elles font	Fais Faisons Faites	J'ai fait Tu as fait Il/Elle/On a fait Nous avons fait Vous avez fait Ils/Elles ont fait	Je faisais Tu faisais Il/Elle/On faisait Nous faisions Vous faisiez Ils/Elles faisaient	Je ferai Tu feras Il/Elle/On fera Nous ferons Vous ferez Ils/Elles feront	Je ferais Tu ferais Il/Elle/On ferait Nous ferions Vous feriez Ils/Elles feraient
Mettre	Je mets Tu mets Il/Elle/On met Nous mettons Vous mettez Ils/Elles mettent	Mets Mettons Mettez	J'ai mis Tu as mis Il/Elle/On a mis Nous avons mis Vous avez mis Ils/Elles ont mis	Je mettais Tu mettais Il/Elle/On mettait Nous mettions Vous mettiez Ils/Elles mettaient	Je mettrai Tu mettras Il/Elle/On mettra Nous mettrons Vous mettrez Ils/Elles mettront	Je mettrais Tu mettrais Il/Elle/On mettrait Nous mettrions Vous mettriez Ils/Elles mettraient
Mourir	Je meurs Tu meurs Il/Elle/On meurt Nous mourons Vous mourez Ils/Elles meurent	Meurs Mourons Mourez	Je suis mort/morte Tu es mort/morte Il/Elle/On est mort(s)/morte(s) Nous sommes morts/mortes Vous êtes mort(s)/morte(s) Ils/Elles sont morts/mortes	Je mourais Tu mourais Il/Elle/On mourait Nous mourions Vous mouriez Ils/Elles mouraient	Je mourrai Tu mourras Il/Elle/On mourra Nous mourrons Vous mourrez Ils/Elles mourront	Je mourrais Tu mourrais Il/Elle/On mourrait Nous mourrions Vous mourriez Ils/Elles mourraient
Naître	Je nais Tu nais Il/Elle/On naît Nous naissons Vous naissez Ils/Elles naissent	Nais Naissons Naissez	Je suis né/née Tu es né/née Il/Elle/On est né(s)/née(s) Nous sommes nés/nées Vous êtes né(s)/née(s) Ils/Elles sont nés/nées	Je naissais Tu naissais Il/Elle/On naissait Nous naissions Vous naissiez Ils/Elles naissaient	Je naîtrai Tu naîtras Il/Elle/On naîtra Nous naîtrons Vous naîtrez Ils/Elles naîtront	Je naîtrais Tu naîtrais Il/Elle/On naîtrait Nous naîtrions Vous naîtriez Ils/Elles naîtraient

Infinitif	Présent	Impératif	Passé composé	Imparfait	Futur	Conditionnel
Partir	Je pars Tu pars Il/Elle/On part Nous partons Vous partez Ils/Elles partent	Pars Partons Partez	Je suis parti/partie Tu es parti/partie Il/Elle/On est parti(s)/partie(s) Nous sommes partis/parties Vous êtes parti(s)/partie(s) Ils/Elles sont partis/parties	Je partais Tu partais Il/Elle/On partait Nous partions Vous partiez Ils/Elles partaient	Je partirai Tu partiras Il/Elle/On partira Nous partirons Vous partirez Ils/Elles partiront	Je partirais Tu partirais Il/Elle/On partirait Nous partirions Vous partiriez Ils/Elles partiraient
Pleuvoir	Il pleut	*Pas d'impératif*	Il a plu	Il pleuvait	Il pleuvra	Il pleuvrait
Pouvoir	Je peux (*ou je puis*) Tu peux Il/Elle/On peut Nous pouvons Vous pouvez Ils/Elles peuvent	*Pas d'impératif*	J'ai pu Tu as pu Il/Elle/On a pu Nous avons pu Vous avez pu Ils/Elles ont pu	Je pouvais Tu pouvais Il/Elle/On pouvait Nous pouvions Vous pouviez Ils/Elles pouvaient	Je pourrai Tu pourras Il/Elle/On pourra Nous pourrons Vous pourrez Ils/Elles pourront	Je pourrais Tu pourrais Il/Elle/On pourrait Nous pourrions Vous pourriez Ils/Elles pourraient
Prendre	Je prends Tu prends Il/Elle/On prend Nous prenons Vous prenez Ils/Elles prennent	Prends Prenons Prenez	J'ai pris Tu as pris Il/Elle/On a pris Nous avons pris Vous avez pris Ils/Elles ont pris	Je prenais Tu prenais Il/Elle/On prenait Nous prenions Vous preniez Ils/Elles prenaient	Je prendrai Tu prendras Il/Elle/On prendra Nous prendrons Vous prendrez Ils/Elles prendront	Je prendrais Tu prendrais Il/Elle/On prendrait Nous prendrions Vous prendriez Ils/Elles prendraient
Savoir	Je sais Tu sais Il/Elle/On sait Nous savons Vous savez Ils/Elles savent	Sache Sachons Sachez	J'ai su Tu as su Il/Elle/On a su Nous avons su Vous avez su Ils/Elles ont su	Je savais Tu savais Il/Elle/On savait Nous savions Vous saviez Ils/Elles savaient	Je saurai Tu sauras Il/Elle/On saura Nous saurons Vous saurez Ils/Elles sauront	Je saurais Tu saurais Il/Elle/On saurait Nous saurions Vous sauriez Ils/Elles sauraient
Sortir	Je sors Tu sors Il/Elle/On sort Nous sortons Vous sortez Ils/Elles sortent	Sors Sortons Sortez	Je suis sorti/sortie Tu es sorti/sortie Il/Elle/On est sorti(s)/sortie(s) Nous sommes sortis/sorties Vous êtes sorti(s)/sortie(s) Ils/Elles sont sortis/sorties	Je sortais Tu sortais Il/Elle/On sortait Nous sortions Vous sortiez Ils/Elles sortaient	Je sortirai Tu sortiras Il/Elle/On sortira Nous sortirons Vous sortirez Ils/Elles sortiront	Je sortirais Tu sortirais Il/Elle/On sortirait Nous sortirions Vous sortiriez Ils/Elles sortiraient

conjugaisons

Infinitif	Présent	Impératif	Passé composé	Imparfait	Futur	Conditionnel
Suivre	Je suis Tu suis Il/Elle/On suit Nous suivons Vous suivez Ils/Elles suivent	Suis Suivons Suivez	J'ai suivi Tu as suivi Il/Elle/On a suivi Nous avons suivi Vous avez suivi Ils/Elles ont suivi	Je suivais Tu suivais Il/Elle/On suivait Nous suivions Vous suiviez Ils/Elles suivaient	Je suivrai Tu suivras Il/Elle/On suivra Nous suivrons Vous suivrez Ils/Elles suivront	Je suivrais Tu suivrais Il/Elle/On suivrait Nous suivrions Vous suivriez Ils/Elles suivraient
Venir	Je viens Tu viens Il/Elle/On vient Nous venons Vous venez Ils/Elles viennent	Viens Venons Venez	Je suis venu/venue Tu es venu/venue Il/Elle/On est venu(s)/venue(s) Nous sommes venus/venue(s) Vous êtes venu(s)/venues Ils/Elles sont venus/venues	Je venais Tu venais Il/Elle/On venait Nous venions Vous veniez Ils/Elles venaient	Je viendrai Tu viendras Il/Elle/On viendra Nous viendrons Vous viendrez Ils/Elles viendront	Je viendrais Tu viendrais Il/Elle/On viendrait Nous viendrions Vous viendriez Ils/Elles viendraient
Vivre	Je vis Tu vis Il/Elle/On vit Nous vivons Vous vivez Ils/Elles vivent	Vis Vivons Vivez	J'ai vécu Tu as vécu Il/Elle/On a vécu Nous avons vécu Vous avez vécu Ils/Elles ont vécu	Je vivais Tu vivais Il/Elle/On vivait Nous vivions Vous viviez Ils/Elles vivaient	Je vivrai Tu vivras Il/Elle/On vivra Nous vivrons Vous vivrez Ils/Elles vivront	Je vivrais Tu vivrais Il/Elle/On vivrait Nous vivrions Vous vivriez Ils/Elles vivraient
Voir	Je vois Tu vois Il/Elle/On voit Nous voyons Vous voyez Ils/Elles voient	Vois Voyons Voyez	J'ai vu Tu as vu Il/Elle/On a vu Nous avons vu Vous avez vu Ils/Elles ont vu	Je voyais Tu voyais Il/Elle/On voyait Nous voyions Vous voyiez Ils/Elles voyaient	Je verrai Tu verras Il/Elle/On verra Nous verrons Vous verrez Ils/Elles verront	Je verrais Tu verrais Il/Elle/On verrait Nous verrions Vous verriez Ils/Elles verraient
Vouloir	Je veux Tu veux Il/Elle/On veut Nous voulons Vous voulez Ils/Elles veulent	Veux (Veuille) Voulons Voulez (Veuillez)	J'ai voulu Tu as voulu Il/Elle/On a voulu Nous avons voulu Vous avez voulu Ils/Elles ont voulu	Je voulais Tu voulais Il/Elle/On voulait Nous voulions Vous vouliez Ils/Elles voulaient	Je voudrai Tu voudras Il/Elle/On voudra Nous voudrons Vous voudrez Ils/Elles voudront	Je voudrais Tu voudrais Il/Elle/On voudrait Nous voudrions Vous voudriez Ils/Elles voudraient

Lexique

A

à cause de, loc.

à côté de, loc.

à l'angle de, loc.

à pied, loc.

absent / absente, adj., n. m. / f.

accompagner, v.

accord, n. m.

accorder, v.

accueillir, v.

acheter, v.

acteur / actrice, n. m. / f.

adapter, v.

addition, n. f.

adjectif, n. m.

admirer, v.

adorer, v.

adresse, n. f.

adulte, adj., n. m. / f.

adverbe, n. m.

aéronautique, adj.

affaires, n. f. p.

affiche, n. f.

affreux / affreuse, adj.

âge, n. m.

agenda, n. m.

agréable, adj.

agriculteur / agricultrice, n. m. / f.

aide, n. f.

aider, v.

aimer, v.

ajouter, v.

aliment, n. m.

Allemand / Allemande, n. m. / f.

aller, v.

allumer, v.

alors, adv.

ambassadeur / ambassadrice, n. m. / f.

aménager, v.

Américain / Américaine, n. m. / f.

ami / amie, n. m. / f.

amical / amicale, adj.

amusant / amusante, adj.

an, n. m.

ancien / ancienne, adj.

Anglais / Anglaise, n. m. / f.

antipathique, adj.

appartement, n. m.

appeler (s'), v. pr.

applaudir, v.

apporter, v.

apprendre, v.

appuyer, v.

après-midi, n. m. ou f.

arbre, n. m.

architecte, n. m. / f.

argent, n. m.

armoire, n. f.

arrêt de bus, n. m.

arriver, v.

art, n. m.

artiste, n. m. / f.

assez, adv.

assiette, n. f.

assistant / assistante, n. m. / f.

assister, v.

associer, v.

attendre, v.

attirer, v.

au bout de, loc.

au milieu de, loc.

auburn, adj.

au-dessous, adv.

au-dessus, adv.

augmentation, n. f.

aujourd'hui, adv.

ausculter, v.

aussi, adv.

autre, adj.

autrefois, adv.

auxiliaire, n. m., adj.

avaler, v.

avant, adj., adv.

avantage, n. m.

aventure, n. f.

avion, n. m.

avocat / avocate, n. m. / f.

avoir, v.

avoir besoin de, loc.

avoir chaud, loc.

avoir envie de, loc.

avoir faim, loc.

avoir froid, loc.

avoir l'air de, loc.

avoir la grippe, loc.

avoir mal à la gorge, loc.

avoir mal à la tête, loc.

avoir mal aux dents, loc.

avoir peur de, loc.

avoir soif, loc.

avoir un rhume, loc.

B

baigner (se), v. pr.

balcon, n. m.

bande dessinée, n. f.

barrer, v.

bateau, n. m.

bâtiment, n. m.

batterie, n. f.

beau / belle, adj.

beaucoup, adv.

beauté, n. f.

beaux-arts, n. m. pl.

bédéphile, n. m. / f.

Belge, n. m. / f.

béquille, n. f.

béret, n. m.

bibliothécaire, n. m. / f.

bibliothèque, n. f.

bien, adv.

bien sûr, adv.

bientôt, adv.

bière, n. f.

bilingue, adj.

billet, n. m.

biscuit, n. m.

bizarre, adj.

blanc / blanche, adj.

blessure, n. f.

bleu / bleue, adj.

blond / blonde, adj.

blouse, n. f.

blouson, n. m.

boire, v.

bois, n. m.

boîte, n. f.

bon / bonne, adj.

bottes n. f. pl.

bouche, n. f.

boulangerie, n. f.

bourgeon, n. m.

bourse, n. f.

bouteille, n. f.

boutique, n. f.

branche, n. f.

bras, n. m.

brillant / brillante, adj.

briller, v.

bronzer, v.

brosser, v.

bruit, n. m.

brun / brune, adj.

brusquement, adv.

buffet, n. m.

bureau, n. m.

C

cabine, n. f.

cadeau, n. m.

café, n. m.

cahier, n. m.

caissier/caissière, n. m./f.

cajoler, v.

calme, adj.

campagne, n. f.

campus, n. m.

Canadien/Canadienne, n. m./f.

canapé, n. m.

capitale, n. f.

carnet, n. m.

carrefour, n. m.

carton, n. m.

casquette, n. f.

ceinture, n. f.

célèbre, adj.

célébrer, v.

célibataire, adj., n. m./f.

centre-ville, n. m.

céréales, n. f. pl.

cerise, n. f.

certain/certaine, adj.

chaise, n. f.

chaleureux/chaleureuse, adj.

chambre, n. f.

chance, n. f.

changer, v.

chant, n. m.

chanter, v.

chanteur/chanteuse, n. m./f.

charmant/charmante, adj.

chat/chatte, n. m./f.

châtain/châtaine, adj.

chaud/chaude, adj.

chaussette, n. f.

chaussure, n. f.

chemise, n. f.

chemisier, n. m.

chercher, v.

chercheur/chercheuse, n. m./f.

cheval, n. m.

cheveux, n. m. pl.

cheville, n. f.

chien/chienne, n. m./f.

chimie, n. f.

Chinois/Chinoise, n. m./f.

chirurgie, n. f.

chocolat, n. m.

choisir, v.

chose, n. f.

chou, n. m.

cil, n. m.

circulation, n. f.

citron, n. m.

civilisation, n. f.

clair/claire, adj.

classe, n. f.

clavier, n. m.

clé, n. f.

cliché, n. m.

client/cliente, n. m./f.

climat, n. m.

cliquer, v.

cocotier, n. m.

cœur, n. m.

coin, n. m.

colère, n. f.

collectionner, v.

collège, n. m.

collègue, n. m./f.

comédien/comédienne, n. m./f.

comme, adj. et conj.

commencement, n. m.

commencer, v.

commerçant/commerçante, n. m./f.

commissariat, n. m.

commode, n. f.

commun/commune, adj.

compléter, v.

complimenter, v.

comprendre, v.

comptable, n. m./f.

compter, v.

concert, n. m.

conduire, v.

conférencier / conférencière, n. m. / f.

confiture, n. f.

confondre, v.

conjuguer, v.

connaître, v.

consacrer, v.

conseil, n. m.

consommer, v.

consonne, n. f.

consultant / consultante, n. m. / f.

consulter, v.

content / contente, adj.

continuer, v.

convenir, v.

conversation, n. f.

coopération, n. f.

coordonnées, n. f. pl.

Coréen / Coréenne, n. m. / f.

correspondant / correspondante, adj.

corriger, v.

costume, n. m.

coton, n. m.

cou, n. m.

coucher (se), v. pr.

coude, n. m.

couleur, n. f.

couloir, n. m.

couper, v.

courage, n. m.

courant / courante, adj.

courriel, n. m.*(Ca)

cours, n. m.

courses, n. f. pl.

court, n. m.

couscous, n. m.

couteau, n. m.

couverture, n. f.

créer, v.

crêpe, n. f.

critiquer, v.

cuillère, n. f.

cuir, n. m.

cuisine, n. f.

cuisiner, v.

culture, n. f.

curieux / curieuse, adj.

curriculum vitæ, n. m.

cyclisme, n. m.

D

d'abord, adv.

d'habitude, adv.

dangereux / dangereuse, adj.

dans, prép.

danser, v.

de temps en temps, adv.

debout, adv.

début, n. m.

décider, v.

décoratif / décorative, adj.

découvrir, v.

décrire, v.

déguster, v.

déjeuner, v.

demain, adv.

demander, v.

déménager, v.

demi / demie, adj.

dent, n. f.

dépêcher (se), v. pr.

déposer, v.

déprime, n. f.

depuis, prép.

député / députée, n. m. / f.

derrière, adv.

derrière, prép.

désigner, v.

désolation, n. f.

désolé / désolée, p. p., adj.

dessert, n. m.

dessin, n. m.

dessiner, v.

destin, n. m.

détester, v.

dette, n. f.

devant, adv.

devant, prép.

devenir, v.

deviner, v.

devoir, v.

dialogue, n. m.

diététique, n. f.

difficile, adj.

dimanche, n. m.

dinde, n. f.

dîner, n. m.

dire, v.

directeur / directrice, n. m. / f.

diriger, v.

discipline, n. f.

discothèque, n. f.

discuter, v.

disparité, n. f.

disparition, n. f.

disque, n. m.

disquette, n. f.

distraire (se), v. pr.

divertissement, n. m.

diviser (se), v. pr.

divorcé / divorcée, adj., n. m. / f.

doigt, n. m.

dommage, n. m.

donc, conj.

donner, v.

dormir, v.

dos, n. m.

dossier, n. m.

doucher (se), v. pr.

douleur, n. f.

droit / droite, adj.

droit, n. m.

droite (à), adv.

drôle, adj.

durer, v.

E

échanger, v.

écharpe, n. f.

échecs, n. m. pl.

échouer, v.

éclair, n. m.

éclairé / éclairée, adj.

école, n. f.

écolier / écolière, n. m. / f.

écolo, adj.

écologie, n. f.

économie, n. f.

économiste, n. m. / f.

écouter, v.

écran, n. m.

écrire, v.

écriture, n. f.

écrivain / écrivaine, n. m. / f.

égalité, n. f.

église, n. f.

Égyptien / Égyptienne, n. m. / f.

élégant / élégante, adj.

élève, n. m. / f.

émancipation, n. f.

emballage, n. m.

emploi, n. m.

employé / employée, n. m. / f.

employer, v.

en face de, prép.

encercler, v.

enchanté / enchantée, p. p., adj.

endroit, n. m.

enfance, n. f.

enfant, n. m. / f.

enfin, adv.

enjeu, n. m

ennui, n. m.

ennuyeux / ennuyeuse, adj.

enseignant / enseignante, n. m. / f.

ensemble, adv.

ensuite, adv.

enthousiaste, adj.

entourer, v.

entre, prép.

entrer, v.

environ, adv.

environnement, n. m.

envoyer, v.

épeler, v.

épicerie, n. f.

éplucher, v.

équilibre, n. m.

erreur, n. f.

escalade, n. f.

Espagnol / Espagnole, n. m. / f.

espèce, n. f.

espérer, v.

esprit, n. m.

essayer, v.

essayiste, n. m. / f.

esthétique, adj.

estomac, n. m.

étage, n. m.

étagère, n. f.

étiquette, n. f.

étranger / étrangère, adj.

être, v.

être en bonne santé, loc.

être en pleine forme, loc.

être enrhumé, loc.

être malade, loc.

étude, n. f.

étudiant / étudiante, n. m. / f.

étudier, v.

événement, n. m.

examen, n. m.

excuser, v.

exercer, v.

existence, n. f.

exister, v.

exotique, adj.

expliquer, v.

exposer, v.

exposition, n. f.

exprimer, v.

extérieur / extérieure, adj.

extrait, n. m.

F

fable, n. f.

fabriquer, v.

facile, adj.

facture, n. f.

faim, n. f.

faire, v.

farine, n. f.

fatigué / fatiguée, p. p., adj.

faune, n. f.

fauteuil, n. m.

faux / fausse, adj.

féliciter, v.

fenêtre, n. f.

fer, n. m.

fermer, v.

fesse, n. f.

festival, n. m.

feu de circulation, n. m.

feuille, n. f.

fichier, n. m.

fièvre, n. f.

figuratif / figurative, adj.

fille, n. f.

film, n. m.

fils, n. m.

fin, n. f.

finir, v.

flacon, n. m.

flèche, n. f.

fleur, n. f.

flore, n. f.

fois, n. f.

fonctionnaire, n. m./f.

fond, n. m.

force, n. f.

forêt, n. f.

forme, n. f.

fort/forte, adj.

fou/folle, adj.

four, n. m.

fourchette, n. f.

fragile, adj.

frais/fraîche, adj.

Français/Française, n. m./f.

fréquemment, adv.

frire, v.

frisé/frisée, adj.

frites, n. f. pl.

froid/froide, adj.

froid, n. m.

fromage, n. m.

fumer, v.

G

gagner, v.

galerie, n. f.

garçon, n. m.

gare, n. f.

gâteau, n. m.

gauche, adj.

géant/géante, adj.

geler, v.

généticien/généticienne, n. m./f.

génétique, adj., n. f.

génie, n. m.

genou, n. m.

genre, n. m.

gens, n. m./f. pl.

gentil/gentille, adj.

gesticuler, v.

gomme, n. f.

gorge, n. f.

gourmand/gourmande, adj.

gourmet, n. m.

goût, n. m.

gouverneur/gouverneure, n. m./f.

grâce à, prép.

gramme, n. m.

grandir, v.

grands-parents, n. m. pl.

grasse matinée, n. f.

gratuit/gratuite, adj.

grave, adj.

Grec/Grecque, n. m./f.

gros/grosse, adj.

grossir, v.

guérir, v.

guide, n. m./f.

gymnastique, n. f.

H

habiter, v.

hanche, n. f.

haricot, n. m.

hasard, n. m.

haut/haute, adj.

héros/héroïne, n. m./f.

hésiter, v.

heure, n. f.

heureux/heureuse, adj.

hier, adv.

hilarité, n. f.

histoire, n. f.

hiver, n. m.

homme, n. m.

hôpital, n. m.

horloge, n. f.

hôtel, n. m.

huile, n. f.

humeur, n. f.

humour, n. m.

I

icône, n. f.

idéal / idéale, adj.

idée, n. f.

identifier, v.

imaginer, v.

imiter, v.

immédiatement, adv.

immeuble, n. m.

immortel / immortelle, adj.

impératif, n. m.

imperméable, n. m.

implicite, adj.

impressionner, v.

imprimante, n. f.

inanimé / inanimée, adj.

inaugurer, v.

Indien / Indienne, n. m. / f.

indiquer, v.

indiscutable, adj.

inégalité, n. f.

infirmier / infirmière, n. m. / f.

informaticien / informaticienne, n. m. / f.

informatique, n. f.

informer, v.

ingénieur / ingénieure, n. m. / f.

inquiétant / inquiétante, adj.

inscrire, v.

installer (s'), v. pr.

instituteur / institutrice, n. m. / f.

instrument, n. m.

intention, n. f.

interdit / interdite, p. p., adj.

intéressant / intéressante, adj.

intérieur / intérieure, adj.

interlocuteur / interlocutrice, n. m. / f.

interrogatif / interrogative, adj.

interview, n. f.

intrus / intruse, n. m. / f.

invariable, adj.

inviter, v.

Italien / Italienne, n. m. / f.

J

jamais, adv.

jambe, n. f.

jardin, n. m.

jeu, n. m.

jeudi, n. m.

jeune, adj.

joli / jolie, adj.

joue, n. f.

jouer, v.

jouet, n. m.

jour, n. m

journal, n. m.

journaliste, n. m. / f.

journée, n. f.

jupe, n. f.

jus, n. m.

jus de fruits, n. m.

justifier, v.

L

laboratoire, n. m.

laid / laide, adj.

laine, n. f.

laïc / laïque, n.

laisser, v.

lait, n. m.

lampe, n. f.

lancer, v.

laver, v.

leçon, n. f.

lever (se), v. pr.

lèvre, n. f.

librairie, n. f.

libre, adj.

librement, adv.

lieu, n. m.

lire, v.

lit, n. m.

litre, n. m.

livre, n. m.

logement, n. m.

loin, adv.

loisir, n. m.

long / longue, adj.

louer, v.

loyer, n. m.

ludique, adj.

lumineux / lumineuse, adj.

lundi, n. m.

lycée, n. m.

M

mâcher, v.

magasin, n. m.

Maghreb, n. m.

magnifique, adj.

maigrir, v.

main, n. f.

maintenant, adv.

mairie, n. f.

mais, conj.

maison, n. f.

mal, n. m.

malade, adj.

maladie, n. f.

Malien / Malienne, n. m. / f.

mammifère, n. m.

manger, v.

manifestation, n. f.

manteau, n. m.

maquiller (se), v. pr.

marché, n. m.

marcher, v.

mardi, n. m.

mariage, n. m.

maternelle, n. f.

math (ou **maths**), n. f. pl.

matière, n. f.

matin, n. m.

mauvais / mauvaise, adj.

mécanicien / mécanicienne, n. m. / f.

médecin, n. m. / f.

médicament, n. m.

meilleur / meilleure, adj.

mélanger, v.

même, adj.

menace, n. f.

ménage, n. m.

menton, n. m.

mer, n. f.

mercredi, n. m.

mère, n. f.

message (électronique), n. m.

mesurer, v.

métal, n. m.

métro, n. m.

mettre, v.

meuble, n. m.

Mexicain / Mexicaine, n. m. / f.

midi, n. m.

mieux, adj.

milieu, n. m.

mine, n. f.

ministère, n. m.

minuit, n. m.

miroir, n. m.

mode, n. f.

modèle, n. m.

moderne, adj.

modifier, v.

mois, n. m.

monde, n. m.

mondial / mondiale, adj.

mondialisation, n. f.

moniteur/monitrice, n. m./f.

montagne, n. f.

montre, n. f.

montrer, v.

mot, n. m.

muet/muette, adj.

mur, n. m.

musée, n. m.

musicien/musicienne, n. m./f.

mythologie, n. f.

N

nager, v.

nautique, adj.

naviguer, v.

négocier, v.

neiger, v.

nerveux/nerveuse, adj.

nettoyer, v.

nez, n. m.

nom, n. m.

nombre, n. m.

nombreux/nombreuse, adj.

nommer, v.

nord, n. m.

note, n. f.

noter, v.

nourrir, v.

nourriture, n. f.

nouveau/nouvelle, adj.

nouvelles, n. f. pl.

nuageux/nuageuse, adj.

nylon, n. m.

O

obéir, v.

objectif, n. m.

obliger, v.

observer, v.

occuper, v.

occuper (s'), v. pr.

œuf, n. m.

offrir, v.

oiseau, n. m.

oncle, n. m.

onomatopée, n. f.

opposer, v.

optimiste, adj.

or, n. m.

ordinateur, n. m.

ordre, n. m.

oreille, n. f.

orphelin/orpheline, n. m./f.

orteil, n. m.

oublier, v.

ouest, adj.

outil, n. m.

ouvrir, v.

P

paix, n. f.

palmier, n. m.

pantalon, n. m.

paquet, n. m.

parapluie, n. m.

parce que, conj.

parent, n. m.

paresseux/paresseuse, adj.

parfait/parfaite, adj.

parfois, adv.

parfumer (se), v. pr.

parler, v.

partager, v.

participant/participante, n. m./f.

participe passé, n. m.

particulier/particulière, adj.

partir, v.

passer, v.

pâté, n. m.

pâtes, n. f. pl.

patience, n. f.

patinage, n. m.

patinoire, n. f.

patrimoine, n. m.

patron / patronne, n. m. / f.

pauvre, adj.

payer, v.

pays, n. m.

paysage, n. m.

pédagogique, adj.

peintre, n. m. / f.

pendant, prép.

penser, v.

père, n. m.

permettre, v.

permis, n. m.

perpétuer, v.

persévérance, n. f.

personne, n. f.

persuader, v.

pertinent, adj.

pessimiste, adj.

petit / petite, adj.

petit-déjeuner, n. m.

peu, adv.

photo, n. f.

pièce, n. f.

pièce jointe, n. f.

pied, n. m.

pierre, n. f.

pire, adv.

piscine, n. f.

piste cyclable, n. f.

place, n. f.

plaine, n. f.

plaisanter, v.

planète, n. f.

plaque d'immatriculation, n. f.

plastique, adj.

plat, n. m.

plâtre, n. m.

plus tard, adv.

plusieurs, pron., adj.

pneu, n. m.

poignet, n. m.

point, n. m.

pointure, n. f.

pois, n. m.

poisson, n. m.

poli / polie, adj.

politique, n. f.

polluer, v.

pollution, n. f.

pomme, n. f.

pomme de terre, n. f.

pont, n. m.

portable, n. m.

porte, n. f.

porter, v.

Portugais / Portugaise, n. m. / f.

poser, v.

posséder, v.

poste, n. m.

poulet, n. m.

poursuivre, v.

pouvoir, v.

pratique, adj.

précéder, v.

préférer, v.

premier / première, adj.

prendre, v.

prénom, n. m.

préparer (se), v. pr.

près, adv.

présenter, v.

prêt / prête, adj.

printemps, n. m.

prix, n. m.

prochain / prochaine, adj.

produit, n. m.

profiter, v.

profond / profonde, adj.

programme, n. m.

projet, n. m.

promenade, n. f.

promener (se), v. pr.

promotion, n. f.

promouvoir, v.

prononcer, v.

prononciation, n. f.

proposer, v.

propriétaire, n. m.

protéger, v.

psychologie, n. f.

public, n. m.

publicité, n. f.

puis, adv.

puisque, conj.

pur / pure, adj.

Q

quand, prép.

quart, n. m.

quartier, n. m.

quel / quelle, adj.

queue, n. f.

R

raide, adj.

raison, n. f.

rajeunir, v.

randonnée, n. f.

ranger, v.

rapide, adj.

raser, v.

réalisateur / réalisatrice, n. m. / f.

recette, n. f

recevoir, v.

réchauffement, n. m.

recommandation, n. f.

record, n. m.

rédiger, v. tr.

réfléchir, v.

réflexion, n. f.

refuser, v.

regarder, v.

régime, n. m.

règle, n. f.

régulièrement, adv.

relier, v.

religieux / religieuse, adj.

remarquer, v.

remercier, v.

remplacer, v.

remplir, v.

rencontre, n. f.

rencontrer, v.

rendez-vous, n. m.

renforcer, v.

rentrée, n. f.

rentrer, v.

réparer, v.

repas, n. m.

répéter, v.

répondre, v.

reposer (se), v. pr.

reprendre, v.

représenter, v.

réserver, v.

respirer, v.

rester, v.

retard, n. m.

retarder, v.

retenir, v.

retourner, v.

retraite, n. f.

réunion, n. f.

réussir, v.

réveil, n. m.

réveiller, v.

révélation, n. f.

rêver, v.

réviser, v.

revue, n. f.

rideau, n. m.

rire, v.

rivière, n. f.

riz, n. m.

robe, n. f.

robe de chambre, n. f.

rôle, n. m.

roman, n. m.

romantique, adj.

rond / ronde, adj.

rouge, adj.

rougir, v.

rouler, v.

route, n. f.

roux / rousse, adj.

rue, n. f.

rupture, n. f.

S

sac, n. m.

sagesse, n. f.

sain / saine, adj.

salade, n. f.

salaire, n. m.

salle, n. f.

salle à manger, n. f.

salle de bain, n. f.

salle de séjour, n. f.

saluer, v.

samedi, n. m.

sang, n. m.

santé, n. f.

sauce, n. f.

sauvage, adj.

sauvegarder, v.

savoir, v.

schéma, n. m.

scientifique, adj.

sculpter, v.

sculpture, n. f.

se porter bien ou mal, v. pr.

sec / sèche, adj.

section, n. f.

sel, n. m.

sélectionner, v.

selon, prép.

semaine, n. f.

semblable, adj.

semestre, n. m.

sentir, v.

sérieux / sérieuse, adj.

serpent, n. m.

serveur, n. m.

servir, v.

servitude, n. f.

seul / seule, adj.

seulement, adv.

siège, n. m.

signer, v.

signifier, v.

site, n. m.

situer, v.

société, n. f.

sœur, n. f.

soif, n. f.

soigner, v.

soirée, n. f.

soja, n. m.

soldes, n. m. pl.

soleil, n. m.

son, n. m.

sondage, n. m.

sortir, v.

soudain / soudaine, adj.

soudain, adv.

souffrir, v.

souligner, v.

sourcil, n. m.

sous, prep.

sous-sol, n. m.

souvent, adv.

spacieux / spacieuse, adj.

spectateur / spectatrice, n. m. / f.

stade, n. m.

statistique, adj.

statue, n. f.

stéréotype, n. m.

studio, n. m.

stylo, n. m.

sucre, n. m.

Suisse, n. m. / f.

suivant / suivante, adj.

suivre, v.

sujet, n. m.

superbe, adj.

supermarché, n. m.

sur, prép.

surgelé / surgelée, adj.

surprise, n. f.

symétrie, n. f.

sympathique, adj.

T

table, n. f.

table de nuit, n. f.

tableau, n. m.

taille, n. f.

taille-crayon, n. m.

tailleur, n. m.

talent, n. m.

tante, n. f.

tantôt, adv.

tapis, n. m.

tard, adv.

tarte, n. f.

température, n. f.

temps, n. m.

terminer, v.

terrain, n. m.

terre, n. f.

tête, n. f.

théâtre, n. m.

thème, n. m.

ticket, n. m.

timbre, n. m.

timide, adj.

toit, n. m.

tolérant / tolérante, adj.

tort, n. m.

tôt, adv.

toujours, adv.

tousser, v.

tout, adj.

tout à coup, prép.

traduction, n. f.

traité, n. m.

tranche, n. f.

tranquille, adj.

transformer, v.

transmettre, v.

travail, n. m.

travailler, v.

traverser, v.

très, adv.

triste, adj.

tromper (se), v. pr.

trône, n. m.

trottoir, n. m.

trouver, v.

trouver (se), v. pr.

tuyau, n. m.

U

université, n. f.

utiliser, v.

V

vacances, n. f. pl.

vaisselle, n. f.

valeur, n. f.

végétarien / végétarienne, n. m. / f.

vélo, n. m.

velours, n. m

vendeur / vendeuse, n. m. / f.

vendredi, n. m.

venir, v.

lexique

ventre, n. m.

verbe, n. m.

vérité, n. f.

vernissage, n. m.

verre, n. m.

veste, n. m.

vêtement, n. m.

viande, n. f.

vidéo, n. f.

vie, n. f.

vieillir, v.

vieux / vieille, adj.

village, n. m.

ville, n. f.

vin, n. m.

violet / violette, adj.

visiter, v.

vite, adv.

vivre, v.

vocabulaire, n. m.

voir, v.

voisin / voisine, n. m. / f.

voiture, n. f.

vol, n. m.

voleur / voleuse, n. m. / f.

voter, v.

vouloir, v.

voyager, v.

voyelle, n. f.

vraiment, adv.

vulgarisation, n. f.

yaourt, n. m.

yeux, n. m. pl.

■ CRÉDITS PHOTOGRAPHIQUES

PAGE COUVERTURE

Shutterstock

UNITÉ 1

p. 1, 3, 18b : Photos.com ; p. 16 : Shutterstock ; p. 18-19 :
Corel ; p. 18a : © Publiphoto / Y. Derome ; p. 18c :
© Publiphoto / G. Fontaine ; p. 19a et b : © Agence spatiale
canadienne, 2006

UNITÉ 2

p. 21, 37c, 38-39 : Photos.com ; p. 26 : © Richard
Klune / Corbis ; p. 34a, b, c, d : Erich Lessing / Art Resource,
NY ; p. 36, 37b, d, e : Shutterstock ; p. 37a : © Royalty-
Free / Corbis ; p. 38a : © Louie Psihoyos / Corbis ; p. 38b :
© Bryan F. Peterson / Corbis ; p. 39a : © Roland
Gerth / zefa / Corbis ; p. 39b : © Alain Potignon / Sygma /
Corbis

UNITÉ 3

p. 41, 48, 55a, b, c, d, p. 58-59 : Photos.com ; p. 56 :
Shutterstock ; p. 58a, b : © Fulvio Roiter / Corbis ; p. 58c :
© Nik Wheeler / Corbis ; p. 59a : © Bertrand Guay / AFP /
Getty Images ; p. 59b : © Wolfgang Kaehler / Corbis

UNITÉ 4

p. 63, 80, 82-83, 83a : Shutterstock ; p. 65, 77 : Photos.com ;
p. 82a : © Guenter Rossenbach / zefa / Corbis ; p. 82b :
© Chris Lisle / Corbis ; p. 82c : © Sophie Bassouls / Corbis
Sygma ; p. 83b : © Adam Woolfitt / Corbis

UNITÉ 5

p. 85, 96 : Photos.com ; p. 93, 98, 100-101 : Shutterstock ;
p. 100a : © Robert Eric / Corbis Sygma ; p. 100b : © Van
Parys Media / Corbis Sygma ; p. 100c : © Annebicque
Bernard / Corbis Sygma

UNITÉ 6

p. 103, 119a : Photos.com ; p. 116 : Shutterstock ; p.118-
119 : © Philippe Giraud / Goodlook / Corbis ; p. 118 : © La
Semaine du goût ; p. 119b : © Philip Gould / Corbis

UNITÉ 7

p. 123a : © Bettmann / Corbis ; p. 123b : © Royalty-
Free / Corbis ; p. 125, 136, 140, 141 : Photos.com ;
p. 138 : Shutterstock ; p. 140-141 : © Les FrancoFolies de
Montréal

UNITÉ 8

p. 143 : Photos.com ; p. 156, 158-159 : Shutterstock ;
p. 158 : © Communications Nouveau-Brunswick ; p. 159 :
© Michel Gravel / LA PRESSE

UNITÉ 9

p. 161, 176c : Photos.com ; p. 165, 172, 176a, b, 177, 178-
179, 178b, 179a, b, c : Shutterstock ; p. 178a : © Roger
Wood / Corbis ; p. 178c : © Collection Roger-Viollet

UNITÉ 10

p. 183, 194, 195, 196, 200, 201, 202-203 : Shutterstock ;
p. 185 : Photos.com ; p. 202a : © Margaret Courtney-
Clarke / Corbis ; p. 202b : © Brian A. Vikander / Corbis ;
p. 203 : © Nik Wheeler / Corbis

UNITÉ 11

p. 205 : Photos.com ; p. 216a, b, c, d, 220, 222-223, 222,
223a, b : Shutterstock ; p. 219 : Michel Pratt © Le Québec
en images, CCDMD

UNITÉ 12

p. 225 : Photos.com ; p. 238, 240, 242-243 : Shutterstock ;
p. 242a : © Sergio Pitamitz / Corbis ; p. 242b : Corel ; p. 243 :
© Wolfgang Kaehler / Corbis